Mensajeros de un Glorioso Porvenir

Dibujos a lápiz por J. L. Converse

Elena G. de White

Autora de las siguientes obras de gran difusión:
Patriarcas y profetas, El Deseado de todas las gentes, El camino a Cristo, La educación, Héroes y mártires del cristianismo apostólico, Palabras de vida del gran Maestro, El hogar cristiano, El triunfo del amor de Dios, y muchas más.

Mensajeros de un Glorioso Porvenir

Historias de la Cautividad y Restauración del Pueblo de Dios

Tomo 1

Esta obra ha sido publicada también con el título
Profetas y reyes

PUBLICACIONES INTERAMERICANAS
PACIFIC PRESS PUBLISHING ASSOCIATION
Boise, Idaho
Oshawa, Ontario, Canadá

Título de este libro en inglés:
Prophets and Kings

Editado e impreso por
PUBLICACIONES INTERAMERICANAS
División Hispana de la Pacific Press Publishing Association:
P. O. Box 7000, Boise, Idaho 83707, EE. UU. de N. A.

Primera edición en este formato
6.000 ejemplares en circulación
1991

Offset in U.S.A.
ISBN 0-8163-9897-6

Prefacio

La historia del antiguo pueblo de Israel encierra un interés vasto y vital, principalmente porque revela aspectos esenciales del carácter sublime de Dios: su infinita compasión, su perfecta justicia, su ilimitada sabiduría, su poder sin medida y su eterno amor.

Mensajeros de un glorioso porvenir analiza el período más dramático y significativo de dicha historia, o sea la época comprendida entre dos momentos opuestos: desde el período de mayor gloria y poderío del reino bajo Salomón, hasta su cautiverio y los penosos comienzos de la restauración.

Este libro no se propone presentar una crónica detallada de esa época, sino destacar lo más importante y decisivo, señalando las grandes lecciones morales que se desprenden de los triunfos, derrotas, apostasías y reformas de ese pueblo escogido por Dios.

La obra estudia el carácter de grandes personajes del Antiguo Testamento: Salomón, cuya sabiduría no fue suficiente para evitar que naufragara en la desobediencia; Jeroboam, el político cuyas decisiones dieron resultados tan funestos; Elías, el profeta que cumplió una gran misión y comunicó un gran mensaje; Eliseo, su sucesor, que trajo paz y curación al pueblo; Acaz, rey temeroso y perverso; Ezequías, monarca tímido, pero bueno; Daniel, el extraordinario profeta de la corte de Babilonia; Jeremías, el profeta de las lamentaciones; Hageo, Zacarías y Malaquías, mensajeros de la restauración.

Y más allá de todos ellos se perfila la gloria sobrenatural del Cordero de Dios, el Mesías prometido, en quien todos los símbolos del Antiguo Testamento encontrarían su cumplimiento.

Pasamos así de las figuras, a la realidad; de los gobernantes que perecen, al Rey eterno; de las glorias pasajeras, a las que son eternas; del pueblo mortal, pecador y transitorio, al pueblo justificado por la fe en Cristo, y que hereda la inmortalidad.

Este volumen forma parte de una serie de cinco tomos que abarcan la historia sagrada. *Líderes que inspiraron al mundo* cubre el período que va desde la creación del mundo hasta el fin del reinado de David. *El Deseado de todas las gentes* estudia en detalle la vida y el ministerio de Nuestro Señor Jesucristo. *Mensajeros de un glorioso porvenir* abarca, precisamente, los acontecimientos que ocurren entre esos dos momentos históricos. *Héroes y mártires del cristianismo apostólico* analiza el rápido avance del Evangelio durante el primer siglo de nuestra era. Por último, *El triunfo del amor de Dios* examina las alternativas del conflicto entre el bien y el mal a lo largo del resto de la era cristiana, para luego proyectarse proféticamente hacia la Tierra Nueva.

Que este libro, cuyos capítulos fueron escritos por su autora al final de su vida, y que ha alcanzado amplia difusión en diversos idiomas, sea un medio poderoso para que muchos lectores lleguen a conocer y amar mejor al Dios verdadero, es el anhelo profundo y sincero de

LOS EDITORES

Indice

INTRODUCCION

La Viña del Señor

CUANDO Dios llamó a Abrahán para que saliese de entre su parentela idólatra, y lo invitó a que viviera en la tierra de Canaán, lo hizo con el fin de dar los más ricos dones del cielo a todos los pueblos de la tierra. "Haré de ti —le dijo— una nación grande, y te bendeciré, y engrandeceré tu nombre, y serás bendición" (Génesis 12: 2).* Abrahán recibió la alta distinción de ser padre del pueblo que durante siglos habría de custodiar y conservar la verdad de Dios para el mundo, el pueblo por medio del cual todas las naciones serían bendecidas con el advenimiento del Mesías prometido.

Los hombres casi habían perdido el conocimiento del Dios verdadero. Sus intelectos estaban entenebrecidos por la idolatría. En lugar de los estatutos divinos, cada uno de los cuales es "santo, justo y bueno" (Romanos 7: 12), procuraban establecer leyes en armonía con los pensamientos de sus propios corazones crueles y egoístas. Sin embargo, en su misericordia, Dios no les quitó la existencia. Quería

*En esta edición los pasajes bíblicos se transcriben de la versión Reina-Valera 1960, porque es la más difundida en los países de habla castellana.

darles la oportunidad de conocerle mediante su iglesia, y que los principios revelados por su pueblo fuesen el medio de restaurar la imagen moral de Dios en el hombre.

La ley de Dios debía ser exaltada y su autoridad mantenida; y esta obra grande y noble fue confiada a la casa de Israel. Dios la separó del mundo para poder entregarle un encargo sagrado. La hizo depositaria de su ley y quiso conservar por su medio el conocimiento de él entre los hombres. Así debía brillar la luz del cielo sobre un mundo envuelto en tinieblas, y debía oírse una voz que suplicara a todos los pueblos para que se apartaran de la idolatría y sirvieran al Dios viviente.

"Con gran poder y con mano fuerte" (Exodo 32: 11), Dios sacó a su pueblo elegido de la tierra de Egipto. "Envió a su siervo Moisés, y a Aarón, al cual escogió. Puso en ellos las palabras de sus señales, y sus prodigios en la tierra de Cam". "Reprendió al Mar Rojo y lo secó, y les hizo ir por el abismo" (Salmos 105: 26, 27; 106: 9). El los libró de su esclavitud para poder llevarlos a una buena tierra, una tierra que había preparado en su providencia para que les sirviese de refugio protector contra sus enemigos. Quería atraerlos a sí, y rodearlos con sus brazos eternos; y como reconocimiento a su bondad y misericordia, ellos debían proclamar su nombre y hacerlo glorioso en la tierra.

"Porque la porción de Jehová es su pueblo; Jacob la heredad que le tocó. Le halló en tierra de desierto, y en yermo de horrible soledad; lo trajo alrededor, lo instruyó, lo guardó como a la niña de su ojo. Como el águila que excita su nidada, revolotea sobre sus pollos, extiende sus alas, los toma, los lleva sobre sus plumas, Jehová solo le guió, y con él no hubo dios extraño" (Deuteronomio 32: 9-12). De este modo acercó a él a los israelitas, para que vivieran a la sombra del Altísimo. Milagrosamente protegidos de los peligros que enfrentaron en su peregrinación por el desierto, quedaron finalmente establecidos en la tierra prometida como nación favorecida.

Mediante una parábola, Isaías relató patéticamente cómo Dios llamó y preparó a Israel para que sus hijos se destacaran en el mundo como representantes de Jehová, fructíferos en toda buena obra:

"Ahora cantaré por mi amado el cantar de mi amado a su viña. Tenía mi amado una viña en una ladera fértil. La había cercado y despedregado y plantado de vides escogidas; había edificado en medio de ella una torre, y hecho también en ella un lagar; y esperaba que diese uvas" (Isaías 5: 1, 2).

Mediante la nación escogida, Dios había querido impartir bendiciones a toda la humanidad. "La viña de Jehová de los ejércitos —declaró el profeta— es la casa de Israel, y los hombres de Judá planta deliciosa suya" (Isaías 5: 7).

A este pueblo fueron confiados los oráculos de Dios. Estaba cercado por los preceptos de su ley, los principios eternos de la verdad, la justicia y la pureza. La obediencia a estos principios debía ser su protección, pues le impediría autodestruirse con prácticas pecaminosas. Dios puso su santo templo en medio de la tierra como torre del viñedo.

Cristo era su instructor. Como había estado con ellos en el desierto, seguiría siendo su maestro y guía. En el tabernáculo y el templo, su gloria moraba en la santa *shekina** sobre el propiciatorio. El manifestaba constantemente en su favor las riquezas de su amor y paciencia.

El propósito de Dios les fue manifestado por Moisés y fueron aclaradas las condiciones de su prosperidad. "Porque tú eres pueblo santo para Jehová tu Dios —les dijo—; Jehová tu Dios te ha escogido para serle un pueblo especial, más que todos los pueblos que están sobre la tierra".

"Has declarado solemnemente hoy que Jehová es tu Dios, y que andarás en sus caminos, y guardarás sus estatutos, sus mandamientos y sus decretos, y que escucharás su voz. Y Jehová ha declarado hoy que tú eres pueblo suyo, de su exclusiva posesión, como te lo ha prometido, para que guardes todos sus mandamientos; a fin de exaltarte sobre todas las naciones que hizo, para loor y fama y gloria, y para que seas un pueblo santo a Jehová tu Dios, como él ha dicho" (Deuteronomio 7: 6; 26: 17-19).

Los hijos de Israel debían ocupar todo el territorio que Dios les había señalado. Las naciones que habían rehusado adorar y servir al Dios verdadero, debían ser despojadas. Pero Dios quería que mediante la revelación de su carácter por Israel, los hombres fuesen atraídos a él. La invitación del Evangelio debía ser dada a todo el mundo. Cristo debía ser ensalzado ante las naciones por medio de la enseñanza del sistema de sacrificios, y así vivirían todos los que lo contemplaran. Se unirían con su pueblo escogido todos los que, como Rahab la cananea y Rut la moabita, se apartaran de la idolatría para adorar al Dios verdadero. A medida que aumentase el número de los israelitas, debían ensanchar sus fronteras, hasta que su reino abarcara el mundo entero.

Pero el Israel antiguo no cumplió el propósito de Dios. El Señor declaró: "Te planté de vid escogida, simiente verdadera toda ella; ¿cómo, pues, te me has vuelto sarmiento de vid extraña?" "Israel es una frondosa viña, que da abundante fruto para sí". "Ahora, pues, vecinos de Jerusalén y varones de Judá, juzgad ahora entre mí y mi viña. ¿Qué más se podía hacer a mi viña, que yo no haya hecho en ella? ¿Cómo, esperando yo que diese uvas, ha dado uvas silvestres? Os mostraré, pues, ahora lo que haré yo a mi viña: Le quitaré su vallado, y será consumida; aportillaré su cerca, y será hollada. Haré que quede desierta; no será podada ni cavada, y crecerán el cardo y los espinos; y aun a las nubes mandaré que no derramen lluvia sobre ella... Esperaba juicio, y he aquí vileza; justicia, y he aquí clamor" (Jeremías 2: 21; Oseas 10: 1; Isaías 5: 3-7).

Por medio de Moisés Dios había presentado a su pueblo los resultados de la infidelidad. Al negarse a cumplir su pacto, se separaría de la vida de Dios; y la bendición de él ya no podría descansar sobre ese pueblo. A veces estas amonestaciones fueron escuchadas, y ricas bendiciones fueron dadas a la nación judía y por su medio a los pueblos que la rodeaban. Pero su historia muestra que fue más frecuente que sus hijos se olvidaran de Dios y perdieran de vista el gran privilegio que tenían como representantes suyos. Le negaron el servicio que exigía de ellos, y privaron a sus semejantes de la dirección religiosa y del ejemplo santo que debían darles. Desearon apropiarse de los frutos del viñedo sobre el cual habían sido puestos como mayordomos. Su codicia hizo que los despreciaran aun los paganos; y el mundo gentil fue inducido a interpretar erróneamente el carácter de Dios y las leyes de su reino.

Dios soportó a su pueblo con corazón paternal. Trató de convencerlo mediante las misericordias que le concedía y con las que le retiraba. Con paciencia le señaló sus pecados, y esperó que le reconociesen. Envió profetas y mensajeros para instar a los labradores a que reconociesen los derechos de su Señor; pero en vez de dar la bienvenida a aquellos hombres de discernimiento y poder espirituales, fueron tratados como enemigos. Los labradores los persiguieron y mataron. Dios mandó otros mensajeros, pero recibieron el mismo trato que los primeros, y los labradores fueron aún más resueltos en su odio.

El hecho de que el favor divino le fuera retirado a Israel durante el destierro, indujo a muchos a arrepentirse. Sin embargo, después de regresar a la tierra prometida, el pueblo judío repitió los errores de generaciones anteriores, y entró en conflictos políticos con las naciones circundantes. Los profetas a quienes Dios envió para corregir los males prevalecientes, fueron recibidos con la misma sospecha y el mismo desprecio que habían sufrido los mensajeros de tiempos anteriores; y así, de siglo en siglo, los guardianes de la viña fueron aumentando su culpabilidad.

La buena viña sembrada por Dios en las colinas de Palestina fue despreciada por los hombres de Israel, y finalmente arrojada por encima de la cerca; la estropearon y pisotearon, y hasta alentaron la esperanza de haberla destruido para siempre. El Viñatero sacó la vid y la ocultó de los ojos de ellos. Volvió a plantarla, pero fuera de la cerca, de modo que ya no fuese visible. Las ramas colgaban por encima de la cerca, y podían hacérsele injertos, pero el tronco fue puesto donde el poder de los hombres no pudiese alcanzarlo ni dañarlo.

Para la iglesia de Dios, que custodia ahora su viña en la

tierra, resultan de un valor especial los mensajes de consejo y admonición dados por los profetas que presentaron claramente el propósito eterno del Señor en favor de la humanidad. El amor de Dios hacia la raza perdida y el plan que trazó para salvarla quedan claramente revelados en las enseñanzas de los profetas. El tema de los mensajeros que Dios envió a su iglesia a través de los siglos ya transcurridos, fue la historia del llamamiento dirigido a Israel, sus éxitos y fracasos, cómo recobró el favor divino, cómo rechazó al Señor de la viña y cómo el plan divino será llevado a cabo por un remanente piadoso en favor del cual se cumplirán todas las promesas del pacto. Y hoy el mensaje de Dios a su iglesia, a aquellos que se ocupan en su viña como fieles labradores, no es otro que el que dio el antiguo profeta: "En aquel día cantad acerca de la viña del vino rojo. Yo Jehová la guardo, cada momento la regaré; la guardaré de noche y de día, para que nadie la dañe" (Isaías 27: 2, 3).

Espere Israel en Dios. El Señor de la viña está ahora mismo juntando de entre los hombres de todas las naciones y de todos los pueblos los preciosos frutos que ha estado aguardando desde hace mucho. Pronto vendrá a los suyos; y en aquel alegre día se cumplirá finalmente su eterno propósito para la casa de Israel. "Días vendrán cuando Jacob echará raíces, florecerá y echará renuevos Israel, y la faz del mundo llenará de fruto" (Isaías 27: 6).

---

*La gloria de Dios se revelaba "entre los querubines" que estaban sobre el propiciatorio o cubierta del arca, y desde allí le "hablaba" a Moisés (Exodo 25: 18-22; Salmo 80: 1; Isaías 37: 16; Números 7: 89). Posteriormente Dios se manifestó por medio de la *shekina* o gloria simbólica de su presencia divina (Exodo 40: 34, 35). *Shekina,* término rabínico que no se encuentra en la Biblia, deriva de *shakan,* "lugar para vivir", y se la usaba para expresar la cercanía solemne de Dios. Esta presencia se amplía al máximo en el Nuevo Testamento con la aparición de Jesús: "Y aquel Verbo [Cristo] fue hecho carne, y habitó entre nosotros y vimos su gloria, gloria como del unigénito del Padre, lleno de gracia y de verdad" (S. Juan 1: 14).

CAPITULO 1

Salomón

DURANTE el reinado de David y Salomón, Israel se hizo fuerte entre las naciones y tuvo muchas oportunidades de ejercer una influencia poderosa en favor de la verdad y de la justicia. El nombre de Jehová fue ensalzado y honrado, y el propósito con que los israelitas habían sido establecidos en la tierra de promisión parecía estar en vías de cumplirse. Las barreras fueron quebrantadas, y los paganos que buscaban la verdad no eran despedidos sin haber recibido satisfacción. Se producían conversiones, y la iglesia de Dios en la tierra era ensanchada y prosperada.

Salomón fue ungido y proclamado rey durante los últimos años de su padre David, quien abdicó en su favor. La primera parte de su vida fue muy promisoria y Dios quería que progresase en fuerza y en gloria, para que su carácter se asemejase cada vez más al carácter de Dios e inspirase a su pueblo el deseo de desempeñar su cometido sagrado como depositario de la verdad divina.

El rey David procuró, durante los últimos años de su vida, inculcar a su hijo Salomón las lecciones que Dios le había enseñado a él.

David sabía que el alto propósito de Dios en favor de Israel sólo podría cumplirse si los príncipes y el pueblo procuraban con incesante vigilancia alcanzar la norma que se les proponía. Sabía que para desempeñar el cometido con el cual Dios se había complacido en honrar a su hijo Salomón, era necesario que el joven gobernante no fuese simplemente un guerrero, un estadista y un soberano, sino un hombre fuerte y bueno, que enseñase la justicia y fuese ejemplo de fidelidad.

Con tierno fervor David instó a Salomón a que fuese viril y noble, a que demostrase misericordia y bondad hacia sus súbditos, y que en todo su trato con las naciones de la tierra honrase y glorificase el nombre de Dios y manifestase la hermosura de la santidad. Las muchas incidencias penosas y notables por las cuales David había pasado durante su vida le habían enseñado el valor de las virtudes más nobles y le indujeron a declarar a Salomón mientras, moribundo, le transmitía su exhortación final: "Habrá un justo que gobierne entre los hombres, que gobierne en el temor de Dios. Será como la luz de la mañana, como el resplandor del sol en una mañana sin nubes, como la lluvia que hace brotar la hierba de la tierra" (2 Samuel 23: 3, 4).

¡Qué oportunidad tuvo Salomón! Si hubiese seguido la instrucción divinamente inspirada de su padre, el suyo habría sido un reinado de justicia, como el descrito en el Salmo 72:

"Oh Dios, da tus juicios al rey,
y tu justicia al hijo del rey.
El juzgará a tu pueblo con justicia,

y a tus afligidos con juicio...
Descenderá como la lluvia sobre la hierba cortada;
como el rocío que destila sobre la tierra.
Florecerá en sus días justicia,
y muchedumbre de paz, hasta que no haya luna.
Dominará de mar a mar,
y desde el río hasta los confines de la tierra...
Los reyes de Tarsis y de las costas traerán presentes;
los reyes de Sabá y de Seba ofrecerán dones.
Todos los reyes se postrarán delante de él;
todas las naciones le servirán.
Porque él librará al menesteroso que clamare,
y al afligido que no tuviere quien le socorra...
Y se orará por él continuamente;
todo el día se le bendecirá...
Será su nombre para siempre,
se perpetuará su nombre mientras dure el sol.
Benditas serán en él todas las naciones;
lo llamarán bienaventurado.
Bendito Jehová Dios, el Dios de Israel,
el único que hace maravillas.
Bendito su nombre glorioso para siempre,
y toda la tierra sea llena de su gloria".

En su juventud Salomón hizo la misma decisión que David, y durante muchos años anduvo con integridad y rindió estricta obediencia a los mandamientos de Dios. Al principio de su reinado fue con sus consejeros de Estado a Gabaón, donde estaba todavía el tabernáculo que había sido construido en el desierto, y allí, juntamente con los consejeros que se había escogido, "a jefes de millares y de centenas, a jueces, y a todos los príncipes de todo Israel, jefes de familias" (2 Crónicas 1: 2), participó en el ofrecimiento de sacrificios para adorar a Dios y para consagrarse plenamente a su servicio. Comprendió algo de la magnitud de los deberes relacionados con el cargo real, y se dio cuenta que quienes llevan pesadas responsabilidades deben recurrir a la Fuente de sabiduría para obtener dirección, si quieren desempeñar esas responsabilidades en forma aceptable. Esto lo indujo a alentar a sus consejeros para que junto con él procuraran estar seguros de que eran aceptados por Dios.

Sobre todos los bienes terrenales, el rey deseaba sabiduría y entendimiento para realizar la obra que Dios le había encomendado. Anhelaba tener una mente despierta, un corazón grande y un espíritu tierno. Esa noche el Señor se apareció a Salomón en un sueño y le dijo: "Pide lo que quieras que yo te dé". Como respuesta, el joven e inexperto gobernante expresó su sentimiento de incapacidad y su deseo de ayuda. Dijo: "Tú hiciste gran misericordia a tu siervo David mi padre, porque él anduvo delante de ti en verdad, en justicia, y con rectitud de corazón para contigo; y tú le has reservado esta tu gran misericordia, en que le diste hijo que se sentase en su trono, como sucede en este día.

"Ahora pues, Jehová Dios mío, tú me has puesto a mí tu siervo por rey en lugar de David mi padre; y yo soy joven, y no sé cómo entrar ni salir. Y tu siervo está en medio de tu pueblo al cual tú escogiste; un pueblo grande, que no se puede contar ni numerar por su multitud. Da, pues, a tu siervo corazón entendido para juzgar a tu pueblo, y para discernir entre lo bueno y lo malo; porque ¿quién podrá gobernar este tu pueblo tan grande?

"Y agradó delante del Señor que Salomón pidiese esto... Por cuanto hubo esto en tu corazón —dijo Dios a Salomón—, y no pediste riquezas, bienes o gloria, ni la vida de los que te quieren mal, ni pediste muchos días, sino que has pedido para ti sabiduría y ciencia para gobernar a mi pueblo, ... he aquí lo he hecho conforme a tus palabras; he aquí que te he dado corazón sabio y entendido, tanto que no ha habido antes de ti otro como tú, ni después de ti se levantará otro como tú. Y aun también te he dado las cosas que no pediste, riquezas y gloria", "como nunca tuvieron los reyes que han sido antes de ti, ni tendrán los que vengan después de ti".

"Y si anduvieres en mis caminos, guardando mis estatutos y mis mandamientos, como anduvo David tu padre, yo alargaré tus días" (1 Reyes 3: 5-14; 2 Crónicas 1: 7-12).

Dios prometió que así como había acompañado a David, estaría con Salomón. Si el rey andaba en integridad delante de Jehová, si hacía lo que Dios le había ordenado, su trono quedaría establecido y su reinado sería el medio de exaltar a Israel como "pueblo sabio y entendido" (Deuteronomio 4: 6), la luz de las naciones circundantes.

El lenguaje de Salomón al orar a Dios ante el antiguo altar de Gabaón, revela su humildad y su intenso deseo de honrar a Dios. Comprendía que sin la ayuda divina, estaba tan desamparado como un niñito para llevar las responsabilidades que le incumbían. Sabía que carecía de discernimiento, y el sentido de su gran necesidad le indujo a solicitar sabiduría a Dios. No había en su corazón aspiración egoísta por un conocimiento que le ensalzase sobre los demás. Deseaba desempeñar fielmente los deberes que le incumbían, y eligió el don por medio del cual su reinado habría de glorificar a Dios. Salomón no tuvo nunca más riqueza ni más sabiduría o verdadera grandeza que cuando confesó: "Yo soy joven, y no sé cómo entrar ni salir".

Los que hoy ocupan puestos de confianza deben procurar aprender la lección enseñada por la oración de Salomón. Cuanto más elevado sea el cargo que ocupe un hombre y mayor sea la responsabilidad que ha de llevar, más amplia será la influencia que ejerza y tanto más necesario será que confíe en Dios. Debe recordar siempre que junto con el llamamiento a trabajar le llega la invitación a andar con prudencia delante de sus semejantes. Debe conservar delante de Dios la actitud del que aprende. Los cargos no dan santidad de carácter. Honrando a Dios y obedeciendo sus mandamientos es como un hombre llega a ser realmente grande.

El Dios a quien servimos no hace acepción de personas. El que dio a Salomón el espíritu de sabio discernimiento está dispuesto a impartir la misma bendición a sus hijos hoy. Su palabra declara: "Si alguno de vosotros tiene falta de sabiduría, pídala a Dios, el cual da a todos abundantemente y sin reproche, y le será dada" (Santiago 1: 5). Cuando el que lleva responsabilidad desee sabiduría más que riqueza, poder o fama, no quedará chasqueado. El tal aprenderá del gran Maestro no sólo lo que debe hacer, sino también el modo de hacerlo para recibir la aprobación divina.

Mientras permanezca consagrado, el hombre a quien Dios dotó de discernimiento y capacidad no manifestará codicia por los cargos elevados ni procurará gobernar o dominar. Es necesario que haya hombres que lleven responsabilidad; pero en vez de contender por la supremacía, el verdadero conductor pedirá en oración un corazón comprensivo, para discernir entre el bien y el mal.

La senda de los hombres que han sido puestos como dirigentes no es fácil; pero ellos han de ver en cada dificultad una invitación a orar. Nunca dejarán de consultar a la gran Fuente de toda sabiduría. Fortalecidos e iluminados por el Artífice maestro, se verán capacitados para resistir firmemente las influencias profanas y para discernir entre lo correcto y lo erróneo, entre el bien y el mal. Aprobarán lo que Dios aprueba y lucharán ardorosamente contra la introducción de principios erróneos en su causa.

Dios le dio a Salomón la sabiduría que él deseaba más que las riquezas, los honores o la larga vida. Le concedió lo que había pedido: una mente despierta, un corazón grande y un espíritu tierno. "Y Dios dio a Salomón sabiduría y prudencia muy grandes, y anchura de corazón como la arena que está a la orilla del mar. Era mayor la sabiduría de Salomón que la de todos los orientales, y que toda la sabiduría de los egipcios. Aun fue más sabio que todos los hombres, ... y fue conocido entre todas las naciones de alrededor" (1 Reyes 4: 29-31).

Todos los israelitas "temieron al rey, porque vieron que había en él sabiduría de Dios para juzgar" (1 Reyes 3: 28). Los corazones del pueblo se volvieron hacia Salomón, como habían seguido a David, y le obedecían en todo. "Salomón ... fue afirmado en su reino, y Jehová su Dios estaba con él, y lo engrandeció sobremanera" (2 Crónicas 1: 1).

Durante muchos años la vida de Salomón se caracterizó por su devoción a Dios, su integridad y sus principios firmes, así como por su estricta obediencia a los mandamientos de Dios. Era él quien encabezaba toda empresa importante y manejaba sabiamente los negocios relacionados con el reino. Su riqueza y sabiduría; los magníficos edificios y obras públicas que construyó durante los primeros años de su reinado; la energía, piedad, justicia y magnanimidad que manifestaba en sus palabras y hechos, le conquistaron la lealtad de sus súbditos y la admiración y el homenaje de los gobernantes de muchas tierras.

El nombre de Jehová fue grandemente honrado durante la primera parte del reinado de Salomón. La sabiduría y la justicia reveladas por el rey atestiguaban ante todas las naciones la excelencia de los atributos del Dios a quien servía. Durante un tiempo Israel fue como la luz del mundo y puso de manifiesto la grandeza de Jehová. La gloria verdadera de Salomón durante la primera parte de su reinado no estribaba en su sabiduría sobresaliente, sus riquezas fabulosas o su extenso poder y fama, sino en la honra que reportaba al

nombre del Dios de Israel mediante el uso sabio que hacía de los dones del cielo.

A medida que transcurrían los años y aumentaba la fama de Salomón, procuró él honrar a Dios incrementando su fortaleza mental y espiritual e impartiendo de continuo a otros las bendiciones que recibía. Nadie comprendía mejor que él que el favor de Jehová le había dado poder, sabiduría y comprensión, y que esos dones le eran otorgados para que pudiese comunicar al mundo el conocimiento del Rey de reyes.

Salomón se interesó especialmente en la historia natural, pero sus investigaciones no se limitaron a un solo ramo del saber. Mediante un estudio diligente de todas las cosas creadas, animadas e inanimadas, obtuvo un concepto claro del Creador. En las fuerzas de la naturaleza, en el mundo mineral y animal, y en todo árbol, arbusto y flor, veía una revelación de la sabiduría de Dios, a quien conocía y amaba cada vez más a medida que se esforzaba por aprender.

La sabiduría que Dios inspiraba a Salomón se expresaba en cantos de alabanza y en muchos proverbios. "Y compuso tres mil proverbios, y sus cantares fueron mil cinco. También disertó sobre los árboles, desde el cedro del Líbano hasta el hisopo que nace en la pared. Asimismo disertó sobre los animales, sobre las aves, sobre los reptiles y sobre los peces" (1 Reyes 4: 32, 33).

En los proverbios de Salomón se expresan principios de de una vida santa e intentos elevados; principios nacidos del cielo que llevan a la piedad; principios que deben regir cada acto de la vida. Fue la amplia difusión de estos principios y el reconocimiento de Dios como Aquel a quien pertenece toda alabanza y honor, lo que hizo de los comienzos del reinado de Salomón una época tanto de elevación moral como de prosperidad material.

Escribió él: "Bienaventurado el hombre que halla la sabiduría, y que obtiene la inteligencia; porque su ganancia es mejor que la ganancia de la plata, y sus frutos más que el oro fino. Más preciosa es que las piedras preciosas; y todo lo que puedes desear, no se puede comparar a ella. Largura de días está en su mano derecha; en su izquierda, riquezas y honra. Sus caminos son caminos deleitosos, y todas sus veredas paz. Ella es árbol de vida a los que de ella echan mano, y bienaventurados son los que la retienen" (Proverbios 3: 13-18).

"Sabiduría ante todo; adquiere sabiduría; y sobre todas tus posesiones adquiere inteligencia" (Proverbios 4: 7). "El principio de la sabiduría es el temor de Jehová" (Salmo 111: 10). "El temor de Jehová es aborrecer el mal; la soberbia y la arrogancia, el mal camino, y la boca perversa, aborrezco" (Proverbios 8: 13).

¡Ojalá que en sus años ulteriores Salomón hubiese prestado atención a esas maravillosas palabras de sabiduría! ¡Ojalá que quien había declarado: "La boca de los sabios esparce sabiduría" (Proverbios 15: 7) y había enseñado a los reyes de la tierra a tributar al Rey de reyes la alabanza que deseaban dar a un gobernante terrenal, no se hubiese atribuido con "boca perversa" y con "soberbia y ... arrogancia" la gloria que pertenece sólo a Dios!

CAPITULO 2

El Templo y su Dedicación

SALOMON ejecutó sabiamente el plan de construir un templo para el Señor, como David lo había deseado durante mucho tiempo. Durante siete años Jerusalén se vio llena de obreros activamente ocupados en nivelar el sitio escogido, construir grandes paredes de contención, echar amplios cimientos de "piedras grandes, piedras costosas, ... y piedras labradas" (1 Reyes 5: 17), dar forma a las pesadas maderas traídas de los bosques del Líbano y levantar el magnífico santuario.

La preparación de la madera y de las piedras, a la cual muchos miles dedicaban sus energías, progresaba simultánea y constantemente con la construcción de los muebles para el templo, bajo la dirección de Hiram, de Tiro, "un hombre hábil y entendido, ... el cual" sabía "trabajar en oro, plata, bronce y hierro, en piedra y en madera, en púrpura y en azul, en lino y en carmesí" (2 Crónicas 2: 13, 14).

Mientras el edificio se iba levantando silenciosamente en el monte Moriah con "piedras que traían ya acabadas, de tal manera que cuando ... edificaban, ni martillos ni hachas se oyeron en la casa, ni ningún otro instrumento de hierro" (1 Reyes 6: 7), se confeccionaban los hermosos adornos de acuerdo con los modelos entregados por David a su hijo, "todos los utensilios para la casa de Dios". Estas cosas incluían el altar del incienso, la mesa para los panes de la proposición, el candelero y sus lámparas, así como los vasos e instrumentos relacionados con el ministerio de los sacerdotes en el lugar santo, todo "de oro, de oro finísimo" (2 Crónicas 4: 19, 21). Los enseres de bronce: el altar de los holocaustos, el "mar" o gran recipiente sostenido por doce bueyes, las fuentes de menor tamaño, los muchos otros vasos, "los fundió el rey en los llanos del Jordán, en tierra arcillosa, entre Sucot y Seredata" (2 Crónicas 4: 2-17). Esos utensilios fueron provistos en abundancia, para que no se careciese de ellos.

El palacio que Salomón y quienes le ayudaban erigieron para Dios y su culto, era de una belleza insuperable y esplendor sin rival. El templo, adornado de piedras preciosas, rodeado por atrios espaciosos y recintos magníficos, forrado de cedro esculpido y de oro bruñido, con sus cortinas bordadas y muebles preciosos, era un símbolo adecuado de la iglesia viva de Dios en la tierra que, a través de los siglos, ha estado formándose de acuerdo con el modelo divino, con materiales comparados a "oro, plata, piedras preciosas", "labradas como las de un palacio" (1 Corintios 3: 12; Salmo 144: 12). De este templo espiritual, "Jesucristo mismo" es "la principal piedra del ángulo, en quien todo el edificio,

Las piedras para el templo ya labradas y preparadas en las canteras, fueron transportadas y puestas en su sitio por obreros diligentes.

bien coordinado, va creciendo para ser un templo santo en el Señor" (Efesios 2: 20, 21).

Por fin quedó terminado el templo proyectado por el rey David y construido por su hijo Salomón. "Y todo lo que Salomón se propuso hacer en la casa de Jehová, y en su propia casa, fue prosperado" (2 Crónicas 7: 11). Entonces, a fin de que el palacio que coronaba las alturas del monte Moriah fuese en verdad, como tanto lo había deseado David, una morada no destinada al "hombre, sino para Jehová Dios" (1 Crónicas 29: 1), quedaba por realizarse la solemne ceremonia de dedicarlo formalmente a Jehová y su culto.

El sitio en que se construyó el templo se venía considerando desde largo tiempo atrás como lugar consagrado. Allí era donde Abrahán, padre de los fieles, se había demostrado dispuesto a sacrificar a su hijo en obediencia a la orden de Jehová. Allí Dios había renovado con Abrahán el pacto de la bendición, que incluía la gloriosa promesa mesiánica de que la familia humana sería liberada por el sacrificio del Hijo del Altísimo. Allí era donde, por medio del fuego celestial, Dios había contestado a David cuando éste ofreciera holocaustos y sacrificios pacíficos a fin de detener la espada vengadora del ángel destructor. Y nuevamente los adoradores de Jehová volvían a presentarse allí delante de su Dios para repetir sus votos de fidelidad a él.

El momento escogido para la dedicación era muy favorable: el séptimo mes, cuando el pueblo de todas partes del reino solía reunirse en Jerusalén para celebrar la fiesta de las cabañas, que era preeminentemente una ocasión de regocijo. Las labores de la cosecha habían terminado, no habían empezado todavía los trabajos del nuevo año; la gente estaba libre de cuidados y podía entregarse a las influencias sagradas y placenteras del momento.

A la hora señalada, las huestes de Israel, con representantes ricamente ataviados de muchas naciones extranjeras, se congregaron en los atrios del templo. Era una escena de esplendor inusitado. Salomón, con los ancianos de Israel y los hombres de más influencia entre el pueblo, había regresado de otra parte de la ciudad, de donde habían traído el arca del testamento. De las alturas de Gabaón había sido transferido el antiguo "tabernáculo de reunión, y todos los utensilios del santuario que estaban en el tabernáculo" (2 Crónicas 5: 5); y estos preciosos recuerdos de los tiempos en que los hijos de Israel habían peregrinado en el desierto y conquistado Canaán hallaron albergue permanente en el magnífico edificio erigido para reemplazar la estructura portátil.

Cuando llevó al templo el arca sagrada que contenía las dos tablas de piedra sobre las cuales el dedo de Dios había escrito los preceptos del Decálogo, Salomón siguió el ejemplo de su padre David. A cada intervalo de seis pasos ofreció un sacrificio. Con cantos, música y gran pompa, "los sacerdotes metieron el arca del pacto de Jehová en su lugar, en el santuario de la casa, en el lugar santísimo" (2 Crónicas 5: 7). Al salir del santuario interior, se colocaron en los lugares que les habían sido asignados. Los cantores, que eran levitas ataviados de lino blanco y equipados con címbalos, salterios y arpas, se hallaban en el extremo situado al oriente del altar, y con ellos había 120 sacerdotes que tocaban las trompetas (2 Crónicas 5: 12).

"Sonaban, pues, las trompetas, y cantaban todos a una,

para alabar y dar gracias a Jehová, y a medida que alzaban la voz con trompetas y címbalos y otros instrumentos de música, y alababan a Jehová, diciendo: Porque él es bueno, porque su misericordia es para siempre; entonces la casa se llenó de una nube, la casa de Jehová. Y no podían los sacerdotes estar allí para ministrar, por causa de la nube; porque la gloria de Jehová había llenado la casa de Dios" (2 Crónicas 5: 13, 14).

Salomón comprendió el significado de esta nube, y declaró: "Jehová ha dicho que él habitaría en la oscuridad. Yo, pues, he edificado una casa de morada para ti, y una habitación en que mores para siempre" (2 Crónicas 6: 1, 2).

"Jehová reina; temblarán los pueblos.
El está sentado sobre los querubines,
se conmoverá la tierra.

Jehová en Sión es grande,
y exaltado sobre todos los pueblos.
Alaben tu nombre grande y temible;
él es santo...

Exaltad a Jehová nuestro Dios,
y postraos ante el estrado de sus pies;
él es santo"

(Salmo 99: 1-5).

"En medio del atrio" del templo se había erigido "un estrado de bronce", o plataforma de "cinco codos de largo, de cinco codos de ancho y de altura de tres codos". Sobre esta plataforma se hallaba Salomón, quien, con las manos alzadas, bendecía a la vasta multitud delante de él. "Y toda la congregación de Israel estaba en pie" (2 Crónicas 6: 13, 3).

Exclamó Salomón: "Bendito sea Jehová Dios de Israel, quien con su mano ha cumplido lo que prometió con su boca a David mi padre, diciendo: ... A Jerusalén he elegido para que en ella esté mi nombre" (2 Crónicas 6: 4, 6).

Luego Salomón se arrodilló sobre la plataforma, y a oídos de todo el pueblo, elevó la oración dedicatoria. Alzando las manos hacia el cielo, mientras la congregación se postraba a tierra sobre sus rostros, el rey rogó: "Jehová Dios de Israel, no hay Dios semejante a ti en el cielo ni en la tierra, que guardas el pacto y la misericordia con tus siervos que caminan delante de ti de todo su corazón... ¿Es verdad que Dios habitará con el hombre en la tierra? He aquí, los cielos y los cielos de los cielos no te pueden contener; ¿cuánto menos esta casa que he edificado? Mas tú mirarás a la oración de tu siervo, y a su ruego, oh Jehová Dios mío, para oír el clamor y la oración con que tu siervo ora delante de ti. Que tus ojos estén abiertos sobre esta casa de día y de noche, sobre el lugar del cual dijiste: Mi nombre estará allí; que oigas la oración con que tu siervo ora en este lugar. Asimismo que oigas el ruego de tu siervo, y de tu pueblo Israel, cuando en este lugar hicieren oración, que tú oirás desde los cielos, desde el lugar de tu morada; que oigas y perdones...

"Si tu pueblo Israel fuere derrotado delante del enemigo por haber prevaricado contra ti, y se convirtiere, y confesare tu nombre, y rogare delante de ti en esta casa, tú oirás desde los cielos, y perdonarás el pecado de tu pueblo Israel, y les harás volver a la tierra que diste a ellos y a sus padres.

Si los cielos se cerraren y no hubiere lluvias, por haber pecado contra ti, si oraren a ti hacia este lugar, y confesaren tu nombre, y se convirtieren de sus pecados, cuando los afligieres, tú los oirás en los cielos, y perdonarás el pecado de tus siervos y de tu pueblo Israel, y les enseñarás el buen camino para que anden en él, y darás lluvia sobre tu tierra, que diste por heredad a tu pueblo. Si hubiere hambre en la tierra, o si hubiere pestilencia, si hubiere tizoncillo o añublo, langosta o pulgón; o si los sitiaren sus enemigos en la tierra en donde moren; cualquiera plaga o enfermedad que sea; toda oración y todo ruego que hiciere cualquier hombre, o todo tu pueblo Israel, cualquiera que conociere su llaga y su dolor en su corazón, si extendiere sus manos hacia esta casa, tú oirás desde los cielos, desde el lugar de tu morada, y perdonarás, y darás a cada uno conforme a sus caminos, habiendo conocido su corazón; ... para que te teman y anden en tus caminos, todos los días que vivieren sobre la faz de la tierra que tú diste a nuestros padres.

"Y también al extranjero que no fuere de tu pueblo Israel, que hubiere venido de lejanas tierras a causa de tu gran nombre y de tu mano poderosa, y de tu brazo extendido, si viniere y orare hacia esta casa, tú oirás desde los cielos, desde el lugar de tu morada, y harás conforme a todas las cosas por las cuales hubiera clamado a ti el extranjero; para que todos los pueblos de la tierra conozcan tu nombre, y te teman así como tu pueblo Israel, y sepan que tu nombre es invocado sobre esta casa que yo he edificado. Si tu pueblo saliere a la guerra contra sus enemigos por el camino que tú le enviares, y oraren a ti hacia esta ciudad que tú elegiste, hacia la casa que he edificado a tu nombre, tú oirás desde los cielos su oración y su ruego, y ampararás su causa. Si pecaren contra ti (pues no hay hombre que no peque), y te enojares contra ellos, y los entregares delante de sus enemigos, para que los que los tomaren los lleven cautivos a tierra de enemigos, lejos o cerca, y ellos volvieren en sí en la tierra donde fueren llevados cautivos; si se convirtieren, y oraren a ti en la tierra de su cautividad, y dijeren: Pecamos, hemos hecho inicuamente, impíamente hemos hecho; si se convirtieren a ti de todo su corazón y de toda su alma en la tierra de su cautividad, donde los hubieren llevado cautivos, y oraren hacia la tierra que tú diste a sus padres, hacia la ciudad que tú elegiste, y hacia la casa que he edificado a tu nombre; tú oirás desde los cielos, desde el lugar de tu morada, su oración y su ruego, y ampararás su causa, y perdonarás a tu pueblo que pecó contra ti.

"Ahora, pues, oh Dios mío, te ruego que estén abiertos tus ojos y atentos tus oídos a la oración en este lugar. Oh Jehová Dios, levántate ahora para habitar en tu reposo, tú y el arca de tu poder; oh Jehová Dios, sean vestidos de salvación tus sacerdotes, y tus santos se regocijen en tu bondad. Jehová Dios, no rechaces a tu ungido; acuérdate de tus misericordias para con David tu siervo" (2 Crónicas 6: 14-42).

Cuando Salomón terminó su oración, "descendió fuego de los cielos, y consumió el holocausto y las víctimas". Los sacerdotes no podían entrar en el templo, porque "la gloria de Jehová había llenado la casa". "Cuando vieron todos los hijos de Israel ... la gloria de Jehová sobre la casa, se postraron sobre sus rostros en el pavimento y adoraron, y alabaron a Jehová, diciendo: Porque él es bueno, y su misericordia es para siempre".

Entonces el rey y el pueblo ofrecieron sacrificios delante de Jehová. "Así dedicaron la casa de Dios el rey y todo el pueblo" (2 Crónicas 7: 1-5). Durante siete días las multitudes de todas partes del reino, desde los confines "de Hamat hasta el arroyo de Egipto", "una gran congregación", celebraron un alegre festín. La semana siguiente fue dedicada por la muchedumbre feliz a observar la fiesta de las cabañas. Al fin del plazo de reconsagración y regocijo, todos regresaron a sus hogares, "alegres y gozosos de corazón por los beneficios que Jehová había hecho a David y a Salomón, y a su pueblo Israel" (2 Crónicas 7: 8, 10).

El rey había hecho cuanto estaba en su poder por alentar al pueblo a entregarse por completo a Dios y a su servicio y a magnificar su santo nombre. Y nuevamente, como sucediera en Gabaón al principio de su reinado, recibió el gobernante de Israel una evidencia de la aceptación y la bendición divinas. En una visión nocturna, el Señor se le apareció y le dio este mensaje: "Yo he oído tu oración, y he elegido para mí este lugar por casa de sacrificio. Si yo cerrare los cielos para que no haya lluvia, y si mandare a la langosta que consuma la tierra, o si enviare pestilencia a mi pueblo; si se humillare mi pueblo, sobre el cual mi nombre es invocado, y oraren, y buscaren mi rostro, y se convirtieren de sus malos caminos; entonces yo oiré desde los cielos, y perdonaré sus pecados, y sanaré su tierra. Ahora estarán abiertos mis ojos y atentos mis oídos a la oración en este lugar; porque ahora he elegido y santificado esta casa, para que esté en ella mi nombre para siempre; y mis ojos y mi corazón estarán ahí para siempre" (2 Crónicas 7: 12-16).

Si Israel hubiese permanecido fiel a Dios, aquel edificio

Cuando Salomón terminó su oración para la dedicación del templo, "descendió fuego de los cielos, y consumió el holocausto y las víctimas".

glorioso habría perdurado para siempre, como señal perpetua del favor especial de Dios hacia su pueblo escogido. Dios declaró: "Y a los hijos de los extranjeros que sigan a Jehová para servirle, y que amen el nombre de Jehová para ser sus siervos; a todos los que guarden el día de reposo para no profanarlo, y abracen mi pacto, yo los llevaré a mi santo monte, y los recrearé en mi casa de oración; sus holocaustos y sus sacrificios serán aceptos sobre mi altar; porque mi casa será llamada casa de oración para todos los pueblos" (Isaías 56: 6, 7).

En relación con esta promesa de aceptación, el Señor indicó claramente el deber que le incumbía al rey. "Y si tú —le dijo— anduvieres delante de mí como anduvo David tu padre, e hicieres todas las cosas que yo te he mandado, y guardares mis estatutos y mis decretos, yo confirmaré el trono de tu reino, como pacté con David tu padre, diciendo: No te faltará varón que gobierne en Israel" (2 Crónicas 7: 17, 18).

Si Salomón hubiese continuado sirviendo al Señor con humildad, todo su reinado habría ejercido una poderosa influencia para el bien sobre las naciones circundantes, que habían recibido una impresión tan favorable del reinado de David su padre y de las sabias palabras y obras magníficas realizadas durante los primeros años de su propio reinado. Previendo las terribles tentaciones que acompañarían la prosperidad y los honores mundanales, Dios dio a Salomón una advertencia contra el mal de la apostasía, y predijo los espantosos resultados del pecado. Aun el hermoso templo que acababa de dedicarse, declaró, llegaría a ser "burla y escarnio de todos los pueblos", si los israelitas dejaban "a

Jehová Dios de sus padres" (2 Crónicas 7: 20, 22), y persistían en la idolatría.

Fortalecido en su corazón y muy alentado por el aviso celestial de que su oración en favor de Israel había sido oída, Salomón inició el período más glorioso de su reinado, durante el cual "todos los reyes de la tierra" procuraban acercársele, para "oír la sabiduría que Dios le había dado" (2 Crónicas 9: 23). Muchos venían para ver cómo gobernaba y para recibir instrucciones acerca de cómo manejar asuntos difíciles.

Cuando esas personas visitaban a Salomón, les enseñaba lo referente al Dios Creador de todas las cosas, y regresaban a sus hogares con un concepto más claro del Dios de Israel, así como de su amor por la familia humana. En las obras de la naturaleza contemplaban entonces una expresión del amor de Dios, una revelación de su carácter; y muchos eran inducidos a adorarle como Dios suyo.

La humildad manifestada por Salomón cuando comenzó

a llevar las cargas del Estado, al reconocer delante de Dios: "Yo soy joven" (1 Reyes 3: 7); su notable amor a Dios, su profunda reverencia por las cosas divinas, su desconfianza de sí mismo y su ensalzamiento del Creador infinito, todos estos rasgos de carácter, tan dignos de emulación, se revelaron durante los servicios relacionados con la terminación del templo, cuando al elevar su oración dedicatoria lo hizo de rodillas, en la humilde posición de quien ofrece una petición. Los discípulos de Cristo deben precaverse hoy contra la tendencia a perder el espíritu de reverencia y temor piadoso. Las Escrituras enseñan a los hombres cómo deben acercarse a su Hacedor, a saber con humildad y reverencia, por la fe en un Mediador divino. El salmista declaró:

> "Porque Jehová es Dios grande,
> y Rey grande sobre todos los dioses...
> Venid, adoremos y postrémonos;
> arrodillémonos delante de Jehová nuestro Hacedor"
> (Salmo 95: 3, 6).

Tanto en el culto público como en el privado, nos incumbe inclinarnos de rodillas delante de Dios cuando le dirigimos nuestras peticiones. Jesús, nuestro ejemplo, "puesto de rodillas oró" (S. Lucas 22: 41). Acerca de sus discípulos quedó registrado que también "Pedro se puso de rodillas y oró" (Hechos 9: 40). Pablo declaró: "Doblo mis rodillas ante el Padre de nuestro Señor Jesucristo" (Efesios 3: 14). Cuando Esdras confesó delante de Dios los pecados de Israel, se arrodilló (Esdras 9: 5). Daniel "se arrodillaba tres veces al día, y oraba y daba gracias delante de su Dios" (Daniel 6: 10).

La verdadera reverencia hacia Dios nos es inspirada por un sentido de su infinita grandeza y un reconocimiento de su presencia. Este sentido del Invisible debe impresionar profundamente todo corazón. La presencia de Dios hace que tanto el lugar como la hora de la oración sean sagrados. Y al manifestar reverencia por nuestra actitud y conducta, se profundiza en nosotros el sentimiento que la inspira. "Santo y temible es su nombre" (Salmo 111: 9), declara el salmista. Los ángeles se velan el rostro cuando pronuncian ese nombre. ¡Con qué reverencia debieran pronunciarlo nuestros labios, puesto que somos seres caídos y pecaminosos!

¡Cuán apropiado sería que jóvenes y ancianos ponderasen las palabras de la Escritura que demuestran cómo debe considerarse el lugar señalado por la presencia especial de Dios! El ordenó a Moisés, al lado de la zarza ardiente: "Quita tu calzado de tus pies, porque el lugar en que tú estás, tierra santa es" (Exodo 3: 5).

Jacob, después de contemplar la visión del ángel, exclamó: "Ciertamente Jehová está en este lugar, y yo no lo sabía... No es otra cosa que casa de Dios, y puerta del cielo" (Génesis 28: 16, 17).

Con lo que dijo durante el servicio de dedicación, Salomón había procurado eliminar del ánimo de los presentes las supersticiones relativas al Creador que habían confundido a los paganos. El Dios del cielo no está encerrado en templos hechos por manos humanas, como los dioses de los paganos; y sin embargo puede reunirse con sus hijos por su Espíritu cuando ellos se congregan en la casa dedicada a su culto.

Siglos más tarde, Pablo enseñó la misma verdad en estas palabras: "El Dios que hizo el mundo y todas las cosas que en él hay, siendo Señor del cielo y de la tierra, no habita en templos hechos por manos humanas, ni es honrado por manos de hombres, como si necesitase de algo; pues él es quien da a todos vida y aliento y todas las cosas...; para que busquen a Dios, si en alguna manera, palpando, puedan hallarle, aunque ciertamente no está lejos de cada uno de nosotros. Porque en él vivimos, y nos movemos, y somos" (Hechos 17: 24-28).

"Bienaventurada la nación cuyo Dios es Jehová,
el pueblo que él escogió como heredad para sí.
Desde los cielos miró Jehová;
vio a todos los hijos de los hombres;
desde el lugar de su morada miró
sobre todos los moradores de la tierra".

"Jehová estableció en los cielos su trono,
y su reino domina sobre todos".

"Oh Dios, santo es tu camino;
¿qué dios es grande como nuestro Dios?
Tú eres el Dios que hace maravillas;
hiciste notorio en los pueblos tu poder"
(Salmos 33: 12-14; 103: 19; 77: 13, 14).

Aunque Dios no mora en templos hechos por manos humanas, honra con su presencia las asambleas de sus hijos. Prometió que cuando se reuniesen para buscarle, para reconocer sus pecados, y orar unos por otros, él los acompañaría por su Espíritu. Pero los que se congregan para adorarle deben desechar todo lo malo. A menos que le adoren en espíritu y en verdad, así como en hermosura de santidad, de nada valdrá que se congreguen. Acerca de tales ocasiones el Señor declara: "Este pueblo de labios me honra; mas su corazón está lejos de mí. Pues en vano me honran" (S. Mateo 15: 8, 9). Los que adoran a Dios deben adorarle "en espíritu y en verdad; porque también el Padre tales adoradores busca que le adoren" (S. Juan 4: 23).

"Mas Jehová está en su santo templo; calle delante de él toda la tierra" (Habacuc 2: 20).

John Steel

CAPITULO 3

El Orgullo de la Prosperidad

MIENTRAS Salomón exaltó la ley del cielo, Dios estuvo con él, y le dio sabiduría para gobernar a Israel con imparcialidad y misericordia. Al principio, aun cuando obtenía riquezas y honores mundanales, permaneció humilde, y grande fue el alcance de su influencia. "Y Salomón señoreaba sobre todos los reinos desde el Eufrates hasta la tierra de los filisteos y el límite con Egipto". "Tuvo paz por todos lados alrededor. Y Judá e Israel vivían seguros, cada uno debajo de su parra y debajo de su higuera, ... todos los días de Salomón" (1 Reyes 4: 21, 24, 25).

Pero después de un amanecer muy promisorio, su vida quedó oscurecida por la apostasía. La historia registra el triste hecho de que el que había sido llamado Jedidías, "Amado de Jehová" (2 Samuel 12: 25), el que había sido honrado por Dios con manifestaciones de favor divino tan

La apostasía de Salomón —muy pequeña al comienzo— lo llevó finalmente a unirse en un culto cruel y degradante a los ídolos.

notables que su sabiduría e integridad le dieron fama mundial; el que había inducido a otros a loar al Dios de Israel, se desvió del culto de Jehová para postrarse ante los ídolos de los paganos.

Centenares de años antes que Salomón llegase al trono, el Señor, previendo los peligros que asediarían a los que fuesen escogidos príncipes de Israel, dio a Moisés instrucciones para guiarlos. El que hubiese de sentarse en el trono de Israel debía escribir "para sí en un libro una copia de esta ley, del original que está al cuidado de los sacerdotes levitas; y —dijo el Señor— lo tendrá consigo, y leerá en él todos los días de su vida, para que aprenda a temer a Jehová su Dios, para guardar todas las palabras de esta ley y estos estatutos, para ponerlos por obra; para que no se eleve su corazón sobre sus hermanos, ni se aparte del mandamiento a diestra ni a siniestra; a fin de que prolongue sus días en su reino, él y sus hijos, en medio de Israel".

En relación con estas instrucciones, el Señor previno en forma especial al que fuese ungido rey, y recomendó: "Ni tomará para sí muchas mujeres, para que su corazón no se desvíe; ni plata ni oro amontonará para sí en abundancia" (Deuteronomio 17: 18-20, 17).

Salomón conocía bien estas advertencias, y durante cierto tiempo les prestó atención. Su mayor deseo era vivir y gobernar de acuerdo con los estatutos dados en el Sinaí. Su manera de dirigir los asuntos del reino contrastaba en forma sorprendente con las costumbres de las naciones de su tiempo, que no temían a Dios, y cuyos gobernantes pisoteaban su santa ley.

Al procurar fortalecer sus relaciones con el poderoso

reino situado al sur de Israel, Salomón penetró en terreno prohibido. Satanás conocía los resultados que acompañarían la obediencia; y durante los primeros años del reinado de Salomón, que fueron gloriosos por la sabiduría, la beneficencia y la integridad del rey, procuró introducir influencias que minasen insidiosamente la lealtad de Salomón a los buenos principios, y le indujesen a separarse de Dios. Por el relato bíblico sabemos que el enemigo tuvo éxito en ese esfuerzo: "Salomón hizo parentesco con Faraón rey de Egipto, pues tomó la hija de Faraón, y la trajo a la ciudad de David" (1 Reyes 3: 1).

Desde el punto de vista humano este casamiento, aunque contrariaba las enseñanzas de la ley de Dios, pareció resultar en una bendición, pues la esposa de Salomón se convirtió a Dios y participaba con él en el culto del verdadero Dios. Además, Faraón prestó un destacado servicio a Israel al conquistar a Gezer, matar a "los cananeos que habitaban la ciudad", y darla "en dote a su hija la mujer de Salomón" (1 Reyes 9: 16). Salomón reedificó esa ciudad, y con ello fortaleció aparentemente su reino a lo largo de la costa del Mediterráneo. Pero al formar alianza con una nación pagana, y al sellar esa alianza por su casamiento con una princesa idólatra, Salomón despreció temerariamente la sabia provisión hecha por Dios para conservar la pureza de su pueblo. La esperanza de que su esposa egipcia se convirtiese era una excusa muy débil para pecar.

Dios, en su misericordia compasiva, durante un tiempo, pasó por alto esta terrible equivocación; y el rey, por medio de una conducta prudente podría haber frenado, por lo menos en gran medida, las fuerzas malignas que su imprudencia había desatado. Pero Salomón había comenzado a perder de vista la Fuente de su poder y gloria. A medida que sus inclinaciones cobraban ascendiente sobre la razón, aumentaba su confianza propia, y procuraba cumplir a su manera el propósito del Señor. Razonaba que las alianzas políticas y comerciales con las naciones circundantes comunicarían a esas naciones un conocimiento del verdadero Dios; y pactó alianzas profanas con una nación tras otra. Con frecuencia estas alianzas quedaban selladas por casamientos con princesas paganas. Los mandamientos de Jehová fueron puestos a un lado en favor de las costumbres de aquellos otros pueblos.

Salomón se hizo la ilusión de que su sabiduría y el poder de su ejemplo desviarían a sus esposas de la idolatría al culto del verdadero Dios, y que las alianzas así contraídas atraerían a las naciones vecinas al lado de Israel. ¡Vana esperanza! El error cometido por Salomón al considerarse bastante fuerte para resistir la influencia de asociaciones paganas, fue fatal. Lo fue también el engaño que le indujo a esperar que no obstante haber despreciado la ley de Dios, otros podrían ser inducidos a reverenciar y obedecer sus sagrados preceptos.

Las alianzas y relaciones comerciales del rey con las naciones paganas le dieron fama, honores y riquezas de este mundo. Pudo traer oro de Ofir y plata de Tarsis en gran abundancia. "Y acumuló el rey plata y oro en Jerusalén como piedras, y cedro como cabrahigos de la Sefela en abundancia" (2 Crónicas 1: 15). En el tiempo de Salomón, era cada vez mayor el número de personas que obtenían riquezas, con todas las tentaciones acompañantes; pero el oro fino del carácter quedaba empañado y contaminado.

Tan gradual fue la apostasía de Salomón que antes de que él se diera cuenta de ello, se había extraviado lejos de Dios. Casi imperceptiblemente comenzó a confiar cada vez menos en la dirección y bendición divinas, y cada vez más en su propia fuerza. Poco a poco fue rehusando a Dios la obediencia inquebrantable que debía hacer de Israel un pueblo peculiar, y conformándose cada vez más estrechamente a las costumbres de las naciones circundantes. Cediendo a las tentaciones que acompañaban sus éxitos y sus honores, se olvidó de la Fuente de su prosperidad. La ambición de superar a todas las demás naciones en poder y grandeza le indujo a pervertir con fines egoístas los dones celestiales que hasta entonces había empleado para glorificar a Dios. El dinero que debería haber considerado como un cometido sagrado para beneficio de los pobres dignos de ayuda y para difundir en todo el mundo los principios del santo vivir, se gastó egoístamente en proyectos ambiciosos.

Embargado por un deseo avasallador de superar en ostentación a las demás naciones, el rey pasó por alto la necesidad de adquirir belleza y perfección de carácter. Cuando procuró glorificarse delante del mundo, perdió su honor e integridad. Las enormes rentas adquiridas al comerciar con muchos países, fueron complementadas con exorbitantes impuestos. Así el orgullo, la ambición, el despilfarro y la sensualidad dieron frutos de crueldad y extorsiones. El espíritu de equidad y consideración que había señalado su trato con el pueblo durante la primera parte de su reinado, había cambiado. Después de haber sido el gobernante más sabio y más misericordioso, degeneró en un tirano. Antes había sido para el pueblo un guardián compasivo y temeroso de Dios; pero se convirtió en opresor y déspota. Cobraba al pueblo un impuesto tras otro, para que hubiese recursos con qué sostener una corte lujosa. El pueblo empezó quejarse. El respeto y la admiración que antes tributara a su rey se trocaron en desafecto y aborrecimiento.

A fin de crear una salvaguardia contra la tendencia a confiar en el brazo de la carne, el Señor había advertido a los que hubieran de gobernar a Israel que no debían multiplicar el número de los caballos que poseyeran. Sin embargo, en completo desprecio de esta orden, "compraban por contrato caballos ... de Egipto... Traían también caballos para Salomón, de Egipto y de todos los países... Y juntó Salomón carros y gente de a caballo; y tenía mil cuatrocientos carros, y doce mil jinetes, los cuales puso en las ciudades de los carros, y con el rey en Jerusalén" (2 Crónicas 1: 16; 9: 28; 1 Reyes 10: 26).

Cada vez más el rey llegó a considerar los lujos, la sen-

sualidad y el favor del mundo como indicios de grandeza. Hizo traer mujeres hermosas y atractivas de Egipto, Fenicia, Edom, Moab, y muchos otros lugares. Esas mujeres se contaban por centenares. Su religión se basaba en el culto de los ídolos, y se les había enseñado a practicar ritos crueles y degradantes. Hechizado por su belleza, el rey descuidaba sus deberes hacia Dios y su reino.

Sus mujeres ejercieron una influencia poderosa sobre él, y gradualmente lo indujeron a participar de su culto. Salomón despreció las instrucciones que Dios había dado para que sirviesen como barrera contra la apostasía, y se entregó al culto de los dioses falsos. "Y cuando Salomón era ya viejo, sus mujeres inclinaron su corazón tras dioses ajenos, y su corazón no era perfecto con Jehová su Dios, como el corazón de su padre David. Porque Salomón siguió a Astoret, diosa de los sidonios, y a Milcom, ídolo abominable de los amonitas" (1 Reyes 11: 4, 5).

En la elevación del sur del monte de los Olivos, frente al monte Moriah, donde estaba el hermoso templo de Jehová, Salomón construyó una imponente cantidad de edificios destinados a servir como centro de idolatría. A fin de agradar a sus esposas colocó enormes ídolos, abominables imágenes de madera y piedra, entre los huertos de mirtos y olivos. Allí, delante de los altares de las divinidades paganas, "Quemos, ídolo abominable de Moab" y "Moloc, ídolo abominable de los hijos de Amón" (1 Reyes 11: 7), se practicaban los ritos más degradantes del paganismo.

La conducta de Salomón atrajo su inevitable castigo. Al separarse de Dios para relacionarse con los idólatras se acarreó la ruina. Al ser infiel a Dios, perdió el dominio propio.

Desapareció su eficiencia moral. Sus sensibilidades delicadas se embotaron, su conciencia se cauterizó. El que durante la primera parte de su reinado había manifestado tanta sabiduría y simpatía al devolver un niño desamparado a su madre infortunada (1 Reyes 3: 16-28), degeneró al punto de consentir en que se erigiese un ídolo al cual se sacrificaban niños vivos. El que en su juventud había sido dotado de discreción y entendimiento, el que en pleno vigor de su edad adulta se había sentido inspirado para escribir: "Hay camino que al hombre le parece derecho; pero su fin es camino de muerte" (Proverbios 14: 12), se apartó tanto de la pureza en años ulteriores que toleraba los ritos licenciosos y repugnantes relacionados con el culto de Quemos y Astoret, o Astarté. El mismo que en ocasión de la dedicación del templo había dicho a su pueblo: "Sea, pues, perfecto vuestro corazón para con Jehová nuestro Dios" (1 Reyes 8: 61), se convirtió en un transgresor y negó sus propias palabras en su corazón y en su vida. Consideró erróneamente la libertad como licencia. Procuró, pero ¡a qué costo!, unir la luz con las tinieblas, el bien con el mal, la pureza con la impureza, Cristo con Belial.

Después de haber sido uno de los mejores reyes que hayan empuñado un cetro, Salomón se transformó en licencioso, en instrumento y esclavo de otros. Su carácter, una vez noble y viril, se trocó en débil y afeminado. Su fe en el Dios viviente quedó suplantada por dudas ateas. La incredulidad destruía su felicidad, debilitaba sus principios y degradaba su vida. La justicia y la magnanimidad de la primera parte de su reinado se transformaron en despotismo y tiranía. ¡Pobre y frágil naturaleza humana! Poco puede hacer Dios en favor de los hombres que pierden el sentido de cuánto dependen de él.

Durante aquellos años de apostasía progresó de continuo la decadencia espiritual de Israel. ¿Cómo podría haber sido de otra manera cuando su rey había unido sus intereses con los agentes satánicos? Mediante estos agentes, el enemigo obraba para confundir a los israelitas acerca del culto verdadero y del falso; y ellos resultaron una presa fácil. El comercio con las demás naciones los ponía en relación estrecha con aquellos que no amaban a Dios, y disminuyó enormemente el amor que ellos mismos le profesaban. Se amortiguó su agudo sentido del carácter elevado y santo de Dios. Rehusando seguir en la senda de la obediencia, transfirieron su reconocimiento al enemigo de la justicia. Vino a ser práctica común el casamiento entre idólatras e israelitas, y éstos perdieron pronto su aborrecimiento por el culto de los ídolos. Se toleraba la poligamia. Las madres idólatras enseñaban a sus hijos a observar los ritos paganos. En algu-

nas vidas, una idolatría de la peor índole reemplazó el servicio religioso puro instituido por Dios.

Los cristianos deben mantenerse distintos y separados del mundo, de su espíritu y de su influencia. Dios tiene pleno poder para guardarnos del mundo, pero no debemos formar parte de él. El amor de Dios no es incierto ni fluctuante. El vela siempre sobre sus hijos con un cuidado sin límites. Pero requiere una fidelidad indivisa. "Ninguno puede servir a dos señores; porque o aborrecerá al uno y amará al otro, o estimará al uno y menospreciará al otro. No podéis servir a Dios y a las riquezas" (S. Mateo 6: 24).

Salomón había sido dotado de sabiduría admirable; pero el mundo lo atrajo y lo desvió de Dios. Los hombres de hoy no son más fuertes que él; tienden, tanto como él, a ceder a las influencias que ocasionaron su caída. Así como Dios advirtió a Salomón el peligro que corría, hoy amonesta a sus hijos para que no pongan sus almas en peligro por la afinidad con el mundo. Les ruega: "Por lo cual, salid de en medio de ellos, y apartaos, ... no toquéis lo inmundo; y yo os recibiré, y seré para vosotros por Padre, y vosotros me seréis hijos e hijas, dice el Señor Todopoderoso" (2 Corintios 6: 17, 18).

El peligro acecha en medio de la prosperidad. Las riquezas y los honores han hecho peligrar la humanidad y la espiritualidad a través de los siglos. No es la copa vacía la que nos cuesta llevar; la que rebosa es la que debe ser llevada con cuidado. La aflicción y la adversidad pueden ocasionar pesar; pero es la prosperidad la que resulta más peligrosa para la vida espiritual. A menos que el súbdito humano esté constantemente sometido a la voluntad de Dios, a menos que esté santificado por la verdad, la prosperidad despertará la inclinación natural a la presunción.

En el valle de la humillación, donde los hombres dependen de que Dios les enseñe y guíe cada uno de sus pasos, están comparativamente seguros. Pero los hombres que están, por así decirlo, en la cumbre, y quienes, a causa de su posición, son considerados como poseedores de gran sabiduría, éstos son los que arrostran el peligro mayor. A menos que tales hombres confíen en Dios, caerán.

Cuando quiera que se entreguen al orgullo y la ambición, su vida se mancilla; porque el orgulloso, no sintiendo necesidad alguna, cierra su corazón a las bendiciones infinitas del cielo. El que procura glorificarse a sí mismo se encontrará destituido de la gracia de Dios, mediante cuya eficiencia se adquieren las riquezas más reales y los goces más satisfactorios. Pero el que lo da todo y lo hace todo para Cristo, conocerá el cumplimiento de la promesa: "La bendición de Jehová es la que enriquece, y no añade tristeza con ella" (Proverbios 10: 22). Con el toque suave de la gracia, el Salvador destierra del alma la inquietud y ambición profanas, y trueca la enemistad en amor y la incredulidad en confianza. Cuando habla al alma, diciéndole: "Sígueme", queda roto el hechizo del mundo. Al sonido de su voz, el espíritu de codicia y ambición huye del corazón, y los hombres, emancipados, se levantan para seguirle.

John Steel

CAPITULO 4

Resultados de la Transgresión

ENTRE las causas básicas que indujeron a Salomón a practicar el despilfarro y la opresión, se destacaba el hecho de que no conservó ni fomentó el espíritu de abnegación.

Cuando, al pie del Sinaí, Moisés habló al pueblo de la orden divina: "Harán un santuario para mí, y habitaré en medio de ellos", la respuesta de los israelitas fue acompañada por ofrendas apropiadas. "Y vino todo varón a quien su corazón estimuló, y todo aquel a quien su espíritu le dio voluntad" (Exodo 25: 8; 35: 21), y trajeron ofrendas. Fueron necesarios grandes y extensos preparativos para la construcción del santuario; se necesitaban grandes cantidades de materiales preciosos, pero el Señor aceptó tan sólo las ofrendas voluntarias. "De todo varón que la diere de su voluntad, de corazón, tomaréis mi ofrenda" (Exodo 25: 2), fue la orden repetida por Moisés a la congregación. La de-

Las riquezas y el honor hicieron que Salomón perdiera de vista el propósito de Dios para él y se gloriara en el esplendor de su reino.

voción a Dios y un espíritu de sacrificio eran los primeros requisitos para preparar una morada destinada al Altísimo.

Otra invitación similar, a manifestar abnegación, fue hecha cuando David entregó a Salomón la responsabilidad de construir el templo. David preguntó a la multitud congregada: "¿Y quién quiere hacer hoy ofrenda voluntaria a Jehová?" (1 Crónicas 29: 5). Esta invitación a consagrarse y prestar un servicio voluntario debían recordarla siempre los que tenían algo que ver con la edificación del templo.

Ciertos hombres escogidos fueron dotados por Dios de una habilidad y sabiduría especiales para la construcción del tabernáculo en el desierto. "Y dijo Moisés a los hijos de Israel: Mirad, Jehová ha nombrado a Bezaleel..., de la tribu de Judá; y lo ha llenado del Espíritu de Dios, en sabiduría, en inteligencia, en ciencia y en todo arte... Y ha puesto en su corazón el que pueda enseñar, así él como Aholiab..., de la tribu de Dan; y los ha llenado de sabiduría de corazón, para que hagan toda obra de arte y de invención, y de bordado en azul, en púrpura, en carmesí, en lino fino y en telar para que hagan toda labor, e inventen todo diseño. Así, pues, Bezaleel y Aholiab, y todo hombre sabio de corazón a quien Jehová dio sabiduría e inteligencia ... harán todas las cosas que ha mandado Jehová" (Exodo 35: 30-35; 36: 1). Los seres celestiales cooperaron con los obreros a quienes Dios mismo había escogido.

Los descendientes de estos artesanos heredaron en gran medida los talentos conferidos a sus antepasados. Durante un tiempo, esos hombres de Judá y de Dan permanecieron humildes y abnegados; pero gradual y casi imperceptiblemente, dejaron de relacionarse con Dios y perdieron su deseo de servirle desinteresadamente. Basándose en su habilidad superior como artesanos, pedían salarios más elevados por sus servicios. En algunos casos les fueron concedidos, pero con mayor frecuencia hallaban empleo entre las naciones vecinas. En lugar del noble espíritu de abnegación que había llenado el corazón de sus ilustres antecesores, albergaron un espíritu de codicia y fueron cada vez más exigentes. Para que sus deseos egoístas fueran complacidos, dedicaron al servicio de los reyes paganos la habilidad que Dios les había dado, y sus talentos a la ejecución de obras que deshonraban a su Hacedor.

Entre esos hombres Salomón buscó al artífice maestro que debía dirigir la construcción del templo sobre el monte Moriah. Habían sido confiadas al rey especificaciones minuciosas, por escrito, acerca de toda porción de la estructura sagrada; y él podría haber solicitado con fe a Dios que le diese ayudantes consagrados, a quienes se habría dotado de habilidad especial para hacer con exactitud el trabajo requerido. Pero Salomón no percibió esta oportunidad de ejercer la fe en Dios, y solicitó al rey de Tiro "un hombre hábil que sepa trabajar en oro, en plata, en bronce, en hierro, en púrpura, en grana y en azul, y que sepa esculpir con los maestros que están conmigo en Judá y en Jerusalén" (2 Crónicas 2: 7).

El rey fenicio contestó enviando a Hiram, "hijo de una mujer de las hijas de Dan, mas su padre fue de Tiro" (2 Crónicas 2: 14). Hiram era por parte de su madre descendiente de Aholiab a quien, centenares de años antes, Dios había dado sabiduría especial para la construcción del tabernáculo.

De manera que se puso a la cabeza de los artesanos que trabajaban para Salomón a un hombre cuyos esfuerzos no eran impulsados por un deseo abnegado de servir a Dios, sino que servía al dios de este mundo, a Mamón [*dios de las riquezas*]. Los principios del egoísmo estaban entretejidos con las mismas fibras de su ser.

Hiram, considerando su habilidad extraordinaria, exigió un salario elevado. Gradualmente los principios erróneos que él seguía llegaron a ser aceptados por sus asociados. Mientras trabajaban día tras día con él, hacían comparaciones entre el salario que él recibía y el propio, y empezaron a olvidar el carácter santo de su trabajo. Perdieron el espíritu de abnegación, que fue reemplazado por el de codicia. Como resultado pidieron más salario, y éste les fue pagado.

Estas influencias funestas así creadas penetraron en todos los ramos del servicio del Señor, y se extendieron por todo el reino. Los altos salarios exigidos y recibidos daban a muchos oportunidad de vivir en el lujo y el despilfarro. Los pobres eran oprimidos por los ricos; casi se perdió el espíritu de abnegación. En los efectos abarcantes de estas influencias puede encontrarse una de las causas principales de la terrible apostasía en la cual cayó el que se contó una vez entre los más sabios de los mortales.

El agudo contraste entre el espíritu y los motivos del pueblo que había construido el tabernáculo en el desierto y los que impulsaron a quienes erigían el templo de Salomón, encierra una lección de profundo significado. El egoísmo que caracterizó a quienes trabajaban en el templo halla hoy su contraparte en el egoísmo que existe en el mundo.

Abunda el espíritu de codicia que impulsa a buscar los puestos y los sueldos más altos. Muy rara vez se ve el servicio voluntario y la gozosa abnegación manifestada por los que construían el tabernáculo. Pero un espíritu tal es el único que debiera impulsar a quienes siguen a Jesús. Nuestro divino Maestro nos ha dado un ejemplo de cómo deben trabajar sus discípulos. A aquellos a quienes invitó así: "Venid en pos de mí, y os haré pescadores de hombres" (S. Mateo 4: 19), no ofreció ninguna suma definida como recompensa por sus servicios. Debían compartir su abnegación y sacrificio.

Al trabajar no debemos hacerlo por el salario que recibimos. El motivo que nos impulsa a trabajar para Dios no debe tener nada que se asemeje al egoísmo. La devoción abnegada y un espíritu de sacrificio han sido siempre y seguirán siendo el primer requisito de un servicio aceptable. Nuestro Señor y Maestro quiere que no haya una sola fibra de egoísmo entretejida con su obra. Debemos dedicar a nuestros esfuerzos el tacto y la habilidad, la exactitud y la sabiduría, que el Dios de perfección exigió de los constructores del tabernáculo terrenal; y sin embargo en todas nuestras labores debemos recordar que los mayores talentos o los servicios más brillantes son aceptables tan sólo cuando el yo se coloca sobre el altar, como un holocausto vivo.

Otra de las desviaciones de los principios correctos que condujeron finalmente a la caída del rey de Israel, se produjo cuando éste cedió a la tentación de atribuirse a sí mismo la gloria que pertenece sólo a Dios.

Desde el día en que fue confiada a Salomón la obra de edificar el templo hasta el momento en que se terminó, su propósito abierto fue "edificar casa al nombre de Jehová Dios de Israel" (2 Crónicas 6: 7). Este propósito lo confesó ampliamente delante de las huestes de Israel congregadas cuando fue dedicado el templo. En su oración el rey reconoció que Jehová había dicho: "Mi nombre estará allí" (1 Reyes 8: 29).

Uno de los pasajes más conmovedores de la oración elevada por Salomón es aquel en que suplica a Dios en favor de los extranjeros que viniesen de países lejanos a aprender más de Aquel cuya fama se había difundido entre las naciones. Dijo el rey: "Pues oirán de tu gran nombre, de tu mano fuerte y de tu brazo extendido". Y elevó esta petición en favor de cada uno de esos adoradores extranjeros: "Tú oirás..., y harás conforme a todo aquello por lo cual el extranjero hubiere clamado a ti, para que todos los pueblos de la tierra conozcan tu nombre y te teman, como tu pueblo Israel, y entiendan que tu nombre es invocado sobre esta casa que yo edifiqué" (1 Reyes 8: 42, 43).

Al final del servicio, Salomón había exhortado a Israel a que fuese fiel a Dios, para que, dijo él, "todos los pueblos de la tierra sepan que Jehová es Dios, y que no hay otro" (1 Reyes 8: 60).

Uno mayor que Salomón había diseñado el templo, y en ese diseño se revelaron la sabiduría y la gloria de Dios. Los que no sabían esto admiraban y alababan naturalmente a Salomón como arquitecto y constructor; pero el rey no se atribuyó ningún mérito por la concepción ni por la construcción.

Así sucedió cuando la reina de Sabá vino a visitar a Salomón. Habiendo oído hablar de su sabiduría y del magnífico templo que había construido, resolvió "probarle con preguntas difíciles" y conocer por su cuenta sus renombradas obras. Acompañada por un séquito de sirvientes y de camellos que llevaban "especias, y oro en gran abundancia, y piedras preciosas", hizo el largo viaje a Jerusalén. "Y cuando vino a Salomón, le expuso todo lo que en su corazón tenía". Conversó con él de los misterios de la naturaleza; y Salomón la instruyó acerca del Dios de la naturaleza, del gran Creador, que mora en lo más alto de los cielos, y lo rige todo. "Salomón le respondió a todas sus preguntas, y nada hubo que Salomón no le contestase" (1 Reyes 10: 1-3; 2 Crónicas 9: 1, 2).

"Y cuando la reina de Sabá vio toda la sabiduría de Salomón, y la casa que había edificado, ... se quedó asombrada". Reconoció: "Verdad es lo que había oído en mi tierra acerca de tus cosas y de tu sabiduría; pero yo no creía las palabras de ellos, hasta que he venido, y mis ojos han visto; y he aquí que ni aun la mitad de la grandeza de tu sabiduría

me había sido dicha; porque tú superas la fama que yo había oído. Bienaventurados tus hombres, y dichosos estos siervos tuyos que están siempre delante de ti, y oyen tu sabiduría" (1 Reyes 10: 4-8; 2 Crónicas 9: 3-7).

Al llegar al fin de su visita, la reina había sido cabalmente enseñada por Salomón con respecto a la fuente de su sabiduría y prosperidad, y ella se sintió constreñida, no a ensalzar al agente humano, sino a exclamar: "Jehová tu Dios sea bendito, que se agradó de ti para ponerte en el trono de Israel; porque Jehová ha amado siempre a Israel, te ha puesto por rey, para que hagas derecho y justicia" (1 Reyes 10: 9). Tal era la impresión que Dios quería que recibieran todos los pueblos. Y cuando "todos los reyes de la tierra procuraban ver el rostro de Salomón, para oír la sabiduría que Dios le había dado" (2 Crónicas 9: 23), Salomón honró a Dios durante un tiempo llamándoles la atención al Creador de los cielos y la tierra, gobernante omnisciente del universo.

Si con humildad Salomón hubiese continuado desviando de sí mismo la atención de los hombres para dirigirla hacia Aquel que le había dado sabiduría, riquezas y honores, ¡cuán diferente habría sido su historia! Pero así como la pluma inspirada relata sus virtudes, también registra fielmente su caída. Salomón, elevado a la cima de la grandeza y rodeado por los dones de la fortuna, se dejó marear, perdió el equilibrio, y cayó. Constantemente alabado por los hombres del mundo, no pudo a la larga resistir la adulación. La sabiduría que se le había dado para que glorificase al Dador, lo llenó de orgullo. Permitió finalmente que los hombres hablasen de él como del ser más digno de alabanza debido al esplendor sin paralelo del edificio proyectado y construido para honrar el "nombre de Jehová Dios de Israel".

Y así fue cómo el templo de Jehová llegó a ser conocido entre las naciones: como "el templo de Salomón". El agente humano se atribuyó la gloria que pertenecía a Aquel que "más alto está sobre ellos" (Eclesiastés 5: 8). El templo del cual Salomón declaró: "Tu nombre es invocado sobre esta casa que yo he edificado" (2 Crónicas 6: 33), se designa más a menudo, hasta el día de hoy como "templo de Salomón" que como templo de Jehová.

Un hombre no puede manifestar mayor debilidad que la de permitir a los hombres que le tributen honores por los dones que el cielo le concedió. El verdadero cristiano dará a Dios el primer lugar, el último, y el mejor en todo. Ningún motivo ambicioso enfriará su amor hacia Dios, sino que con perseverancia y firmeza honrará a su Padre celestial. Cuando exaltamos fielmente el nombre de Dios, nuestros impulsos están bajo la dirección divina y somos capacitados para desarrollar poder espiritual e intelectual.

Jesús, el divino Maestro, ensalzó siempre el nombre de su Padre celestial. Enseñó a sus discípulos a orar: "Padre nuestro que estás en los cielos, santificado sea tu nombre" (S. Mateo 6: 9). No debían olvidarse de reconocer: "Tuya es ... la gloria" (S. Mateo 6: 13). Tanto cuidado ponía el gran Médico en desviar la atención de sí mismo a la Fuente de su poder, que la multitud asombrada, "viendo a los mudos hablar, a los mancos sanados, a los cojos andar, y a los ciegos ver", no le glorificó a él, sino que "glorificaban al Dios de Israel" (S. Mateo 15: 31). En la admirable oración que Cristo elevó precisamente antes de su crucifixión, declaró: "Yo te he glorificado en la tierra... Glorifica a tu Hijo —rogó—, para que también tu Hijo te glorifique a ti... Padre justo, el mundo no te ha conocido, pero yo te he conocido, y éstos han conocido que tú me enviaste. Y les he dado a conocer tu nombre, y lo daré a conocer aún, para que el amor con que me has amado, esté en ellos, y yo en ellos" (S. Juan 17: 4, 1, 25, 26).

"Así dijo Jehová: No se alabe el sabio en su sabiduría, ni en su valentía se alabe el valiente, ni el rico se alabe en sus riquezas. Mas alábese en esto el que se hubiere de alabar: en entenderme y conocerme, que yo soy Jehová, que hago misericordia, juicio y justicia en la tierra; porque estas cosas quiero, dice Jehová" (Jeremías 9: 23, 24).

"Alabaré yo el nombre de Dios...,
lo exaltaré con alabanza".

"Señor, digno eres de recibir la gloria y la honra y el poder".

"Te alabaré, oh Jehová Dios mío, con todo mi corazón,
y glorificaré tu nombre para siempre".

"Engrandeced a Jehová conmigo,
y exaltemos a una su nombre".

(Salmo 69: 30; Apocalipsis 4: 11;
Salmos 86: 12; 34: 3).

La introducción de principios que apartaban a la gente de un espíritu de sacrificio y la inducían a glorificarse a sí misma, iba acompañada de otra grosera perversión del plan divino para Israel. Dios quería que su pueblo fuese la luz del mundo; de él debía resplandecer la gloria de su ley mientras la revelaba en la práctica de su vida. Para que este designio se cumpliese, había dispuesto que la nación escogida ocupase una posición estratégica entre las naciones de la tierra.

En los tiempos de Salomón, el reino de Israel se extendía desde Hamat en el norte hasta Egipto en el sur, y desde el mar Mediterráneo hasta el río Eufrates. Por este territorio cruzaban muchos caminos naturales para el comercio del mundo, y las caravanas provenientes de tierras lejanas pasaban constantemente en una y otra dirección. Esto daba a Salomón y a su pueblo oportunidades favorables para revelar a hombres de todas las naciones el carácter del Rey de reyes y para enseñarles a reverenciarle y obedecerle. Este conocimiento debía comunicarse a todo el mundo. Mediante la enseñanza de los sacrificios y ofrendas, Cristo debía ser ensalzado delante de las naciones, para que todos pudiesen vivir.

Salomón fue puesto a la cabeza de una nación que había sido establecida como faro para las naciones circundantes, y debía haber usado la sabiduría que Dios le dio y el poder de su influencia para organizar y dirigir un gran movimiento destinado a iluminar a los que no conocían a Dios ni su verdad. Se habría obtenido así que multitudes obedeciesen los preceptos divinos, Israel habría quedado protegido de los males practicados por los paganos, y el Señor de gloria habría sido honrado en gran manera. Pero Salomón perdió de vista este elevado propósito. No aprovechó sus magníficas oportunidades para iluminar a los que pasaban continuamente por su territorio o se detenían en las ciudades principales.

El espíritu misionero que Dios había implantado en el corazón de Salomón y en el de todos los verdaderos israelitas fue reemplazado por un espíritu de mercantilismo. Las oportunidades ofrecidas por el trato con muchas naciones fueron utilizadas para el engrandecimiento personal. Salomón procuró fortalecer su situación políticamente edificando ciudades fortificadas en las cabeceras de los caminos dedicados al comercio. Cerca de Jope, reedificó Gezer, que estaba sobre la ruta entre Egipto y Siria; al oeste de Jerusalén, Bet-horón, que dominaba los pasos del camino que conducía desde el corazón de Judea a Gezer y a la costa; Meguido, situada sobre el camino de las caravanas que iban de Damasco a Egipto y de Jerusalén al norte; así como "Tadmor en el desierto" (2 Crónicas 8: 4), sobre el camino que seguían las caravanas del Oriente. Todas esas ciudades fueron fortificadas poderosamente. Las ventajas comerciales de una salida en el extremo del mar Rojo fueron desarrolladas por la construcción de "naves en Ezión-geber, que está junto a ... la ribera del Mar Rojo, en la tierra de Edom". Adiestrados marineros de Tiro, "con los siervos de Salomón", tripulaban estos navíos en los viajes "a Ofir", y sacaban de allí oro y "mucha madera de sándalo, y piedras preciosas" (2 Crónicas 8: 18; 1 Reyes 9: 26, 28; 10: 11).

Las rentas del rey y de muchos de sus súbditos aumentaron enormemente, pero ¡a qué costo! Debido a la codicia y a la falta de visión de aquellos a quienes habían sido confiados los oráculos de Dios, las innumerables multitudes que recorrían los caminos fueron dejadas en la ignorancia en cuanto a lo que concernía a Jehová.

¡Cuán sorprendente contraste hay entre la conducta de Salomón y la que siguió Cristo cuando estuvo en la tierra! Aunque el Salvador poseía "toda potestad", nunca hizo uso de ella para engrandecerse a sí mismo. Ningún sueño de conquistas terrenales ni de grandezas mundanales manchó la perfección de su servicio en favor de la humanidad. Dijo: "Las zorras tienen guaridas, y las aves del cielo nidos; mas el Hijo del Hombre no tiene dónde recostar su cabeza" (S. Mateo 8: 20). Los que en respuesta al llamamiento del momento han comenzado a servir al Artífice maestro, deben estudiar sus métodos. El aprovechaba las oportunidades que encontraba en las grandes arterias de tránsito.

Jesús vivía en Capernaúm durante los intervalos de sus viajes de un lado a otro, y llegó a conocerse como "su ciudad". Situada en el camino que llevaba de Damasco a Jerusalén, así como a Egipto y al Mediterráneo, se prestaba para ser el centro de la obra que hacía el Salvador. Por ella pasaban, o se detenían para descansar, personas de muchos países. Jesús se encontraba allí con habitantes de todas las naciones y de todas las jerarquías, de modo que sus enseñanzas eran llevadas a otros países y a muchas familias. De esta manera se despertaba el interés en las profecías que anunciaban al Mesías, la atención se dirigía hacia el Salvador, y su misión era presentada al mundo.

Las oportunidades para tratar con hombres y mujeres de todas clases y de muchas nacionalidades son aún mayores en esta época nuestra que en los días de Israel. Las facilidades de transporte se han multiplicado mil veces.

Como Cristo, los mensajeros del Altísimo deben situarse hoy en esas grandes avenidas, donde pueden encontrarse con las multitudes que pasan de todas partes del mundo. Ocultándose en Dios, como lo hacía él, deben sembrar la semilla del Evangelio, presentar a otros las verdades preciosas de la Santa Escritura, que echarán raíces profundas en las mentes y los corazones y brotarán para vida eterna.

Solemnes son las lecciones que nos enseña el fracaso que sufrió Israel en aquellos años durante los cuales tanto el gobernante como el pueblo se apartaron del alto propósito que habían sido llamados a cumplir. El moderno Israel de Dios, los representantes del cielo, que constituyen la verdadera iglesia de Cristo, deben ser fuertes precisamente en aquello en que los judíos fueron débiles y fracasaron; porque a éstos les incumbe la tarea de terminar la obra confiada a los hombres y de apresurar el día de las recompensas finales. Sin embargo, es necesario hacer frente a las mismas influencias que prevalecieron contra Israel cuando reinaba Salomón. Las fuerzas del enemigo de toda justicia están poderosamente atrincheradas, y sólo por el poder de Dios puede obtenerse la victoria. El conflicto que nos espera exige que ejerzamos un espíritu de abnegación, que desconfiemos de nosotros mismos y dependamos sólo de Dios para saber aprovechar sabiamente toda oportunidad de salvar almas. La bendición del Señor acompañará a su iglesia mientras sus miembros avancen unidos, revelando a un mundo postrado en las tinieblas del error la belleza de la santidad según se manifiesta en un espíritu abnegado como el de Cristo, en el ensalzamiento de lo divino más que de lo humano, y sirviendo con amor e incansablemente a aquellos que tanto necesitan las bendiciones del Evangelio.

CAPITULO 5

El Arrepentimiento de Salomón

DURANTE el reinado de Salomón, el Señor se le apareció dos veces, y le dirigió palabras de aprobación y consejo, a saber: en la visión nocturna de Gabaón, cuando la promesa de darle sabiduría, riquezas y honores fue acompañada de una exhortación a permanecer humilde y obediente, y después de la dedicación del templo, cuando una vez más el Señor lo alentó a ser fiel. Fueron claras las amonestaciones que se dieron a Salomón, y maravillosas las promesas que se le hicieron; sin embargo, quedó registrado acerca de aquel que, por sus circunstancias, parecía abundantemente preparado en su carácter y en su vida para prestar atención a la exhortación y cumplir con lo que el cielo esperaba de él: "Mas él no guardó lo que le mandó Jehová". "Su corazón se había apartado de Jehová Dios de Israel, que se le había aparecido dos veces, y le había mandado acerca de esto, que no siguiese a dioses ajenos" (1 Reyes 11: 9, 10). Y tan completa fue su apostasía, tanto se endureció su corazón en la transgresión, que su caso parecía casi sin remedio.

Salomón se desvió del goce de la comunión divina para hallar satisfacción en los placeres de los sentidos. Acerca de lo que experimentó dice:

"Engrandecí mis obras, edifiqué para mí casas, planté para mí viñas; me hice huertos y jardines, ... compré siervos y siervas, ... me amontoné también plata y oro, y tesoros preciados de reyes y de provincias; me hice de cantores y cantoras, de los deleites de los hijos de los hombres, y de toda clase de instrumentos de música. Y fui engrandecido y aumentado más que todos los que fueron antes de mí en Jerusalén...

"No negué a mis ojos ninguna cosa que desearan, ni aparté mi corazón de placer alguno, porque mi corazón gozó de todo mi trabajo... Miré yo luego todas las obras que habían hecho mis manos, y el trabajo que tomé para hacerlas; y he aquí, todo era vanidad y aflicción de espíritu, y sin provecho debajo del sol.

"Después volví yo a mirar para ver la sabiduría y los desvaríos y la necedad; porque ¿qué podrá hacer el hombre que venga después del rey?... Aborrecí, por tanto, la vida... Asimismo aborrecí todo mi trabajo que había hecho debajo del sol" (Eclesiastés 2: 4-18).

Por su propia amarga experiencia, Salomón aprendió cuán vacía es una vida dedicada a buscar las cosas terrenales como el bien más elevado. Construyó altares a los dioses paganos, pero fue tan sólo para comprobar cuán vana es su promesa de dar descanso al espíritu. Pensamientos lóbregos le acosaban día y noche. Para él ya no había gozo ni paz espiritual, y el futuro se le anunciaba sombrío y desesperado.

Sin embargo, el Señor no le abandonó. Mediante mensajes de reprensión y castigos severos procuró despertar al rey y hacerle comprender cuán pecaminosa era su conducta. Le privó de su cuidado protector, y permitió que los adversarios le atacaran y debilitasen el reino. "Y Jehová suscitó un adversario a Salomón: Hadad edomita... Dios también levantó por adversario contra Salomón a Rezón..., capitán de una compañía", quien "aborreció a Israel, y reinó sobre Siria. También Jeroboam..., siervo de Salomón", y hombre "valiente", "alzó su mano contra el rey" (1 Reyes 11: 14-28).

Finalmente el Señor envió a Salomón, mediante un profeta, este mensaje sorprendente: "Por cuanto ha habido esto en ti, y no has guardado mi pacto y mis estatutos que yo te mandé, romperé de ti el reino, y lo entregaré a tu siervo. Sin embargo, no lo haré en tus días, por amor a David tu padre; lo romperé de la mano de tu hijo" (1 Reyes 11: 11, 12).

Salomón despertó como de un sueño al oír esta sentencia de juicio pronunciada contra él y su casa, sintió los reproches de su conciencia y empezó a ver lo que verdaderamente significaba su locura. Afligido en su espíritu, y teniendo la mente y el cuerpo debilitados, se apartó cansado y sediento de las cisternas rotas de la tierra, para beber nuevamente en la fuente de la vida. Al fin la disciplina del sufrimiento realizó su obra en su favor. Durante mucho tiempo le había acosado el temor de la ruina absoluta que experimentaría si no podía apartarse de su locura; pero discernió finalmente un rayo de esperanza en el mensaje que se le había dado. Dios no le había cortado por completo, sino que estaba dispuesto a librarle de una servidumbre más cruel que la tumba, de la cual él mismo no podía librarse.

Con gratitud Salomón reconoció el poder y la bondad de

John Steel

Aquel que es el más "alto" sobre los altos (Eclesiastés 5: 8); y con arrepentimiento comenzó a desandar su camino para volver al exaltado nivel de pureza y santidad del cual había caído. No podía esperar que escaparía a los resultados agostadores del pecado; no podría nunca librar su espíritu de todo recuerdo de la conducta egoísta que había seguido; pero se esforzaría fervientemente por disuadir a otros de entregarse a la insensatez. Confesaría humildemente el error de sus caminos, y alzaría su voz para amonestar a otros, no fuese que se perdiesen irremisiblemente por causa de las malas influencias que él había desencadenado.

El que se arrepiente de verdad no se olvida de sus pecados pasados. No se deja embargar, tan pronto como ha obtenido paz, por la despreocupación acerca de los errores que cometió. Piensa en aquellos que fueron inducidos al mal por su conducta, y procura de toda manera posible hacerlos volver a la senda de la verdad. Cuanto mayor sea la claridad de la luz en la cual entró, tanto más intenso es su deseo de encauzar los pies de los demás en el camino recto. No se espacia en su conducta errónea ni considera livianamente lo malo, sino que recalca las señales de peligro, a fin de que otros puedan precaverse.

Salomón reconoció que "el corazón de los hijos de los hombres está lleno de mal y de insensatez ... durante su vida" (Eclesiastés 9: 3). "Por cuanto no se ejecuta luego sentencia sobre la mala obra, el corazón de los hijos de los hombres está en ellos dispuesto para hacer el mal. Aunque el pecador haga mal cien veces, y prolongue sus días, con todo yo también sé que les irá bien a los que a Dios temen, los que temen ante su presencia; y que no le irá bien al impío, ni le serán prolongados los días, que son como som-

En su vejez Salomón meditó en sus años de lujuria, fama y riquezas, y exclamó: "¡Vanidad de vanidades, todo es vanidad!"

bra; por cuanto no teme delante de la presencia de Dios" (Eclesiastés 8: 11-13).

Por inspiración divina el rey escribió para las generaciones posteriores lo referente a los años que perdió, así como las lecciones de amonestación. Y así, aunque su pueblo cosechó lo que él había sembrado y soportó malignas tempestades, la obra realizada por Salomón en su vida no se perdió por completo. Con mansedumbre y humildad, "enseñó", durante la última parte de su vida, "sabiduría al pueblo; e hizo escuchar, e hizo escudriñar, y compuso muchos proverbios. Procuró ... hallar palabras agradables, y escribir rectamente palabras de verdad".

Escribió: "Las palabras de los sabios son como aguijones; y como clavos hincados son las de los maestros de las congregaciones, dadas por un Pastor. Ahora, hijo mío, a más de esto, sé amonestado... El fin de todo el discurso oído es éste: Teme a Dios, y guarda sus mandamientos; porque esto es el todo del hombre. Porque Dios traerá toda obra a juicio, juntamente con toda cosa encubierta, sea buena o sea mala" (Eclesiastés 12: 9-14).

Los últimos escritos de Salomón revelan que él fue comprendiendo cada vez mejor cuán mala había sido su conducta, y dedicó atención especial a exhortar a la juventud acerca de la posibilidad de caer en los errores que le habían hecho malgastar inútilmente los dones más preciosos del cielo. Con pesar y vergüenza, confesó que en la flor de la vida, cuando debiera haber hallado en Dios consuelo, apoyo y vida, se apartó de la luz del cielo y de la sabiduría de Dios y reemplazó el culto de Jehová por la idolatría. Al fin, habiendo aprendido por triste experiencia cuán insensata es una vida tal, su anhelo y deseo era evitar que otros pasasen por la amarga experiencia por la cual él había pasado...

Patéticamente, escribió acerca de los privilegios y responsabilidades que el servicio de Dios otorga a la juventud:

"Suave ciertamente es la luz, y agradable a los ojos ver el sol; pero aunque un hombre viva muchos años, y en todos ellos tenga gozo, acuérdese sin embargo que los días de las tinieblas serán muchos. Todo cuanto viene es vanidad. Alégrate, joven, en tu juventud, y tome placer tu corazón en los días de tu adolescencia; y anda en los caminos de tu corazón y en la vista de tus ojos; pero sabe, que sobre todas estas cosas te juzgará Dios. Quita, pues, de tu corazón el enojo, y aparta de tu carne el mal; porque la adolescencia y la juventud son vanidad" (Eclesiastés 11: 7-10).

"Acuérdate de tu Creador en los días de tu juventud,
antes que vengan los días malos,
y lleguen los años de los cuales digas:
No tengo en ellos contentamiento;
antes que se oscurezca el sol,
y la luz, y la luna y las estrellas,
y vuelvan las nubes tras la lluvia;
cuando temblarán los guardas de la casa,
y se encorvarán los hombres fuertes,
y cesarán las muelas porque han disminuido,
y se oscurecerán los que miran por las ventanas;
y las puertas de afuera se cerrarán,
por lo bajo del ruido de la muela;
cuando se levantará a la voz del ave,
y todas las hijas del canto serán abatidas;
cuando también temerán de lo que es alto,
y habrá terrores en el camino;

y florecerá el almendro,
y la langosta será una carga,
y se perderá el apetito;
porque el hombre va a su morada eterna,
y los endechadores andarán alrededor por las calles;
antes que la cadena de plata se quiebre,
y se rompa el cuenco de oro,
y el cántaro se quiebre junto a la fuente,
y la rueda sea rota sobre el pozo;
y el polvo vuelva a la tierra, como era,
y el espíritu vuelva a Dios que lo dio"
(Eclesiastés 12: 1-7).

La vida de Salomón rebosa de advertencias, no sólo para los jóvenes sino también para los de edad madura y para los que van descendiendo por la vertiente de la vida hacia su ocaso. Oímos hablar de la inestabilidad de los jóvenes que vacilan entre el bien y el mal, así como de las corrientes de las malas pasiones que los vencen. En los de edad más madura, no esperamos ver esta inestabilidad e infidelidad; contamos con que su carácter se habrá establecido y arraigado firmemente en los buenos principios. Pero no siempre sucede así. Cuando Salomón debiera haber tenido un carácter fuerte como un roble, perdió su firmeza y cayó bajo el poder de la tentación. Cuando su fortaleza debiera haber sido inconmovible, fue cuando resultó más endeble.

De tales ejemplos debemos aprender que en la vigilancia y la oración se halla la única seguridad para jóvenes y ancianos. Esta seguridad no se encuentra en los altos cargos ni en los grandes privilegios. Uno puede haber disfrutado durante muchos años de una experiencia cristiana genuina, y seguir, sin embargo, expuesto a los ataques de Satanás. En la batalla con el pecado íntimo y las tentaciones de afuera, aun el sabio y poderoso Salomón fue vencido. Su fracaso nos enseña que, cualesquiera que sean las cualidades intelectuales de un hombre, y por fielmente que haya servido a Dios en lo pasado, no puede nunca confiar en su propia sabiduría e integridad.

En toda generación y en todo país, se tuvo siempre el mismo verdadero fundamento y modelo para edificar el carácter. La ley divina que ordena: "Amarás al Señor tu Dios con todo tu corazón, ... y a tu prójimo como a ti mismo" (S. Lucas 10: 27), el gran principio manifestado en el carácter y la vida de nuestro Salvador, es el único fundamento seguro, la única guía fidedigna. "Y reinarán en tus tiempos la sabiduría y la ciencia, y abundancia de salvación" (Isaías 33: 6), la sabiduría, el conocimiento que sólo puede impartir la palabra de Dios.

Estas palabras dirigidas a Israel acerca de la obediencia a los mandamientos de Dios: "Esta es vuestra sabiduría y vuestra inteligencia ante los ojos de los pueblos" (Deuteronomio 4: 6), encierran tanta verdad hoy como cuando fueron pronunciadas. Encierran la única salvaguardia para la integridad individual, la pureza del hogar, el bienestar de la sociedad, o la estabilidad de la nación. En medio de todas las perplejidades y los peligros de la vida, así como de las afirmaciones contradictorias, la única regla segura consiste en hacer lo que Dios dice. "Los mandamientos de Jehová son rectos" (Salmo 19: 8), y "el que hace estas cosas, no resbalará jamás" (Salmo 15: 5).

Los que escuchen la amonestación que encierra la apostasía de Salomón evitarán el primer paso hacia los pecados que lo vencieron. Unicamente la obediencia a los requerimientos del cielo guardará de la apostasía a los hombres. Dios les concedió mucha luz y muchas bendiciones; pero a menos que acepten esa luz y esas bendiciones, ellas no les darán seguridad contra la desobediencia y la apostasía. Cuando aquellos a quienes Dios exalta a cargos de gran confianza se apartan de él para depender de la sabiduría humana, su luz se cambia en tinieblas. La capacidad que les fuera dada llega a ser una trampa...

Necesitamos preguntar a cada paso: "¿Es éste el camino del Señor?" Mientras dure la vida, habrá necesidad de guardar los afectos y las pasiones con propósito firme. Ni un solo momento podemos estar seguros, a no ser que confiemos en Dios y tengamos nuestra vida escondida en Cristo. La vigilancia y la oración son la salvaguardia de la pureza.

Todos los que entren en la ciudad de Dios lo harán por la puerta estrecha, con esfuerzo y agonía; porque "no entrará en ella ninguna cosa inmunda, o que hace abominación" (Apocalipsis 21: 27). Pero nadie que haya caído necesita desesperar. Hombres de edad, que fueron una vez honrados por Dios, pueden haber manchado sus almas y sacrificado la virtud sobre el altar de la concupiscencia; pero si se arrepienten, abandonan el pecado y se vuelven a su Dios, sigue habiendo esperanza para ellos. El que declara: "Sé fiel hasta la muerte, y yo te daré la corona de la vida" (Apocalipsis 2: 10), formula también esta invitación: "Deje el impío su camino, y el hombre inicuo sus pensamientos, y vuélvase a Jehová, el cual tendrá de él misericordia, y al Dios nuestro, el cual será amplio en perdonar" (Isaías 55: 7). Dios aborrece el pecado, pero ama al pecador. Declara: "Yo sanaré su rebelión, los amaré de pura gracia" (Oseas 14: 4).

El arrepentimiento de Salomón fue sincero; pero el daño que había hecho su ejemplo al obrar mal, no podía ser deshecho. Durante su apostasía, hubo en el reino hombres que permanecieron fieles a su cometido, y conservaron su pureza y lealtad. Pero muchos fueron extraviados; y las fuerzas del mal desencadenadas por la introducción de la idolatría y de las prácticas mundanales, no las pudo detener fácilmente el rey penitente. Su influencia en favor del bien quedó grandemente debilitada. Muchos vacilaban cuando se trataba de confiar plenamente en su dirección. Aunque el rey confesó su pecado y escribió, para beneficio de las generaciones ulteriores, el relato de su insensatez y arrepentimiento, no podía esperar que fuese completamente destruida la influencia funesta de sus malas acciones. Envalentonados por su apostasía, muchos continuaron obrando mal, y solamente mal. Y en la conducta descendente de muchos de los príncipes que le siguieron, puede rastrearse la triste influencia que ejerció al corromper las facultades que Dios le había dado.

En la angustia de sus amargas reflexiones sobre lo malo de su conducta, Salomón se sintió constreñido a declarar: "Mejor es la sabiduría que las armas de guerra; pero un pecador destruye mucho bien... Hay un mal que he visto debajo del sol, a manera de error emanado del príncipe: la necedad está colocada en grandes alturas...

"Las moscas muertas hacen heder y dar mal olor al perfume del perfumista; así una pequeña locura, al que es estimado como sabio y honorable" (Eclesiastés 9: 18; 10: 5, 6, 1).

Entre las muchas lecciones enseñadas por la vida de Salomón, ninguna se recalca tanto como la referente al poder de la influencia para el bien o para el mal. Por limitada que sea nuestra esfera, ejercemos una influencia benéfica o maléfica. Sin que lo sepamos y sin que podamos evitarlo, ella se ejerce sobre los demás en bendición o maldición. Puede ir acompañada de la lobreguez del descontento y del egoísmo, o del veneno mortal de algún pecado que hayamos conservado; o puede estar cargada del poder vivificante de la fe, el valor y la esperanza, así como de la suave fragancia del amor. Pero lo seguro es que manifestará su potencia para el bien o para el mal.

Puede llenarnos de pavor el pensar que nuestra influencia pueda tener sabor de muerte para muerte; y sin embargo es así. Un alma extraviada, que pierde la bienaventuranza eterna, es una pérdida inestimable. Y sin embargo un acto temerario o una palabra irreflexiva de nuestra parte, puede ejercer una influencia tan profunda sobre la vida de otra persona, que resulte en la ruina de su alma. Una sola mancha en nuestro carácter puede desviar a muchos de Cristo.

A medida que la semilla sembrada produce una cosecha, y ésta a su vez se siembra, la mies se multiplica. Esta ley se cumple en nuestras relaciones con los demás. Cada acto, cada palabra, constituye una semilla que dará fruto. Cada acto de bondad reflexiva, de obediencia, de abnegación, se reproducirá en los demás, y por ellos en otros aún. Así también cada acto de envidia, malicia y disensión, es una semilla que producirá una "raíz de amargura" (Hebreos 12: 15), por la cual muchos serán contaminados. ¡Y cuánto mayor aún será el número de los que serán envenenados por esos muchos! Así prosigue para este tiempo y para la eternidad la siembra del bien y del mal.

CAPITULO 6

La División del Reino

Y DURMIO Salomón con sus padres, y fue sepultado en la ciudad de su padre David; y reinó en su lugar Roboam su hijo" (1 Reyes 11: 43).

Poco después de ascender al trono, Roboam fue a Siquem, donde esperaba recibir el reconocimiento formal de todas las tribus. "En Siquem se había reunido todo Israel para hacerlo rey" (2 Crónicas 10: 1).

Entre los presentes se contaba Jeroboam, hijo de Nabat, el mismo Jeroboam que durante el reinado de Salomón había sido conocido como "valiente y esforzado", y a quien el profeta silonita Ahías había dado este mensaje sorprendente: "He aquí que yo rompo el reino de la mano de Salomón, y a ti te daré diez tribus" (1 Reyes 11: 28, 31).

Por medio de su mensajero, el Señor había hablado claramente a Jeroboam acerca de la necesidad de dividir el reino. Esta división debía realizarse, había declarado: "por cuanto me han dejado, y han adorado a Astoret diosa de los sidonios, a Quemos dios de Moab, y a Moloc dios de los hijos de Amón; y no han andado en mis caminos para hacer lo recto delante de mis ojos, y mis estatutos y mis decretos, como hizo David su padre" (1 Reyes 11: 33).

Se le había indicado, además, a Jeroboam que el reino no debía dividirse antes que terminase el reinado de Salomón. El Señor había añadido: "Pero no quitaré nada del reino de sus manos, sino que lo retendré por rey todos los días de su vida, por amor a David mi siervo, al cual yo elegí, y quien guardó mis mandamientos y mis estatutos. Pero quitaré el reino de la mano de su hijo, y lo daré a ti, las diez tribus" (1 Reyes 11: 34, 35).

Aunque Salomón había anhelado preparar el ánimo de Roboam, elegido como sucesor suyo, para que pudiera afrontar con sabiduría la crisis predicha por el profeta de Dios, nunca había podido ejercer una influencia enérgica que modelara en favor del bien la mente de su hijo, cuya educación primera había sido muy descuidada. Roboam había recibido de su madre amonita la estampa de un carácter vacilante. Hubo veces cuando procuró servir a Dios, y se le otorgó cierta medida de prosperidad; pero no era firme, y al fin cedió a las influencias del mal que le habían rodeado desde la infancia. Los errores que cometió Roboam en su vida y su apostasía final revelan el resultado funesto que tuvo la unión de Salomón con mujeres idólatras.

Las tribus habían sufrido durante mucho tiempo graves perjuicios bajo las medidas opresivas de su gobernante anterior. El despilfarro cometido por Salomón durante su apostasía le había inducido a imponer al pueblo contribuciones gravosas y a exigirle muchos servicios. Antes de coronar a un nuevo gobernante, los dirigentes de las tribus resolvieron averiguar si el hijo de Salomón tenía o no el propósito de aliviar esas cargas. "Vino, pues, Jeroboam, y todo Israel, y hablaron a Roboam, diciendo: Tu padre agravó nuestro yugo; ahora alivia algo de la dura servidumbre y del pesado yugo con que tu padre nos apremió, y te serviremos".

Roboam quiso consultar a sus consejeros antes de trazar su conducta, y contestó: "Volved a mí de aquí a tres días. Y el pueblo se fue.

"Entonces el rey Roboam tomó consejo con los ancianos que habían estado delante de Salomón su padre cuando vivía, y les dijo: ¿Cómo aconsejáis vosotros que responda a este pueblo? Y ellos le contestaron diciendo: Si te condujeres humanamente con este pueblo, y les agradares, y les hablares buenas palabras, ellos te servirán siempre" (2 Crónicas 10: 3-7).

Desconforme, Roboam se volvió hacia los jóvenes con quienes había estado asociado durante su juventud y les preguntó: "¿Cómo aconsejáis vosotros que respondamos a este pueblo, que me ha hablado diciendo: Disminuye algo del yugo que tu padre puso sobre nosotros?" (1 Reyes 12: 9). Los jóvenes le aconsejaron que tratara severamente a los súbditos de su reino, y les hiciera comprender claramente desde el mismo principio que no estaba dispuesto a tolerar oposición alguna a sus deseos personales.

Halagado por la perspectiva de ejercer una autoridad suprema, Roboam decidió pasar por alto el consejo de los ancianos de su reino, y seguir el de los jóvenes. Así aconteció que el día señalado, cuando "vino Jeroboam con todo el pueblo a Roboam" para que les declarara qué conducta se proponía seguir, Roboam "respondió al pueblo duramente, ... diciendo: Mi padre agravó vuestro yugo, pero yo añadiré a vuestro yugo; mi padre os castigó con azotes, mas yo os castigaré con escorpiones" (1 Reyes 12: 12-14).

Si Roboam y sus inexpertos consejeros hubiesen comprendido la voluntad divina con referencia a Israel, habrían escuchado al pueblo cuando pidió reformas decididas en la administración del gobierno. Pero durante la hora oportuna, en la asamblea de Siquem, no razonaron de la causa al efecto, y así debilitaron para siempre su influencia sobre gran número del pueblo. La resolución que expresaron de perpetuar e intensificar la opresión iniciada durante el reinado de Salomón, estaba en conflicto directo con el plan de Dios para Israel, y dio al pueblo amplia ocasión de dudar de la sinceridad de sus motivos. En esa tentativa imprudente y cruel de ejercer el poder, el rey y los consejeros que eligió revelaron el orgullo que sentían por su puesto y su autoridad.

El Señor no permitió a Roboam que llevase a cabo su política. Entre las tribus había muchos millares a quienes habían irritado las medidas opresivas tomadas durante el reinado de Salomón, y les pareció que no podían hacer otra cosa que rebelarse contra la casa de David. "Cuando todo el pueblo vio que el rey no les había oído, le respondió estas palabras, diciendo: ¿Qué parte tenemos nosotros con David? No tenemos heredad en el hijo de Isaí. ¡Israel, a tus tiendas! ¡Provee ahora en tu casa, David! Entonces Israel se fue a sus tiendas" (1 Reyes 12: 16).

La brecha creada por el discurso temerario de Roboam resultó irreparable. Desde entonces las doce tribus de Israel quedaron divididas. La de Judá y la de Benjamín constituyeron el reino del sur, llamado de Judá, bajo el gobierno de Roboam; mientras que las diez tribus del norte formaron y sostuvieron un gobierno separado, conocido como reino de Israel, regido por Jeroboam. Así se cumplió la predicción del profeta concerniente a la división del reino. "Era designio de Jehová" (1 Reyes 12: 15).

Cuando Roboam vio que las diez tribus le negaban su obediencia, se sintió impulsado a actuar. Por medio de uno de los hombres influyentes de su reino, "Adoram, que estaba sobre los tributos", hizo un esfuerzo para reconciliarse con ellos. Pero el embajador de paz fue tratado en tal forma que demostró los sentimientos de quienes se oponían a Roboam. "Lo apedreó todo Israel, y murió". "El rey Roboam", asombrado por esta evidencia de lo grande que era la rebelión, "se apresuró a subirse en un carro y huir a Jerusalén" (1 Reyes 12: 18).

En Jerusalén, "Roboam ... reunió a toda la casa de Judá y a la tribu de Benjamín, ciento ochenta mil hombres, guerreros escogidos, con el fin de hacer guerra a la casa de Israel, y hacer volver el reino a Roboam hijo de Salomón. Pero vino palabra de Jehová a Semaías varón de Dios, diciendo: Habla a Roboam hijo de Salomón, rey de Judá, y a toda la casa de Judá y de Benjamín, y a los demás del pueblo, diciendo: Así ha dicho Jehová: No vayáis, ni peleéis contra vuestros hermanos los hijos de Israel; volveos cada uno a su casa, porque esto lo he hecho yo. Y ellos oyeron la palabra de Dios, y volvieron y se fueron, conforme a la palabra de Jehová" (1 Reyes 12: 21-24).

Durante tres años Roboam procuró sacar provecho del

triste experimento con que inició su reinado; y fue prosperado en este esfuerzo. "Edificó ciudades para fortificar a Judá... Reforzó también las fortalezas, y puso en ellas capitanes, y provisiones, vino y aceite... Las fortificó, pues, en gran manera" (2 Crónicas 11: 5, 11, 12). Pero el secreto de la prosperidad de Judá durante los primeros años del reinado de Roboam no estribaba en estas medidas. Se debía a que el pueblo reconocía a Dios como el Gobernante supremo, y esto ponía en terreno ventajoso a las tribus de Judá y Benjamín. A ellas se unieron muchos hombres temerosos de Dios que provenían de las tribus septentrionales. Nos dice el relato: "Tras aquéllos acudieron también de todas las tribus de Israel los que habían puesto su corazón en buscar a Jehová Dios de Israel; y vinieron a Jerusalén para ofrecer sacrificios a Jehová, el Dios de sus padres. Así fortalecieron el reino de Judá, y confirmaron a Roboam hijo de Salomón, por tres años; porque tres años anduvieron en el camino de David y de Salomón" (2 Crónicas 11: 16, 17).

En la continuación de esta política residía la oportunidad que tenía Roboam para redimir en gran medida los errores pasados y restaurar la confianza en su capacidad de gobernar con discreción. Pero la pluma inspirada nos ha dejado la triste constancia de que el sucesor de Salomón no ejerció una influencia enérgica en favor de la lealtad a Jehová. A pesar de ser por naturaleza de una voluntad fuerte y egoísta, lleno de fe en sí mismo y propenso a la idolatría, si hubiese puesto toda su confianza en Dios habría adquirido fuerza de carácter, fe constante y sumisión a los requerimientos divinos. Pero con el transcurso del tiempo, el rey puso su confianza en el poder de su cargo y en las fortalezas que había hecho. Poco a poco fue cediendo a las debilidades que había heredado, hasta poner su influencia por completo del lado de la idolatría. "Cuando Roboam había consolidado el reino, dejó la ley de Jehová, y todo Israel con él" (2 Crónicas 12: 1).

¡Cuán tristes y rebosantes de significado son las palabras "y todo Israel con él"! El pueblo al cual Dios había escogido para que se destacase como luz de las naciones circundantes, se apartaba de la Fuente de su fuerza y procuraba ser como las naciones que le rodeaban. Así como con Salomón, sucedió con Roboam: la influencia del mal ejemplo extravió a muchos. Y lo mismo sucede hoy en mayor o menor grado con todo aquel que se dedica a hacer el mal: no se limita al tal la influencia del mal proceder. Nadie vive para sí. Nadie perece solo en su iniquidad. Toda vida es una luz que alumbra y alegra la senda ajena, o una influencia sombría y desoladora que lleva hacia la desesperación y la ruina. Conducimos a otros hacia arriba, a la felicidad y la vida inmortal, o hacia abajo, a la tristeza y a la muerte eterna. Y si por nuestras acciones fortalecemos o ponemos en actividad las potencias que tienen para el mal los que nos rodean, compartimos su pecado.

Dios no permitió que la apostasía del gobernante de Judá quedase sin castigo. "En el quinto año del rey Roboam subió Sisac rey de Egipto contra Jerusalén, con mil doscientos carros, y con sesenta mil hombres de a caballo; mas el pueblo que venía con él de Egipto, ... no tenía número. Y tomó las ciudades fortificadas de Judá, y llegó hasta Jerusalén.

"Entonces vino el profeta Semaías a Roboam y a los

príncipes de Judá, que estaban reunidos en Jerusalén por causa de Sisac, y les dijo: Así ha dicho Jehová: Vosotros me habéis dejado, y yo también os he dejado en manos de Sisac" (2 Crónicas 12: 2-5).

El pueblo no había llegado todavía a tales extremos de apostasía que despreciase los juicios de Dios. En las pérdidas ocasionadas por la invasión de Sisac, reconoció la mano de Dios, y por un tiempo se humilló. Declaró: "Justo es Jehová.

"Y cuando Jehová vio que se habían humillado, vino palabra de Jehová a Semaías, diciendo: Se han humillado; no los destruiré; antes los salvaré en breve, y no se derramará mi ira contra Jerusalén por mano de Sisac. Pero serán sus siervos, para que sepan lo que es servirme a mí, y qué es servir a los reinos de las naciones.

"Subió, pues, Sisac rey de Egipto a Jerusalén, y tomó los tesoros de la casa de Jehová, y los tesoros de la casa del rey; todo lo llevó, y tomó los escudos de oro que Salomón había hecho. Y en lugar de ellos hizo el rey Roboam escudos de bronce, y los entregó a los jefes de la guardia, los cuales custodiaban la entrada de la casa del rey... Y cuando él se humilló, la ira de Jehová se apartó de él, para no destruirlo del todo; y también en Judá las cosas fueron bien" (2 Crónicas 12: 6-12).

Pero cuando cesó la aflicción, y la nación volvió a prosperar, muchos olvidaron sus temores y cayeron de nuevo en la idolatría. Entre ellos se contaba el rey Roboam mismo. Aunque humillado por la calamidad que había caído sobre él, no hizo de ella un punto de retorno decisivo en su vida. Olvidando la lección que Dios había procurado enseñarle, volvió a caer en los pecados que habían atraído castigos sobre la nación. Después de algunos años sin gloria, durante los cuales el rey "hizo lo malo, porque no dispuso su corazón para buscar a Jehová, ... durmió Roboam con sus padres, y fue sepultado en la ciudad de David; y reinó en su lugar Abías su hijo" (2 Crónicas 12: 14, 16).

Con la división del reino al principio del reinado de Roboam, la gloria de Israel empezó a desvanecerse, y nunca se recobró plenamente. A veces, durante los siglos que siguieron, el trono de David fue ocupado por hombres dotados de valor moral y previsión, y bajo la dirección de estos soberanos las bendiciones que descendían sobre los hombres de Judá se extendían a las naciones circundantes. A veces el nombre de Jehová quedaba exaltado sobre todos los dioses falsos, y su ley era reverenciada. De vez en cuando, se levantaban profetas poderosos, para fortalecer las manos de los gobernantes, y alentar al pueblo a mantenerse fiel. Pero las semillas del mal que ya estaban brotando cuando Roboam ascendió al trono, no fueron nunca desarraigadas por completo; y hubo momentos cuando el pueblo que una vez fuera favorecido por Dios cayó tan bajo que llegó a ser ludibrio entre los paganos.

Sin embargo, a pesar de la perversidad de aquellos que se inclinaban a las prácticas idólatras, Dios estaba dispuesto en su misericordia a hacer cuanto estaba en su poder para salvar de la ruina completa al reino dividido. Y a medida que transcurrían los años, y su propósito concerniente a Israel parecía destinado a quedar completamente frustrado por los ardides de hombres inspirados por los agentes satánicos, siguió manifestando sus designios benéficos mediante el cautiverio y la restauración de la nación escogida.

La división del reino fue tan sólo el comienzo de una historia admirable, en la cual se revelan la longanimidad y la tierna misericordia de Dios. Desde el crisol de aflicción por el cual debían pasar por causa de sus tendencias al mal hereditarias y cultivadas, aquellos a quienes Dios estaba tratando de purificar para sí como pueblo propio, celoso para las buenas obras, iban a reconocer finalmente: "No hay semejante a ti, oh Jehová; grande eres tú, y grande tu nombre en poderío. ¿Quién no te temerá, oh Rey de las naciones?... Porque entre todos los sabios de las naciones y en todos sus reinos, no hay semejante a ti... Mas Jehová es el Dios verdadero; él es Dios vivo y Rey eterno" (Jeremías 10: 6, 7, 10).

Los adoradores de los ídolos aprenderían finalmente la lección de que los falsos dioses son impotentes para elevar y salvar a los seres humanos. "Los dioses que no hicieron los cielos ni la tierra, desaparezcan de la tierra y de debajo de los cielos" (vers. 11). Unicamente siendo fiel al Dios vivo, Creador y Gobernante de todos, es como puede el hombre hallar descanso y paz.

De común acuerdo, Israel y Judá, castigados y penitentes, iban a renovar al fin su pacto con Jehová de los ejércitos, el Dios de sus padres; acerca del cual iban a declarar:

"El que hizo la tierra con su poder,
el que puso en orden el mundo con su saber,
y extendió los cielos con su sabiduría;
a su voz se produce muchedumbre de aguas en el
cielo,

y hace subir las nubes de lo postrero de la tierra;
hace relámpagos con la lluvia,
y saca el viento de sus depósitos.

"Todo hombre se embrutece, y le falta ciencia;
se avergüenza de su ídolo todo fundidor,
porque mentirosa es su obra de fundición,
y no hay espíritu en ella.
Vanidad son, obra vana;
al tiempo de su castigo perecerán.

"No es así la porción de Jacob;
porque él es el Hacedor de todo,
e Israel es la vara de su heredad;
Jehová de los ejércitos es su nombre"
(vers. 12-16).

CAPITULO 7

Jeroboam

JEROBOAM, quien antes fuera siervo de Salomón, después de que fue colocado sobre el trono por las diez tribus de Israel que se habían rebelado contra la casa de David, estuvo en capacidad de llevar a cabo sabias reformas en asuntos civiles y religiosos. En el gobierno de Salomón había demostrado buenas aptitudes y juicio seguro, de manera que el conocimiento que había adquirido durante los años de servicio fiel le habían preparado para gobernar con discreción. Pero Jeroboam no confió en Dios.

Su mayor temor era que en algún tiempo futuro los corazones de sus súbditos fuesen reconquistados por el gobernante que ocupaba el trono de David. Razonaba que si permitía a las diez tribus que visitaran a menudo la antigua sede de la monarquía judía, donde los servicios del templo se celebraban todavía como durante el reinado de Salomón, muchos se sentirían inclinados a renovar su lealtad al gobierno cuyo centro estaba en Jerusalén. Jeroboam consultó

Cuando el profeta se presentó delante de los adoradores paganos y condenó la idolatría, inmediatamente el altar "se rompió y se derramó la ceniza".

a sus consejeros, y resolvió reducir hasta donde fuese posible por un acto atrevido la probabilidad de una rebelión contra su gobierno. Lo iba a obtener creando dentro de los límites del nuevo reino dos centros de culto, uno en Bet-el y el otro en Dan. Se invitaría a las diez tribus a que se congregasen para adorar a Dios en esos lugares, en vez de hacerlo en Jerusalén.

Al ordenar este cambio, Jeroboam pensó apelar a la imaginación de los israelitas poniendo delante de ellos alguna representación visible que simbolizase la presencia del Dios invisible. Mandó, pues, hacer dos becerros de oro y los colocó en santuarios situados en los centros designados para el culto. Con este esfuerzo por representar la Divinidad, Jeroboam violó el claro mandamiento de Jehová: "No te harás imagen... No te inclinarás a ellas, ni las honrarás" (Exodo 20: 4, 5).

Tan intenso era el deseo que tenía Jeroboam de mantener a las diez tribus alejadas de Jerusalén, que no percibió la debilidad fundamental de su plan. No consideró el gran peligro al cual exponía a los israelitas cuando puso delante de ellos el símbolo idólatra de la Divinidad con que se habían familiarizado sus antepasados durante los siglos de servidumbre en Egipto. La estada reciente de Jeroboam en Egipto debiera haberle enseñado cuán insensato era poner delante del pueblo tales representaciones paganas. Pero su propósito firme de inducir a las tribus septentrionales a interrumpir sus visitas anuales a la ciudad santa, le impulsó a adoptar la más imprudente de las medidas. Declaró con insistencia: "Bastante habéis subido a Jerusalén; he aquí tus dioses, oh Israel, los cuales te hicieron subir de la tierra de

Egipto" (1 Reyes 12: 28). Así fue invitado el pueblo a postrarse delante de las imágenes de oro, y a adoptar formas extrañas de culto.

El rey procuró persuadir a los levitas, algunos de los cuales vivían dentro de su reino, a que sirviesen como sacerdotes de los recién erigidos altares de Bet-el y Dan; pero este esfuerzo suyo fracasó. Se vio, por lo tanto, obligado a elevar al sacerdocio hombres "de entre el pueblo" (1 Reyes 12: 31). Alarmados por las perspectivas, muchos de los fieles, inclusive un gran número de levitas, huyeron a Jerusalén, donde podían adorar en armonía con los requerimientos divinos.

"Entonces instituyó Jeroboam fiesta solemne en el mes octavo, a los quince días del mes, conforme a la fiesta solemne que se celebraba en Judá; y sacrificó sobre un altar. Así hizo en Bet-el, ofreciendo sacrificios a los becerros que había hecho. Ordenó también en Bet-el sacerdotes para los lugares altos que él había fabricado" (1 Reyes 12: 32).

El atrevido desafío que el rey dirigió a Dios al poner a un lado las instituciones divinamente establecidas, no quedó sin reprensión. Aun mientras oficiaba y quemaba incienso durante la dedicación del extraño altar que había levantado en Bet-el, se presentó ante él un hombre de Dios del reino de Judá, enviado para condenarle por su intento de introducir nuevas formas de culto. El profeta "clamó contra el altar ... y dijo: Altar, altar, así ha dicho Jehová: He aquí que a la casa de David nacerá un hijo llamado Josías, el cual sacrificará sobre ti a los sacerdotes de los lugares altos que queman sobre ti incienso, y sobre ti quemarán huesos de hombres.

"Y aquel mismo día dio una señal, diciendo: Esta es la señal de que Jehová ha hablado: he aquí que el altar se quebrará, y la ceniza que sobre él está se derramará". E inmediatamente el altar "se rompió, y se derramó la ceniza del altar, conforme a la señal que el varón de Dios había dado por palabra de Jehová" (1 Reyes 13: 2, 3, 5).

Al ver esto, Jeroboam se llenó de un espíritu de desafío contra Dios, e intentó hacer violencia a aquel que había comunicado el mensaje. "Extendiendo su mano desde el altar", clamó con ira: "¡Prendedle!" Su acto impetuoso fue castigado con presteza. La mano extendida contra el mensajero de Jehová quedó repentinamente inerte y desecada, de modo que no pudo retraerla.

Aterrorizado, el rey suplicó al profeta que intercediera con Dios en favor suyo. Solicitó: "Te pido que ruegues ante la presencia de Jehová tu Dios, y ores por mí, para que mi mano me sea restaurada. Y el varón de Dios oró a Jehová, y

la mano del rey se le restauró, y quedó como era antes" (1 Reyes 13: 4, 6).

Vano había sido el esfuerzo de Jeroboam por impartir solemnidad a la dedicación de un altar extraño, cuyo respeto habría hecho despreciar el culto de Jehová en el templo de Jerusalén. El mensaje del profeta debiera haber inducido al rey de Israel a arrepentirse y a renunciar a sus malos propósitos, que desviaban al pueblo de la adoración que debía tributar al Dios verdadero. Pero el rey endureció su corazón, y resolvió cumplir su propia voluntad.

Cuando se celebró aquella fiesta en Bet-el, el corazón de los israelitas no se había endurecido por completo. Muchos eran todavía susceptibles a la influencia del Espíritu Santo. El Señor quería que aquellos que se deslizaban rápidamente hacia la apostasía, fuesen detenidos en su carrera antes que fuese demasiado tarde. Envió a su mensajero para interrumpir el proceder idólatra y revelar al rey y al pueblo lo que sería el resultado de esta apostasía. La partición del altar indicó cuánto desagradaba a Dios la abominación que se estaba cometiendo en Israel.

El Señor procura salvar, no destruir. Se deleita en rescatar a los pecadores. "Vivo yo, dice Jehová el Señor, que no quiero la muerte del impío" (Ezequiel 33: 11). Mediante amonestaciones y súplicas, ruega a los extraviados que cesen de obrar mal, para retornar a él y vivir. Da a sus mensajeros escogidos una santa osadía, para que quienes los oigan teman y sean inducidos a arrepentirse. ¡Con cuánta firmeza reprendió al rey el hombre de Dios! Y esta firmeza era esencial; ya que de ninguna otra manera podían encararse los males existentes. El Señor dio audacia a su siervo, para que hiciese una impresión permanente en quienes le oyesen. Los mensajeros del Señor nunca deben temer los rostros humanos, sino que han de destacarse sin vacilar en apoyo de lo justo. Mientras ponen su confianza en Dios, no necesitan temer; porque el que los comisiona les asegura también su cuidado protector.

Habiendo entregado su mensaje, el profeta estaba por volverse, cuando Jeroboam le dijo: "Ven conmigo a casa, y comerás, y yo te daré un presente". El profeta contestó: "Aunque me dieras la mitad de tu casa, no iría contigo, ni comería pan ni bebería agua en este lugar. Porque así me está ordenado por palabra de Jehová, diciendo: No comas pan, ni bebas agua, ni regreses por el camino que fueres" (1 Reyes 13: 7-9).

Habría convenido al profeta perseverar en su propósito de regresar a Judea sin dilación. Mientras viajaba hacia su casa por otro camino, fue alcanzado por un anciano que se presentó como profeta y, mintiendo al varón de Dios, le declaró: "Yo también soy profeta como tú, y un ángel me ha hablado por palabra de Jehová, diciendo: Tráele contigo a tu casa, para que coma pan y beba agua". El hombre repitió su mentira una y otra vez e insistió en su invitación hasta persuadir al varón de Dios a que volviese.

Por el hecho de que el profeta verdadero se dejó inducir a seguir una conducta contraria a su deber, Dios permitió que sufriera el castigo de su transgresión. Mientras él y el hombre que le había invitado a regresar a Bet-el estaban sentados juntos a la mesa, la inspiración del Todopoderoso embargó al falso profeta, "y clamó al varón de Dios que había venido de Judá, diciendo: Así dijo Jehová: Por cuanto has sido rebelde al mandato de Jehová, y no guardaste el mandamiento que Jehová tu Dios te había prescrito, ... no entrará tu cuerpo en el sepulcro de tus padres" (1 Reyes 13: 18-22).

Esta profecía condenatoria no tardó en cumplirse literalmente. "Cuando había comido pan y bebido, el que le había hecho volver le ensilló el asno. Y yéndose, le topó un león en el camino, y le mató; y su cuerpo estaba echado en el camino, y el asno junto a él, y el león también junto al cuerpo. Y he aquí unos que pasaban, y vieron el cuerpo que estaba echado en el camino, ... y vinieron y lo dijeron en la ciudad donde el viejo profeta habitaba. Oyéndolo el profeta que le había hecho volver del camino, dijo: El varón de Dios es, que fue rebelde al mandato de Jehová" (1 Reyes 13: 23-26).

El castigo que sobrecogió al mensajero infiel fue una evidencia adicional de la verdad contenida en la profecía pronunciada contra el altar. Si, después que desobedeciera

a la palabra del Señor, se hubiese dejado al profeta seguir su viaje sano y salvo, el rey habría basado en este hecho una tentativa de justificar su propia desobediencia. En el altar partido, en el brazo paralizado, y en la terrible suerte de aquel que se había atrevido a desobedecer una orden expresa de Jehová, Jeroboam debiera haber discernido prestas manifestaciones del desagrado de un Dios ofendido, y estos castigos debieran haberle advertido que no debía persistir en su mal proceder. Pero, lejos de arrepentirse, Jeroboam "volvió a hacer sacerdotes de los lugares altos de entre el pueblo, y a quien quería lo consagraba para que fuese de los sacerdotes de los lugares altos". No sólo cometió así él mismo un pecado gravoso, sino que hizo "pecar a Israel", "y esto fue causa de pecado a la casa de Jeroboam, por lo cual fue cortada y raída de sobre la faz de la tierra" (1 Reyes 13: 33, 34; 14: 16).

Hacia el final de un reinado perturbado de veintidós años, Jeroboam sufrió una derrota desastrosa en la guerra con Abías, sucesor de Roboam. "Y nunca más tuvo Jeroboam poder en los días de Abías; y Jehová lo hirió, y murió" (2 Crónicas 13: 20).

La apostasía introducida durante el reinado de Jeroboam se fue haciendo cada vez más pronunciada, hasta que finalmente resultó en la destrucción completa del reino de Israel. Aun antes de la muerte de Jeroboam, Ahías, anciano profeta de Silo que muchos años antes había predicho la elevación de Jeroboam al trono, declaró: "Jehová sacudirá a Israel al modo que la caña se agita en las aguas; y él arrancará a Israel de esta buena tierra que había dado a sus padres, y los esparcirá más allá del Eufrates, por cuanto han hecho sus imágenes de Asera, enojando a Jehová. Y él entregará a Israel por los pecados de Jeroboam, el cual pecó, y ha hecho pecar a Israel" (1 Reyes 14: 15, 16).

Sin embargo, el Señor no abandonó a Israel sin hacer primero todo lo que podía hacerse para que volviera a serle fiel. A través de los largos y oscuros años durante los cuales un gobernante tras otro se destacaba en atrevido desafío del cielo y hundía cada vez más a Israel en la idolatría, Dios mandó mensaje tras mensaje a su pueblo apóstata. Mediante sus profetas, le dio toda oportunidad de detener la marea de la apostasía, y de regresar a él. Durante los años ulteriores a la división del reino, Elías y Eliseo iban a aparecer y trabajar, e iban a oírse en la tierra las tiernas súplicas de Oseas, Amós y Abdías. Nunca iba a ser dejado el reino de Israel sin nobles testigos del gran poder de Dios para salvar a los hombres del pecado. Aun en las horas más sombrías, algunos iban a permanecer fieles a su Gobernante divino, y en medio de la idolatría vivirían sin mancha a la vista de un Dios santo. Esos fieles se contaron entre el residuo de los buenos por medio de quienes iba a cumplirse finalmente el eterno propósito de Jehová.

CAPITULO 8

La Apostasía Nacional

DESDE la muerte de Jeroboam hasta el momento en que Elías compareció ante Acab, el pueblo de Israel sufrió una constante decadencia espiritual. Gobernada la nación por hombres que no temían a Jehová y que alentaban extrañas formas de culto, la mayor parte de ese pueblo fue olvidando rápidamente su deber de servir al Dios vivo, y adoptó muchas de las prácticas idólatras.

Nadab, hijo de Jeroboam, ocupó el trono de Israel tan sólo durante algunos meses. Su carrera dedicada al mal quedó repentinamente tronchada por una conspiración encabezada por Baasa, uno de sus generales, para alcanzar el dominio. Mataron a Nadab, con toda la parentela que podría haberle sucedido, "conforme a la palabra que Jehová habló por su siervo Ahías silonita; por los pecados que Jeroboam había cometido, y con los cuales hizo pecar a Israel" (1 Reyes 15: 29, 30).

Así pereció la casa de Jeroboam. El culto idólatra intro-

Acab, bajo la influencia y dirección de Jezabel, introdujo el culto a Baal en todo el reino de Israel.

ducido por él atrajo sobre los culpables ofensores los juicios retributivos del cielo; y sin embargo los gobernantes que siguieron: Baasa, Ela, Zimri y Omri, durante un plazo de casi cuarenta años, continuaron con la misma mala conducta fatal.

Durante la mayor parte de este tiempo de apostasía en Israel, Asa gobernaba en el reino de Judá. Durante muchos años "hizo Asa lo bueno y lo recto ante los ojos de Jehová su Dios. Porque quitó los altares del culto extraño, y los lugares altos; quebró las imágenes, y destruyó los símbolos de Asera; y mandó a Judá que buscase a Jehová el Dios de sus padres, y pusiese por obra la ley y sus mandamientos. Quitó asimismo de todas las ciudades de Judá los lugares altos y las imágenes; y estuvo el reino en paz bajo su reinado" (2 Crónicas 14: 2-5).

La fe de Asa se vio muy probada cuando "Zera etíope con un ejército de un millón de hombres y trescientos carros" (2 Crónicas 14: 9) invadió su reino. En esa crisis, Asa no confió en las "ciudades fortificadas" que había construido en Judá, con muros dotados de "torres, puertas y barras", ni en los "hombres diestros" (vers. 6-8). El rey confiaba en Jehová de los ejércitos, en cuyo nombre Israel había obtenido en tiempos pasados maravillosas liberaciones. Mientras disponía a sus fuerzas en orden de batalla, solicitó la ayuda de Dios.

Los ejércitos oponentes se hallaban frente a frente. Era un momento de prueba para los que servían al Señor. ¿Habían confesado todo pecado? ¿Tenían los hombres de Judá plena confianza en que el poder de Dios podía librarlos? En esto pensaban los caudillos. Desde todo punto de vista humano, el gran ejército de Egipto habría de arrasar cuanto se le opusiera. Pero en tiempo de paz, Asa no se había dedicado a las diversiones y al placer, sino que se había preparado para cualquier emergencia. Tenía un ejército adiestrado para el conflicto. Se había esforzado por inducir a su pueblo a hacer la paz con Dios, y llegado el momento, su fe en Aquel en quien confiaba no vaciló, aun cuando tenía menos soldados que el enemigo.

Habiendo buscado al Señor en los días de prosperidad, el rey podía confiar en él en el día de la adversidad. Sus peticiones demostraron que no desconocía el poder admirable de Dios. Dijo en su oración: "¡Oh Jehová, para ti no hay diferencia alguna en dar ayuda al poderoso o al que no tiene fuerzas! Ayúdanos, oh Jehová Dios nuestro, porque en ti nos apoyamos, y en tu nombre venimos contra este ejército. Oh Jehová, tú eres nuestro Dios; no prevalezca contra ti el hombre" (vers. 11).

La de Asa es una oración que bien puede elevar todo creyente cristiano. Estamos empeñados en una guerra, no contra carne ni sangre, sino contra principados y potestades, y contra malicias espirituales en lo alto. En el conflicto de la vida, debemos hacer frente a los agentes malos que se han desplegado contra la justicia. Nuestra esperanza no se concentra en el hombre, sino en el Dios vivo. Con la plena seguridad de la fe, podemos contar con que él unirá su omnipotencia a los esfuerzos de los instrumentos humanos, para gloria de su nombre. Revestidos de la armadura de su justicia, podemos obtener la victoria contra todo enemigo.

La fe del rey Asa quedó señaladamente recompensada. "Y Jehová deshizo a los etíopes delante de Asa y delante de

Judá; y huyeron los etíopes. Y Asa, y el pueblo que con él estaba, los persiguieron hasta Gerar; y cayeron los etíopes hasta no quedar en ellos aliento, porque fueron deshechos delante de Jehová y de su ejército" (vers. 12, 13).

Mientras los victoriosos ejércitos de Judá y Benjamín regresaban a Jerusalén, "vino el Espíritu de Dios sobre Azarías hijo de Obed, y salió al encuentro de Asa, y le dijo: Oídme, Asa y todo Judá y Benjamín: Jehová estará con vosotros, si vosotros estuviereis con él; y si le buscareis, será hallado de vosotros; mas si le dejareis, él también os dejará... Pero esforzaos vosotros, y no desfallezcan vuestras manos, pues hay recompensa para vuestra obra" (2 Crónicas 15: 1, 2, 7).

Muy alentado por estas palabras, Asa no tardó en iniciar una segunda reforma en Judá. "Quitó los ídolos abominables de toda la tierra de Judá y de Benjamín, y de las ciudades que él había tomado en la parte montañosa de Efraín; y reparó el altar de Jehová que estaba delante del pórtico de Jehová.

"Después reunió a todo Judá y Benjamín, y con ellos los forasteros de Efraín, de Manasés y de Simeón; porque muchos de Israel se habían pasado a él, viendo que Jehová su Dios estaba con él. Se reunieron, pues, en Jerusalén, en el mes tercero del año decimoquinto del reinado de Asa. Y en aquel mismo día sacrificaron para Jehová, del botín que habían traído, setecientos bueyes y siete mil ovejas. Entonces prometieron solemnemente que buscarían a Jehová el Dios de sus padres, de todo su corazón y de toda su alma... Y fue hallado de ellos; y Jehová les dio paz por todas partes" (vers. 8-12, 15).

Los largos anales de un servicio fiel prestado por Asa quedaron manchados por algunos errores cometidos en ocasiones en que no puso toda su confianza en Dios. Cuando, en cierta ocasión, el rey de Israel invadió el reino de Judá y se apoderó de Ramá, ciudad fortificada situada a tan sólo ocho kilómetros de Jerusalén, Asa procuró su liberación mediante una alianza con Ben-adad, rey de Siria. Esta falta de confianza en Dios solo en un momento de necesidad fue reprendida severamente por el profeta Hanani, quien se presentó delante de Asa con este mensaje:

"Por cuanto te has apoyado en el rey de Siria, y no te apoyaste en Jehová tu Dios, por eso el ejército del rey de Siria ha escapado de tus manos. Los etíopes y los libios, ¿no eran un ejército numerosísimo, con carros y mucha gente de a caballo? Con todo, porque te apoyaste en Jehová, él los entregó en tus manos. Porque los ojos de Jehová contem-

plan toda la tierra, para mostrar su poder a favor de los que tienen corazón perfecto para con él. Locamente has hecho en esto; porque de aquí en adelante habrá más guerra contra ti" (2 Crónicas 16: 7-9).

En vez de humillarse delante de Dios por haber cometido este error, "se enojó Asa contra el vidente y lo echó en la cárcel, porque se encolerizó grandemente a causa de esto. Y oprimió Asa en aquel tiempo a algunos del pueblo" (vers. 10).

"En el año treinta y nueve de su reinado, Asa enfermó gravemente de los pies, y en su enfermedad no buscó a Jehová, sino a los médicos" (vers. 12). El rey murió el cuadragésimo primer año de su reinado y le sucedió Josafat, su hijo.

Dos años antes de la muerte de Asa, Acab comenzó a gobernar en el reino de Israel. Desde el principio, su reinado quedó señalado por una apostasía extraña y terrible. Su padre, Omri, fundador de Samaria, "hizo lo malo ante los ojos de Jehová, e hizo peor que todos los que habían reinado antes de él" (1 Reyes 16: 25); pero los pecados de Acab fueron aún mayores. El hizo "más que todos los reyes de Israel que reinaron antes que él, para provocar la ira de Jehová Dios de Israel". Actuó como si le fuera "ligera cosa andar en los pecados de Jeroboam hijo de Nabat" (vers. 33, 31). No conformándose con el aliento que daba a las formas de culto religioso que se seguían en Bet-el y Dan, encabezó temerariamente al pueblo en el paganismo más grosero, y reemplazó el culto de Jehová por el de Baal.

Habiendo tomado por esposa a Jezabel, "hija de Et-baal rey de los sidonios" y sumo sacerdote de Baal, Acab "sirvió a

Baal, y lo adoró. E hizo altar a Baal, en el templo de Baal que él edificó en Samaria" (vers. 31, 32).

No sólo introdujo Acab el culto de Baal en la capital, sino que bajo la dirección de Jezabel erigió altares paganos en muchos "altos", donde, a la sombra de los bosquecillos circundantes, los sacerdotes y otros personajes relacionados con esta forma seductora de la idolatría ejercían su influencia funesta, hasta que casi todo Israel seguía en pos de Baal. "A la verdad ninguno fue como Acab, que se vendió para hacer lo malo ante los ojos de Jehová; porque Jezabel su mujer lo incitaba. El fue en gran manera abominable, caminando en pos de los ídolos, conforme a todo lo que hicieron los amorreos, a los cuales lanzó Jehová de delante de los hijos de Israel" (1 Reyes 21: 25, 26).

Acab carecía de fuerza moral. Su casamiento con una mujer idólatra, de un carácter decidido y temperamento positivo, fue desastroso para él y para la nación. Como no tenía principios ni elevada norma de conducta, su carácter fue modelado con facilidad por el espíritu resuelto de Jezabel. Su naturaleza egoísta no le permitía apreciar las misericordias de Dios para con Israel ni sus propias obligaciones como guardián y conductor del pueblo escogido.

Bajo la influencia agostadora del gobierno de Acab, Israel se alejó mucho del Dios vivo, y corrompió sus caminos delante de él. Durante muchos años, había estado perdiendo su sentido de reverencia y piadoso temor; y ahora parecía que no hubiese nadie capaz de exponer la vida en una oposición destacada a las blasfemias prevalecientes. La oscura sombra de la apostasía cubría todo el país. Por todas partes podían verse imágenes de Baal y Astarté. Se multiplicaban los templos y los bosquecillos consagrados a los ídolos, y en ellos se adoraban las obras de manos humanas. El aire estaba contaminado por el humo de los sacrificios ofrecidos a los dioses falsos. Las colinas y los valles repercutían con los clamores de embriaguez emitidos por un sacerdocio pagano que ofrecía sacrificios al sol, la luna y las estrellas.

Mediante la influencia de Jezabel y sus sacerdotes impíos, se enseñaba al pueblo que los ídolos que se habían levantado eran divinidades que gobernaban por su poder místico los elementos de la tierra, el fuego y el agua. Todas las bendiciones del cielo: los arroyos y corrientes de aguas vivas, el suave rocío, las lluvias que refrescaban la tierra y hacían fructificar abundantemente los campos, se atribuían al favor de Baal y Astarté, en vez de atribuirse al Dador de todo don perfecto. El pueblo olvidaba que las colinas y los valles, los ríos y los manantiales, estaban en las manos del Dios vivo; y que éste regía el sol, las nubes del cielo y todos los poderes de la naturaleza.

Mediante mensajeros fieles, el Señor mandó repetidas amonestaciones al rey y al pueblo apóstatas; pero esas palabras de reprensión fueron inútiles. En vano insistieron los mensajeros inspirados en el derecho de Jehová como único Dios de Israel; en vano exaltaron las leyes que les había confiado. Cautivando por la ostentación de lujo y los ritos fascinantes de la idolatría, el pueblo seguía el ejemplo del rey y de su corte, y se entregaba a los placeres intoxicantes y degradantes de un culto sensual. En su ciega locura, prefirió rechazar a Dios y su culto. La luz que le había sido dada con tanta misericordia se había vuelto tinieblas. El oro fino se había empañado.

¡Ay! ¡Cuánto se había alejado la gloria de Israel! Nunca había caído tan bajo en la apostasía el pueblo escogido de Dios. Los "profetas de Baal" eran "cuatrocientos cincuenta", además de los "cuatrocientos profetas de Asera". Nada que no fuese el poder prodigioso de Dios podía preservar a la nación de una ruina absoluta. Israel se había separado voluntariamente de Jehová. Sin embargo, los anhelos compasivos del Señor seguían manifestándose en favor de aquellos que habían sido inducidos a pecar, y estaba él por mandarles uno de los más poderosos de sus profetas, uno por medio de quien muchos iban a ser reconquistados e inducidos a renovar su fidelidad al Dios de sus padres.

CAPITULO 9

Este capítulo está basado en 1 Reyes 17: 1-17.

Elías el Tisbita

ENTRE las montañas de Galaad, al oriente del Jordán, moraba en los días de Acab un hombre de fe y oración cuyo ministerio intrépido estaba destinado a detener la rápida extensión de la apostasía en Israel. Alejado de toda ciudad de renombre y sin ocupar un puesto elevado en la vida, Elías el tisbita inició sin embargo su misión confiando en el propósito que Dios tenía de preparar el camino delante de él y darle abundante éxito. La palabra de fe y de poder estaba en sus labios, y consagraba toda su vida a la obra de reforma. La suya era la voz de quien clama en el desierto para reprender el pecado y rechazar la marea del mal. Y aunque se presentó al pueblo para reprender el pecado, su mensaje ofrecía el bálsamo de Galaad a las almas enfermas de pecado que deseaban ser sanadas.

Mientras Elías veía a Israel hundirse cada vez más en la idolatría, su alma se angustiaba y se despertó su indignación. Dios había hecho grandes cosas para su pueblo. Lo había libertado de la esclavitud y le había dado "las tierras de las naciones, ... para que guardasen sus estatutos, y cumpliesen sus leyes" (Salmo 105: 44, 45). Pero los designios benéficos de Jehová habían quedado casi olvidados. La incredulidad iba separando rápidamente a la nación escogida de la Fuente de su fortaleza. Mientras consideraba esta apostasía desde su retiro en las montañas, Elías se sentía abrumado de pesar. Con angustia en el alma rogaba a Dios que detuviese en su impía carrera al pueblo una vez favorecido, que le enviase castigos si era necesario, para inducirlo a ver lo que realmente significaba su separación del cielo. Anhelaba verlo inducido al arrepentimiento antes de llegar en su mal proceder al punto de provocar tanto al Señor que lo destruyese por completo.

La oración de Elías fue contestada. Las súplicas, reprensiones y amonestaciones que habían sido repetidas a menudo no habían inducido a Israel a arrepentirse. Había llegado el momento en que Dios debía hablarle por medio de los castigos. Por cuanto los adoradores de Baal aseveraban que los tesoros del cielo, el rocío y la lluvia, no provenían de Jehová, sino de las fuerzas que regían la naturaleza, y que la tierra era enriquecida y hecha abundantemente fructífera mediante la energía creadora del sol, la maldición de Dios iba a descansar gravosamente sobre la tierra contaminada. Se iba a demostrar a las tribus apóstatas de Israel cuán insensato era confiar en el poder de Baal para obtener bendiciones temporales. Hasta que dichas tribus se volviesen a Dios arrepentidas y le reconociesen como fuente de toda bendición, no descendería rocío ni lluvia sobre la tierra.

A Elías fue confiada la misión de comunicar a Acab el mensaje relativo al juicio del cielo. El no procuró ser mensajero del Señor; la palabra del Señor le fue confiada. Y lleno de celo por el honor de la causa de Dios, no vaciló en obedecer la orden divina aun cuando obedecer era como buscar una presta destrucción a manos del rey impío. El profeta partió en seguida, y viajó día y noche hasta llegar a Samaria. No solicitó ser admitido en el palacio, ni aguardó que se le anunciara formalmente. Arropado con la burda vestimenta que solía cubrir a los profetas de aquel tiempo, pasó frente a la guardia, que aparentemente no se fijó en él, y se quedó un momento de pie frente al asombrado rey.

Elías no pidió disculpas por su abrupta aparición. Uno mayor que el gobernante de Israel le había comisionado para que hablase; y, alzando la mano hacia el cielo, afirmó solemnemente por el Dios viviente que los castigos del Altísimo estaban por caer sobre Israel. Declaró: "Vive Jehová Dios de Israel, en cuya presencia estoy, que no habrá lluvia ni rocío en estos años, sino por mi palabra".

Fue tan sólo por su fe poderosa en el poder infalible de la palabra de Dios como Elías entregó su mensaje. Si no le hubiese dominado una confianza implícita en Aquel a quien servía, nunca habría comparecido ante Acab. Mientras se dirigía a Samaria, Elías había pasado al lado de arroyos inagotables, colinas verdeantes, bosques imponentes que parecían inalcanzables para la sequía. Todo lo que veía estaba revestido de belleza. El profeta podría haberse preguntado cómo iban a secarse los arroyos que nunca habían cesado de fluir, y cómo podrían ser quemados por la sequía aquellos valles y colinas. Pero no dio cabida a la increduli-

A Elías, intrépido profeta de Jehová, le fue
confiada la misión de entregar el mensaje
celestial de condenación contra Acab.

dad. Creía firmemente que Dios iba a humillar al apóstata Israel, y que los castigos inducirían a éste a arrepentirse. El decreto del cielo había sido dado; la palabra de Dios no podía dejar de cumplirse; y con riesgo de su vida Elías cumplió valientemente su comisión. El anuncio del castigo inminente llegó a los oídos del rey impío como un rayo que cayera del cielo pero antes de que Acab se recobrase de su asombro o pronunciara una respuesta, Elías desapareció tan rápidamente como se había presentado, sin aguardar para ver el efecto de su mensaje. Y el Señor fue delante de él, allanándole el camino. Se le ordenó al profeta: "Apártate de aquí, y vuélvete al oriente, y escóndete en el arroyo de Querit, que está frente al Jordán. Beberás del arroyo; y yo he mandado a los cuervos que te den allí de comer".

El rey realizó diligentes investigaciones, pero no se pudo encontrar al profeta. La reina Jezabel, airada por el mensaje que los privaba a todos de los tesoros del cielo, consultó inmediatamente a los sacerdotes de Baal, quienes se unieron a ella para maldecir al profeta y para desafiar la ira de Jehová. Pero por mucho que desearan encontrar al que había anunciado la desgracia, estaban destinados a quedar burlados. Ni tampoco pudieron evitar que otros supieran de la sentencia pronunciada contra la apostasía. Se difundieron prestamente por todo el país las noticias de cómo Elías había denunciado los pecados de Israel y profetizado un castigo inminente. Algunos empezaron a temer, pero en general el mensaje celestial fue recibido con escarnio y ridículo.

Las palabras del profeta entraron en vigencia inmediatamente. Los que al principio se inclinaban a burlarse del pensamiento de que pudiese acaecer una calamidad, tuvieron pronto ocasión de reflexionar seriamente; porque después de algunos meses la tierra, al no ser refrigerada por el rocío ni la lluvia, se resecó y la vegetación se marchitó. Con el transcurso del tiempo empezó a reducirse el cauce de corrientes que nunca se habían agotado, y los arroyos comenzaron a secarse. Pero los caudillos instaron al pueblo a tener confianza en el poder de Baal, y a desechar las palabras ociosas de la profecía hecha por Elías. Los sacerdotes seguían insistiendo en que las lluvias caían por el poder de Baal. Recomendaban que no se temiese al Dios de Elías ni se temblase a su palabra, ya que Baal era quien producía las mieses en sazón, y proveía sustento para los hombres y los animales.

El mensaje que Dios mandó a Acab dio a Jezabel, a sus sacerdotes y a todos los adoradores de Baal y Astarté la oportunidad de probar el poder de sus dioses y demostrar, si ello era posible, que las palabras de Elías eran falsas. La profecía de éste se oponía sola a las palabras de seguridad que decían centenares de sacerdotes idólatras. Si, a pesar de la declaración del profeta, Baal podía seguir dando rocío y lluvia, para que los arroyos continuasen fluyendo y la vegetación floreciese, entonces el rey de Israel debía adorarlo y el pueblo declararle Dios.

Resueltos a mantener al pueblo engañado, los sacerdotes de Baal continuaron ofreciendo sacrificios a sus dioses, y a rogarles noche y día que refrescasen la tierra. Con costosas ofrendas, los sacerdotes procuraban apaciguar la ira de sus dioses; con una perseverancia y un celo dignos de una causa mejor, pasaban mucho tiempo en derredor de sus altares paganos y oraban fervorosamente por lluvia. Sus clamores y ruegos se oían noche tras noche por toda la tierra sentenciada. Pero no aparecían nubes en el cielo para interceptar de día los rayos ardientes del sol. No había lluvia ni rocío que refrescasen la tierra sedienta. Nada de lo que los sacerdotes de Baal pudiesen hacer cambiaba la palabra de Jehová.

Pasó un año, y aún no había llovido. La tierra parecía quemada como por fuego. El calor abrasador del sol destruyó la poca vegetación que había sobrevivido. Los arroyos se secaron, y los rebaños vagaban angustiados, mugiendo y balando. Campos que antes fueran florecientes quedaron como las ardientes arenas del desierto y ofrecían un aspecto desolador. Los bosquecillos dedicados al culto de los ídolos ya no tenían hojas; los árboles de los bosques, como lúgubres esqueletos de la naturaleza, ya no proporcionaban sombra. El aire reseco y sofocante levantaba a veces remolinos de polvo que enceguecían y casi cortaban el aliento. Ciudades y aldeas antes prósperas se habían transformado en lugares de luto y lamentos. El hambre y la sed hacían sus

estragos con terrible mortandad entre hombres y bestias. El hambre, con todos sus horrores, apretaba cada vez más.

Sin embargo, aun frente a estas evidencias del poder de Dios, Israel no se arrepentía, ni aprendía la lección que Dios quería que aprendiese. No veía que el que había creado la naturaleza controla sus leyes, y puede hacerlas instrumentos de bendición o de destrucción. Dominada por un corazón orgulloso y enamorada de su culto falso, la gente no quería humillarse bajo la poderosa mano de Dios, y empezó a buscar alguna otra causa a la cual pudiese atribuir sus sufrimientos.

Jezabel se negó en absoluto a reconocer la sequía como castigo enviado por Jehová. Inexorable en su resolución de desafiar al Dios del cielo, y acompañada en ello por casi todo Israel, denunció a Elías como causa de todos los sufrimientos. ¿No había testificado contra sus formas de culto? Sostenía que si se le pudiese eliminar, la ira de sus dioses quedaría apaciguada, y terminarían las dificultades.

Instado por la reina, Acab organizó una búsqueda muy diligente para descubrir el escondite del profeta. Envió mensajeros a las naciones circundantes, cercanas y lejanas, para encontrar al hombre a quien odiaba y temía. Y en su ansiedad porque la búsqueda fuese tan cabal como se pudiese hacerla, exigió a esos reinos y naciones que jurasen que no conocían el paradero del profeta. Pero la búsqueda fue en vano. El profeta estaba a salvo de la malicia del rey cuyos pecados habían atraído sobre la tierra el castigo de un Dios ofendido.

Frustrada en sus esfuerzos contra Elías, Jezabel resolvió vengarse matando a todos los profetas de Jehová que había en Israel. No debía dejarse a uno solo con vida. La mujer enfurecida hizo morir a muchos hijos de Dios; pero no perecieron todos. Abdías, gobernador de la casa de Acab, seguía fiel a Dios. "Tomó a cien profetas", y arriesgando su propia vida, los "escondió de cincuenta en cincuenta en cuevas, y los sustentó con pan y agua" (1 Reyes 18: 4).

Transcurrió el segundo año de escasez, y los cielos sin misericordia no daban señal de lluvia. La sequía y el hambre continuaban devastando todo el reino. Padres y madres, incapaces de aliviar los sufrimientos de sus hijos, se veían obligados a verlos morir. Sin embargo, los israelitas apóstatas se negaban a humillar su corazón delante de Dios, y continuaban murmurando contra el hombre cuya palabra había atraído sobre ellos estos juicios terribles. Parecían incapaces de discernir en su sufrimiento y angustia un llamamiento al arrepentimiento, una intervención divina para evitar que diesen el paso fatal que los pusiera fuera del alcance del perdón celestial.

La apostasía de Israel era un mal más espantoso que todos los multiplicados horrores del hambre. Dios estaba procurando librar al pueblo del engaño que sufría e inducirlo a comprender su responsabilidad ante Aquel a quien debía la vida y todas las cosas. Estaba procurando ayudarle a recobrar la fe que había perdido, y necesitaba imponerle una gran aflicción.

"¿Quiero yo la muerte del impío? dice Jehová el Señor. ¿No vivirá, si se apartare de sus caminos?... Echad de vosotros todas vuestras transgresiones con que habéis pecado, y haceos un corazón nuevo y un espíritu nuevo. ¿Por qué moriréis, casa de Israel? Porque no quiero la muerte del que muere, dice Jehová el Señor; convertíos, pues, y viviréis". "Volveos, volveos de vuestros malos caminos; ¿por qué moriréis, oh casa de Israel?" (Ezequiel 18: 23, 31, 32; 33: 11).

Dios había mandado a Israel mensajeros para suplicarle que volviese a su obediencia. Si hubiese escuchado estos llamamientos, si se hubiese apartado de Baal y regresado al Dios viviente, Elías no habría anunciado castigos. Pero las advertencias que podrían haber sido un sabor de vida para vida, habían resultado para ellos un sabor de muerte para muerte. Su orgullo había quedado herido; su ira despertada contra los mensajeros; y ahora consideraban con odio intenso al profeta Elías. Si hubiese caído en sus manos, con gusto lo habrían entregado a Jezabel, como si al silenciar su voz pudieran impedir que sus palabras se cumpliesen. Frente a la calamidad, se obstinaron en su idolatría. Así aumentaron la culpa que había atraído sobre la tierra los juicios del cielo.

Sólo había un remedio para el castigado Israel, y consistía en que se apartase de los pecados que habían atraído sobre él la mano castigadora del Todopoderoso, y que se volviese al Señor de todo su corazón. Se le había hecho esta promesa: "Si yo cerrare los cielos para que no haya lluvia, y si mandare a la langosta que consuma la tierra, o si enviare pestilencia a mi pueblo; si se humillare mi pueblo, sobre el cual mi nombre es invocado, y oraren, y buscaren mi rostro, y se convirtieren de sus malos caminos; entonces yo oiré desde los cielos, y perdonaré sus pecados, y sanaré su tierra" (2 Crónicas 7: 13, 14). Con el fin de obtener este resultado bienaventurado, Dios continuaba privándolos de rocío y lluvia hasta que se produjese una reforma decidida.

CAPITULO 10

Este capítulo está basado en 1 Reyes 17: 8-24; 18: 1-19.

Una Severa Reprensión

ELIAS permaneció escondido por un tiempo en las montañas donde corría el arroyo Querit. Durante muchos meses se le proveyó milagrosamente de alimento. Más tarde, cuando, debido a la prolongada sequía, se secó el arroyo, Dios ordenó a su siervo que hallase refugio en una tierra pagana. Le dijo: "Levántate, vete a Sarepta de Sidón, y mora allí; he aquí yo he dado orden allí a una mujer viuda que te sustente".

Esa mujer no era israelita. Nunca había gozado de los privilegios y bendiciones que había disfrutado el pueblo escogido por Dios; pero creía en el verdadero Dios, y había andado en toda la luz que resplandecía sobre su senda. De modo que cuando no hubo seguridad para Elías en la tierra de Israel, Dios le envió a aquella mujer para que hallase asilo en su casa.

"Entonces él se levantó y se fue a Sarepta. Y cuando llegó a la puerta de la ciudad, he aquí una mujer viuda que estaba allí recogiendo leña; y él la llamó, y le dijo: Te ruego

El rey y el profeta se encontraron frente a frente. Los devastadores efectos de la prolongada sequía se veían por todo el reino de Israel.

que me traigas un poco de agua en un vaso, para que beba. Y yendo ella para traérsela, él la volvió a llamar, y le dijo: Te ruego que me traigas también un bocado de pan en tu mano".

En ese hogar azotado por la pobreza, el hambre apremiaba; y la escasa pitanza parecía a punto de agotarse. La llegada de Elías en el mismo día en que la viuda temía verse obligada a renunciar a la lucha para sustentar su vida, probó hasta lo sumo la fe de ella en el poder del Dios viviente para proveerle lo que necesitaba. Pero aun en su extrema necesidad, reveló su fe cumpliendo la petición del forastero que solicitaba compartir con ella su último bocado.

En respuesta a la petición que le hacía Elías, de que le diera de comer y beber, la mujer dijo: "Vive Jehová tu Dios, que no tengo pan cocido; solamente un puñado de harina tengo en la tinaja, y un poco de aceite en una vasija; y ahora recogía dos leños, para entrar y prepararlo para mí y para mi hijo, para que lo comamos, y nos dejemos morir". Elías le contestó: "No tengas temor; ve, haz como has dicho; pero hazme a mí primero de ello una pequeña torta cocida debajo de la ceniza, y tráemela; y después harás para ti y para tu hijo. Porque Jehová Dios de Israel ha dicho así: La harina de la tinaja no escaseará, ni el aceite de la vasija disminuirá, hasta el día en que Jehová haga llover sobre la faz de la tierra".

No podría haberse exigido mayor prueba de fe. Hasta entonces la viuda había tratado a todos los forasteros con bondad y generosidad. En ese momento, sin tener en cuenta los sufrimientos que pudiesen resultar para ella y su hijo, y confiando en que el Dios de Israel supliría todas sus necesidades, dio esta prueba suprema de hospitalidad obrando "como le dijo Elías".

Admirable fue la hospitalidad manifestada al profeta de Dios por esta mujer fenicia, y admirablemente fueron recompensados su fe y generosidad. "Y comió él, y ella, y su casa, muchos días. Y la harina de la tinaja no escaseó, ni el aceite de la vasija menguó, conforme a la palabra que Jehová había dicho por Elías.

"Después de estas cosas aconteció que cayó enfermo el hijo del ama de la casa; y la enfermedad fue tan grave que no quedó en él aliento. Y ella dijo a Elías: ¿Qué tengo yo contigo, varón de Dios? ¿Has venido a mí para traer memoria mis iniquidades, y para hacer morir a mi hijo?

"El le dijo: Dame acá tu hijo. Entonces él lo tomó de su regazo, y lo llevó al aposento donde él estaba, y lo puso sobre su cama... Y se tendió sobre el niño tres veces, y clamó a Jehová... Y Jehová oyó la voz de Elías, y el alma del niño volvió a él, y revivió.

"Tomando luego Elías al niño, lo trajo del aposento a la casa, y lo dio a su madre, y le dijo Elías: Mira, tu hijo vive. Entonces la mujer dijo a Elías: Ahora conozco que tú eres varón de Dios, y que la palabra de Jehová es verdad en tu boca".

La viuda de Sarepta compartió su poco alimento con Elías; y en pago, fue preservada su vida y la de su hijo. Y a todos los que, en tiempo de prueba y escasez, dan simpatía y ayuda a otros más menesterosos, Dios ha prometido una gran bendición. El no ha cambiado. Su poder no es menor hoy que en los días de Elías. No es menos segura que cuando fue pronunciada por nuestro Salvador esta promesa: "El que recibe a un profeta por cuanto es profeta, recompensa de profeta recibirá" (S. Mateo 10: 41).

"No os olvidéis de la hospitalidad, porque por ella algunos, sin saberlo, hospedaron ángeles" (Hebreos 13: 2). Estas palabras no han perdido fuerza con el transcurso del tiempo. Nuestro Padre celestial continúa poniendo en la senda de sus hijos oportunidades que son bendiciones disfrazadas; y aquellos que aprovechan esas oportunidades encuentran mucho gozo. "Si dieres tu pan al hambriento, y saciares al alma afligida, en las tinieblas nacerá tu luz, y tu oscuridad será como el mediodía. Jehová te pastoreará siempre, y en las sequías saciará tu alma, y dará vigor a tus huesos; y serás como huerto de riego, y como manantial de aguas, cuyas aguas nunca faltan" (Isaías 58: 10, 11).

A sus siervos fieles de hoy dice Cristo: "El que a vosotros recibe, a mí me recibe; y el que me recibe a mí, recibe al que me envió". Ningún acto de bondad realizado en su nombre dejará de ser reconocido y recompensado. En el mismo tierno reconocimiento incluye Cristo hasta los más humildes y débiles miembros de la familia de Dios. Dice él: "Cualquiera que dé a uno de estos pequeñitos un vaso de agua fría solamente —a los que son como niños en su fe y conocimiento de Cristo—, por cuanto es discípulo, de cierto os digo que no perderá su recompensa" (S. Mateo 10: 40, 42).

Durante los largos años de sequía y hambre, Elías rogó fervientemente que el corazón de Israel se tornase de la idolatría a la obediencia a Dios. Pacientemente aguardaba el profeta mientras que la mano del Señor apremiaba gravosamente la tierra castigada. Mientras veía multiplicarse por todos lados las manifestaciones de sufrimiento y escasez, su corazón se agobiaba de pena y suspiraba por el poder de provocar una presta reforma. Pero Dios mismo estaba cumpliendo su plan, y todo lo que su siervo podía hacer era seguir orando con fe y aguardar el momento de una acción decidida.

La apostasía que prevalecía en el tiempo de Acab era resultado de muchos años de mal proceder. Poco a poco, año tras año, Israel se había estado apartando del buen camino. Una generación tras otra había rehusado enderezar sus pasos, y al fin la gran mayoría del pueblo se había entregado a la dirección de las potestades de las tinieblas.

Había transcurrido más o menos un siglo desde que, bajo el gobierno del rey David, Israel había unido gozosamente sus voces para elevar himnos de alabanza al Altísimo en reconocimiento de las formas absolutas en que dependía de Dios por sus mercedes diarias. Podemos escuchar sus palabras de adoración mientras cantaban:

"Oh Dios de nuestra salvación, ...
tú haces alegrar las salidas de la mañana y de la tarde.
Visitas la tierra, y la riegas;
en gran manera la enriqueces;
con el río de Dios, lleno de aguas,
preparas el grano de ellos, cuando así la dispones.
Haces que se empapen sus surcos,
haces descender sus canales;
la ablandas con lluvias,
bendices sus renuevos.
Tú coronas el año con tus bienes,

y tus nubes destilan grosura.
Destilan sobre los pastizales del desierto,
y los collados se ciñen de alegría.
Se visten de manadas los llanos,
y los valles se cubren de grano;
dan voces de júbilo, y aun cantan"
(Salmo 65: 5, 8-13).

Israel había reconocido entonces a Dios como el que "fundó la tierra sobre sus cimientos". Al expresar su fe había elevado este canto:

"Con el abismo, como con vestido, la cubriste;
sobre los montes estaban las aguas.
A tu reprensión huyeron;
al sonido de tu trueno se apresuraron;
subieron los montes, descendieron los valles,
al lugar que tú les fundaste.
Les pusiste término, el cual no traspasarán,
ni volverán a cubrir la tierra" (Salmo 104: 6-9).

Es el gran poder del ser Infinito el que mantiene dentro de sus límites los elementos de la naturaleza en la tierra, el mar y el cielo. Y él usa estos elementos para dar felicidad a sus criaturas. Emplea liberalmente "su buen tesoro, el cielo, para enviar la lluvia" a la "tierra en su tiempo, y para bendecir toda obra" de las manos de los hombres (Deuteronomio 28: 12).

"Tú eres el que envía las fuentes por los arroyos;
van entre los montes;
dan de beber a todas las bestias del campo;
mitigan su sed los asnos monteses.

A sus orillas habitan las aves de los cielos;
cantan entre las ramas...
El hace producir el heno para las bestias,
y la hierba para el servicio del hombre,
sacando el pan de la tierra,
y el vino que alegra el corazón del hombre,
el aceite que hace brillar el rostro,
y el pan que sustenta la vida del hombre...

¡Cuán innumerables son tus obras, oh Jehová!
Hiciste todas ellas con sabiduría;
la tierra está llena de tus beneficios.
He allí el grande y anchuroso mar,
en donde se mueven seres innumerables,
seres pequeños y grandes...
Todos ellos esperan en ti,
para que les des su comida a su tiempo.
Les das, recogen;
abres tu mano, se sacian de bien"
(Salmo 104: 10-15, 24-28).

Israel había tenido abundantes ocasiones de regocijarse. La tierra a la cual el Señor le había llevado fluía leche y miel. Durante las peregrinaciones por el desierto, Dios le había asegurado que lo conducía a un país donde nunca necesitaría sufrir por falta de lluvia.

Esto era lo que le había dicho: "La tierra a la cual entras para tomarla no es como la tierra de Egipto de donde habéis salido, donde sembrabas tu semilla, y regabas con tu pie, como huerto de hortaliza. La tierra a la cual pasáis para tomarla es tierra de montes y de vegas, que bebe las aguas de la lluvia del cielo; tierra de la cual Jehová tu Dios cuida; siempre están sobre ella los ojos de Jehová tu Dios, desde el principio del año hasta el fin".

La promesa de una abundancia de lluvia les había sido dada a condición de que obedeciesen. El Señor había declarado: "Si obedeciereis cuidadosamente a mis mandamientos que yo os prescribo hoy, amando a Jehová vuestro Dios, y sirviéndole con todo vuestro corazón, y con toda vuestra alma, yo daré la lluvia de vuestra tierra a su tiempo, la temprana y la tardía; y recogerás tu grano, tu vino y tu aceite. Daré también hierba en tu campo para tus ganados; y comerás, y te saciarás.

"Guardaos, pues, que vuestro corazón no se infatúe, y os apartéis y sirváis a dioses ajenos, y os inclinéis a ellos; y se encienda el furor de Jehová sobre vosotros, y cierre los cielos, y no haya lluvia, ni la tierra dé su fruto, y perezcáis pronto de la buena tierra que os da Jehová" (Deuteronomio 11: 10-17).

Se había amonestado así a los israelitas:

"Pero acontecerá, si no oyeres la voz de Jehová tu Dios, para procurar cumplir todos sus mandamientos y sus estatutos..., los cielos que están sobre tu cabeza serán de bronce, y la tierra que está debajo de ti, de hierro. Dará Jehová por lluvia a tu tierra polvo y ceniza; de los cielos descenderán sobre ti hasta que perezcas" (Deuteronomio 28: 15, 23, 24).

Tales eran algunos de los sabios consejos que había dado Jehová al antiguo Israel. Había ordenado a su pueblo escogido: "Por tanto, pondréis estas mis palabras en vuestro corazón y en vuestra alma, y las ataréis por señal en vuestra mano, y serán por frontales entre vuestros ojos. Y las enseñaréis a vuestros hijos, hablando de ellas cuando te sientes en tu casa, cuando andes por el camino, cuando te acuestes, y cuando te levantes" (Deuteronomio 11: 18, 19).

Estas órdenes eran claras; sin embargo con el transcurso de los siglos, mientras una generación tras otra olvidaba las medidas tomadas para su bienestar espiritual, las influencias ruinosas de la apostasía amenazaban con arrasar toda barrera de la gracia divina.

Así era cómo había llegado a acontecer que Dios hiciera caer sobre su pueblo sus castigos más severos. La predicción de Elías recibía un cumplimiento terrible. Durante tres años, el mensajero que había anunciado la desgracia fue buscado de ciudad en ciudad y de nación en nación. A la orden de Acab, muchos gobernantes habían jurado por su honor que no podían encontrar en sus dominios al extraño profeta. Sin embargo, la búsqueda había continuado; porque Jezabel y los profetas de Baal aborrecían a Elías con odio mortal, y no escatimaban esfuerzo para apoderarse de él. Y mientras tanto no llovía.

Al fin, "pasados muchos días", esta palabra del Señor fue dirigida a Elías: "Ve, muéstrate a Acab, y yo haré llover sobre la faz de la tierra".

Obedeciendo a la orden, "fue, pues, Elías a mostrarse a Acab". Más o menos cuando el profeta emprendió su viaje a Samaria, Acab había propuesto a Abdías, gobernador de su casa, que hiciesen una cuidadosa búsqueda de los manantiales y arroyos, con la esperanza de hallar pasto para sus rebaños hambrientos. Aun en la corte real se hacía sentir agudamente el efecto de la larga sequía. El rey, muy preocupado por lo que esperaba a su casa, decidió unirse personalmente a su siervo en busca de algunos lugares favorecidos donde pudiese obtenerse pasto. "Y dividieron entre sí el país para recorrerlo; Acab fue por un camino, y Abdías fue separadamente por otro.

"Y yendo Abdías por el camino, se encontró con Elías; y cuando lo reconoció, se postró sobre su rostro y dijo: ¿No eres tú mi señor Elías?"

Durante la apostasía de Israel, Abdías había permanecido fiel. El rey, su señor, no había podido apartarle de su fidelidad al Dios viviente. Ahora fue honrado por la comisión que le dio Elías: "Ve, di a tu amo: Aquí está Elías".

Aterrorizado, Abdías exclamó: "¿En qué he pecado, para que entregues a tu siervo en mano de Acab para que me mate?" Llevar un mensaje tal a Acab era buscar una muerte segura. Explicó al profeta: "Vive Jehová tu Dios, que no ha habido nación ni reino adonde mi señor no haya enviado a buscarte, y todos han respondido: No está aquí; y a reinos y a naciones él ha hecho jurar que no te han hallado. ¿Y ahora tú dices: Ve, di a tu amo: Aquí está Elías?

Acontecerá que luego que yo me haya ido, el Espíritu de Jehová te llevará adonde yo no sepa, y al venir yo y dar las nuevas a Acab, al no hallarte él, me matará".

Con intenso fervor Abdías rogó al profeta que no le apremiara. Dijo: "Tu siervo teme a Jehová desde su juventud. ¿No ha sido dicho a mi señor lo que hice, cuando Jezabel mataba a los profetas de Jehová; que escondí a cien varones de los profetas de Jehová de cincuenta en cincuenta en cuevas, y los mantuve con pan y agua? ¿Y ahora dices tú: Ve, di a tu amo: Aquí está Elías; para que él me mate?"

Con solemne juramento Elías prometió a Abdías que su diligencia no sería en vano. Declaró: "Vive Jehová de los ejércitos, en cuya presencia estoy, que hoy me mostraré a él". Con esta seguridad, "Abdías fue a encontrarse con Acab, y le dio el aviso".

Con asombro mezclado de terror, el rey oyó el mensaje

enviado por el hombre a quién temía y aborrecía, a quien había buscado tan incansablemente. Bien sabía que Elías no expondría su vida con el simple propósito de encontrarse con él. ¿Sería posible que el profeta estuviese por proclamar otra desgracia contra Israel? El corazón del rey se sobrecogió de espanto. Recordó cómo se había desecado el brazo de Jeroboam. Acab no podía dejar de obedecer a la orden, ni se atrevía a alzar la mano contra el mensajero de Dios. De manera que, acompañado por una guardia de soldados, el tembloroso monarca se fue al encuentro del profeta.

Este y el rey se hallan por fin frente a frente. Aunque Acab rebosa de odio apasionado, en la presencia de Elías parece carecer de virilidad y de poder. En las primeras palabras que alcanza a balbucir: "¿Eres tú el que turbas a Israel?" revela inconscientemente los sentimientos más íntimos de su corazón. Acab sabía que se debía a la palabra de Dios que los cielos se hubiesen vuelto como bronce, y sin embargo procuraba culpar al profeta de los gravosos castigos que apremiaban la tierra.

Es natural que el que obra mal tenga a los mensajeros de Dios por responsables de las calamidades que son el seguro resultado que produce el desviarse del camino de la justicia. Los que se colocan bajo el poder de Satanás no pueden ver las cosas como Dios las ve. Cuando se los confronta con el espejo de la verdad, se indignan al pensar que son reprendidos. Cegados por el pecado, se niegan a arrepentirse; consideran que los siervos de Dios se han vuelto contra ellos, y que merecen la censura más severa.

De pie, y consciente de su inocencia delante de Acab, Elías no intenta disculparse ni halagar al rey. Tampoco procura eludir la ira del rey dándole la buena noticia de que la sequía casi terminó. No tiene por qué disculparse. Lleno de indignación y del ardiente anhelo de ver honrar a Dios, devuelve a Acab su imputación, declarando intrépidamente al rey que son *sus* pecados y los de *sus* padres, lo que atrajo sobre Israel esta terrible calamidad. "Yo no he turbado a Israel —asevera audazmente Elías—, sino tú y la casa de tu padre, dejando los mandamientos de Jehová, y siguiendo a los baales".

Hoy también es necesario que se eleve una reprensión severa; porque graves pecados han separado al pueblo de su Dios. La incredulidad se está poniendo de moda aceleradamente. Millares declaran: "No queremos que éste reine sobre nosotros" (S. Lucas 19: 14). Los suaves sermones que se predican con tanta frecuencia no hacen impresión duradera; la trompeta no deja oír un sonido certero. Los corazones de los hombres no son conmovidos por las claras y agudas verdades de la Palabra de Dios.

Muchos que aparentan que son cristianos dirían, si expresasen sus sentimientos verdaderos: ¿Qué necesidad hay de hablar con tanta claridad? Podrían preguntar también: ¿Qué necesidad tenía Juan el Bautista de decir a los fariseos: "¡Oh generación de víboras! ¿Quién os enseñó a huir de la ira venidera?" (S. Lucas 3: 7).

¿Había acaso alguna necesidad de que provocase la ira de Herodías diciendo a Herodes que era ilícito de su parte vivir con la esposa de su hermano? El precursor de Cristo perdió la vida por hablar con claridad. ¿Por qué no podría haber seguido él por su camino sin incurrir en el desagrado de los que vivían en el pecado?

Así han argüido hombres que debieran haberse destacado como fieles guardianes de la ley de Dios, hasta que la política de conveniencia reemplazó la fidelidad, y se dejó sin reprensión al pecado. ¿Cuándo volverá a oírse en la iglesia la voz de las reprensiones fieles?

"Tú eres aquel hombre" (2 Samuel 12: 7). Es muy raro que se oigan en los púlpitos modernos, o que se lean en la prensa pública, palabras tan inequívocas y claras como las dirigidas por Natán a David. Si no escasearan tanto, veríamos con más frecuencia manifestaciones del poder de Dios entre los hombres. Los mensajeros del Señor no deben quejarse de que sus esfuerzos permanecen sin fruto, si ellos mismos no se arrepienten de su amor por la aprobación, de su deseo de agradar a los hombres, que los induce a suprimir la verdad.

Los ministros que procuran agradar a los hombres, y claman: Paz, paz, cuando Dios no ha hablado de paz, debieran humillar su corazón delante del Señor, y pedirle perdón por su falta de sinceridad y de valor moral. No es el amor a su prójimo lo que los induce a suavizar el mensaje que se les ha confiado, sino el hecho de que procuran complacerse a sí mismos y aman su comodidad.

El verdadero amor se esfuerza en primer lugar por honrar a Dios y salvar las almas. Los que tengan este amor no eludirán la verdad para ahorrarse los resultados desagradables que pueda tener el hablar claro. Cuando las almas están en peligro, los ministros de Dios no se tendrán en cuenta a sí mismos, sino que pronunciarán las palabras que se les ordenó pronunciar, y se negarán a excusar el mal o hallarle paliativos.

¡Ojalá que cada ministro comprendiese cuán sagrado es su cargo y santa su obra, y revelase el mismo valor que manifestó Elías! Como mensajeros designados por Dios, los ministros ocupan puestos de tremenda responsabilidad. A cada uno de ellos le toca cumplir este consejo: "Reprende, exhorta con toda paciencia y doctrina" (2 Timoteo 4: 2). Deben trabajar en lugar de Cristo como dispensadores de los misterios del cielo, animando a los obedientes y amonestando a los desobedientes. Las políticas del mundo no deben tener peso para ellos. No deben desviarse de la senda por la cual Jesús les ha ordenado andar. Deben ir adelante con fe, recordando que los rodea una nube de testigos. No les toca pronunciar sus propias palabras, sino las que les ordenó decir Uno mayor que los potentados de la tierra. Su mensaje debe ser: "Así dijo Jehová". Dios llama a hombres como Elías, Natán y Juan el Bautista, hombres que darán su mensaje con fidelidad, sin tener en cuenta las consecuencias; hombres que dirán la verdad con valor, aun cuando ello exija el sacrificio de todo lo que tienen.

Dios no puede usar hombres que, en tiempo de peligro, cuando se necesita la fortaleza, el valor y la influencia de todos, temen decidirse firmemente por lo recto. Llama a hombres que pelearán fielmente contra lo malo, contra principados y potestades, contra los gobernantes de las tinieblas de este mundo, contra la impiedad espiritual de los encumbrados. A los tales dirigirá las palabras: "Bien, buen siervo y fiel; ... entra en el gozo de tu Señor" (S. Mateo 25: 23).

CAPITULO 11

Este capítulo está basado en 1 Reyes 18: 19-40.

Sobre el Monte Carmelo

ELIAS, de pie delante de Acab, exigió que todo Israel fuese congregado para presenciar su encuentro con los profetas de Baal y Astarté sobre el monte Carmelo. Ordenó: "Envía, pues, ahora y congrégame a todo Israel en el monte Carmelo, y los cuatrocientos cincuenta profetas de Baal, y los cuatrocientos profetas de Asera, que comen de la mesa de Jezabel".

La orden fue dada por alguien que parecía estar en la misma presencia de Jehová; y Acab obedeció en seguida, como si el profeta fuese el monarca, y el rey un súbdito. Se mandaron veloces mensajeros a todo el reino para ordenar a la gente que se encontrase con Elías y los profetas de Baal y Astarté. En toda ciudad y aldea, el pueblo se preparó para congregarse a la hora señalada. Mientras viajaban hacia el lugar designado, había en el corazón de muchos presentimientos extraños. Iba a suceder algo extraordinario; de lo contrario, ¿por qué se los convocaría en el Carmelo? ¿Qué nueva calamidad iba a caer sobre el pueblo y la tierra?

Antes de la sequía, el monte Carmelo había sido un lugar hermoso, cuyos arroyos eran alimentados por manantia-

Delante de la muchedumbre y de los sacerdotes de Baal, Elías exclamó con gran voz: "¿Hasta cuándo claudicaréis... entre dos pensamientos?"

JOHN STEEL © PPPA

les inagotables, y cuyas vertientes fértiles estaban cubiertas de hermosas flores y lozanos vergeles. Pero ahora su belleza languidecía bajo la maldición agostadora. Los altares erigidos para el culto de Baal y Astarté se destacaban ahora en bosquecillos deshojados. En la cumbre de una de las sierras más altas, en agudo contraste con aquéllos, se veía el derruido altar de Jehová.

El Carmelo dominaba una vasta extensión del país; sus alturas eran visibles desde muchos lugares del reino de Israel. Al pie de la montaña, había sitios ventajosos desde los cuales se podía ver mucho de lo que sucedía en las alturas. Dios había sido señaladamente deshonrado por el culto idólatra que se desarrollaba a la sombra de las laderas boscosas; y Elías eligió esta elevación como el lugar más adecuado para que se manifestase el poder de Dios y se vindicase el honor de su nombre.

El día fijado, temprano, las huestes del apóstata Israel, dominadas por la expectación, se reunieron cerca de la cumbre. Los profetas de Jezabel desfilaron imponentemente. El rey apareció con toda pompa, y ocupó su puesto a la cabeza de los sacerdotes entre los clamores de los idólatras que le daban la bienvenida. Estaban seguros de que se acercaba una gran crisis. Los dioses en que confiaban no habían podido demostrar que Elías era un falso profeta. Esos ídolos habían sido extrañamente indiferentes a sus gritos..., sus oraciones, sus lágrimas, su humillación, sus ceremonias repugnantes y sus sacrificios costosos y continuos.

Frente al rey Acab y a los falsos profetas, y rodeado por las huestes congregadas de Israel, estaba Elías de pie, el único que se había presentado para vindicar el honor de Jehová. Aquel a quien todo el reino culpaba de su desgracia se encontraba ahora delante de ellos, aparentemente indefenso en presencia del monarca de Israel, de los profetas de Baal, los hombres de guerra y los millares que le rodeaban. Pero Elías no estaba solo. Junto a él y en derredor de él estaban las huestes del cielo que le protegían, ángeles excelsos en fortaleza.

Sin avergonzarse ni aterrorizarse, el profeta permanecía de pie delante de la multitud, reconociendo plenamente el mandato que había recibido de ejecutar la orden divina. Iluminaba su rostro una pavorosa solemnidad. Con ansiosa expectación el pueblo aguardaba su palabra. Mirando primero el altar de Jehová, que estaba derribado, y luego a la multitud, Elías clamó con los tonos claros de una trompeta: "¿Hasta cuándo claudicaréis vosotros entre dos pensamientos? Si Jehová es Dios, seguidle; y si Baal, id en pos de él".

El pueblo no le respondió una sola palabra. Ni uno de la vasta asamblea se atrevió a manifestarse leal a Jehová. El engaño y la ceguera cubrían a Israel como oscura nube. Esta apostasía fatal no los había dominado repentina sino gradualmente, a medida que, en diversas ocasiones, habían desoído las palabras de amonestación y reproche que el Señor les enviaba. Cada apartamiento del bien hacer y cada negativa a arrepentirse, habían ahondado su culpa y apartado aún más del cielo. Y ahora, en esta crisis, persistían en no decidirse por Dios.

El Señor aborrece la indiferencia y la deslealtad en tiempo de crisis para su obra. Todo el universo contempla con interés indecible las escenas finales de la gran controversia entre el bien y el mal. Los hijos de Dios se están acercando a las fronteras del mundo eterno; ¿qué podría resultar de más importancia para ellos que el ser leales al Dios del cielo? A través de los siglos, Dios ha tenido héroes morales; y los tiene ahora en aquellos que, como José, Elías y Daniel, no se avergüenzan de que se los reconozca como parte de su pueblo particular. La bendición especial de Dios acompaña las labores de los hombres de acción que no se dejan desviar de la línea recta ni del deber, sino que con energía divina preguntan: "¿Quién está por Jehová?" (Exodo 32: 26). Son hombres que no se conforman con hacer la pregunta, sino que piden a quienes decidan identificarse con el pueblo de Dios que se adelanten y revelen inequívocamente su fidelidad al Rey de reyes y Señor de señores. Tales hombres subordinan su voluntad y sus planes a la ley de Dios. Por amor hacia él, no consideran preciosa su vida. Su obra consiste en recibir la luz de la Palabra y dejarla resplandecer sobre el mundo en rayos claros y constantes. Su lema es ser fieles a Dios.

En el Carmelo, mientras Israel dudaba y vacilaba, la voz de Elías rompió de nuevo el silencio: "Sólo yo he quedado profeta de Jehová; mas de los profetas de Baal hay cuatrocientos cincuenta hombres. Dénsenos, pues, dos bueyes, y escojan ellos uno, y córtenlo en pedazos, y pónganlo sobre leña, pero no pongan fuego debajo; y yo prepararé el otro buey, y lo pondré sobre leña, y ningún fuego pondré debajo. Invocad luego vosotros el nombre de vuestros dioses, y yo invocaré el nombre de Jehová; y el Dios que respondiere por medio de fuego, ése sea Dios".

La propuesta de Elías era tan razonable que el pueblo no podía eludirla, de modo que tuvo valor para responder:

"Bien dicho". Los profetas de Baal no se atrevían a elevar la voz para disentir; y dirigiéndose a ellos, Elías les indicó: "Escogeos un buey, y preparadlo vosotros primero, pues que sois los más; e invocad el nombre de vuestros dioses, mas no pongáis fuego debajo".

Con apariencia de audacia y desafío, pero con terror en su corazón culpable, los falsos sacerdotes prepararon su altar, pusieron sobre él la leña y la víctima; y luego iniciaron sus encantamientos. Sus agudos clamores repercutían por los bosques y las alturas circunvecinas, mientras invocaban el nombre de su dios, diciendo: "¡Baal, respóndenos!" Los sacerdotes se reunieron en derredor del altar, y con saltos, contorsiones y gritos, tirándose el cabello e hiriéndose la carne, suplicaban a su dios que les ayudase.

Transcurrió la mañana, llegaron las doce, y todavía no se notaba que Baal oyera los clamores de sus seducidos

adeptos. Ninguna voz respondía a sus frenéticas oraciones. El sacrificio no era consumido.

Mientras continuaban sus frenéticas devociones, los astutos sacerdotes procuraban de continuo idear algún modo de encender fuego sobre el altar y de inducir al pueblo a creer que ese fuego provenía directamente de Baal. Pero Elías vigilaba cada uno de sus movimientos; y los sacerdotes, esperando contra toda esperanza que se les presentase alguna oportunidad de engañar a la gente, continuaban ejecutando sus ceremonias sin sentido.

"Y aconteció al mediodía, que Elías se burlaba de ellos, diciendo: Gritad en alta voz, porque dios es; quizá está meditando, o tiene algún trabajo, o va de camino; tal vez duerme, y hay que despertarle. Y ellos clamaban a grandes voces, y se sajaban con cuchillos y con lancetas conforme a su costumbre, hasta chorrear la sangre sobre ellos. Pasó el mediodía", y aunque "ellos siguieron gritando frenéticamente hasta la hora de ofrecerse el sacrificio,... no hubo ninguna voz, ni quien respondiese ni escuchase".

Gustosamente habría acudido Satanás en auxilio de aquellos a quienes había engañado, y que se consagraban a su servicio. Gustosamente habría mandado un relámpago para encender su sacrificio. Pero Jehová había puesto límites y restricciones a su poder, y ni aun todas las artimañas del enemigo podían hacer llegar una chispa al altar de Baal.

Por fin, enronquecidos por sus gritos, con ropas manchadas de sangre por las heridas que se habían infligido, los sacerdotes cayeron presa de la desesperación. Perseverando en su frenesí, empezaron a mezclar con sus súplicas terribles maldiciones para su dios, el sol, mientras Elías continuaba velando atentamente; porque sabía que si mediante cualquier ardid los sacerdotes lograban encender fuego sobre su altar, lo habrían desgarrado inmediatamente.

La tarde seguía avanzando. Los sacerdotes de Baal estaban ya cansados y confusos. Uno sugería una cosa, y otro sugería otra, hasta que finalmente cesaron en sus esfuerzos. Sus gritos y maldiciones ya no repercutían en el Carmelo. Desesperados, se retiraron de la contienda.

Durante todo el día el pueblo había presenciado las demostraciones de los sacerdotes frustrados. Había contemplado cómo saltaban desenfrenadamente en derredor del altar, como si quisieran asir los rayos ardientes del sol a fin de cumplir su propósito. Había mirado con horror las espantosas mutilaciones que se infligían, y había tenido oportunidad de reflexionar en las insensateces del culto a los ídolos. Muchos de los que formaban parte de la multitud estaban cansados de las manifestaciones demoníacas, y aguardaban ahora con el más profundo interés lo que iba a hacer Elías.

Ya era la hora del sacrificio de la tarde, y Elías invitó así al pueblo: "Acercaos a mí". Mientras se acercaban temblorosamente, se puso a reparar el altar frente al cual hubo una vez hombres que adoraban al Dios del cielo. Para él este montón de ruinas era más precioso que todos los magníficos altares del paganismo.

En la reconstrucción del viejo altar, Elías reveló su respeto por el pacto que el Señor había hecho con Israel cuando cruzó el Jordán para entrar en la tierra prometida. Escogiendo "Elías doce piedras, conforme al número de las tribus de los hijos de Jacob,... edificó con las piedras un altar en el nombre de Jehová".

Los derrotados sacerdotes de Baal, agotados por sus vanos esfuerzos, aguardaban para ver lo que iba a hacer Elías. Sentían odio hacia el profeta por haber propuesto una prueba que había revelado la debilidad e ineficacia de sus dioses; pero al mismo tiempo temían su poder. El pueblo, también temeroso, y en suspenso por la expectación, observaba mientras Elías continuaba sus preparativos. La calma del profeta resaltaba en agudo contraste con el frenético e insensato fanatismo de los partidarios de Baal.

Una vez reparado el altar, el profeta cavó una trinchera en derredor de él, y habiendo puesto la leña en orden y preparado el novillo, puso esa víctima sobre el altar, y ordenó al pueblo que regase con agua el sacrificio y el altar. Sus indicaciones fueron: "Llenad cuatro cántaros de agua, y derramadla sobre el holocausto y sobre la leña. Y dijo: Hacedlo otra vez; y otra vez lo hicieron. Dijo aún: Hacedlo la tercera vez; y lo hicieron la tercera vez, de manera que el agua corría alrededor del altar, y también se había llenado de agua la zanja".

Recordando al pueblo la larga apostasía que había despertado la ira de Jehová, Elías le invitó a humillar su corazón y a retornar al Dios de sus padres, a fin de que pudiese borrarse la maldición que descansaba sobre la tierra. Luego, postrándose reverentemente delante del Dios invisible, elevó las manos hacia el cielo y pronunció una sencilla oración. Desde temprano por la mañana hasta el atardecer, los sacerdotes de Baal habían lanzado gritos y espumarajos mientras daban saltos; pero mientras Elías oraba, no repercutieron gritos sobre las alturas del Carmelo. Oró como quien sabía que Jehová estaba allí, presenciando la escena y

Elías, el valiente profeta, vio su fe recompensada en medio de la crisis cuando Dios hizo descender fuego sobre el altar.

John Steel

escuchando sus súplicas. Los profetas de Baal habían orado desenfrenada e incoherentemente. Elías rogó con sencillez y fervor a Dios que manifestase su superioridad sobre Baal, a fin de que Israel fuese inducido a regresar hacia él.

Dijo el profeta en su súplica: "Jehová Dios de Abrahán, de Isaac y de Israel, sea hoy manifiesto que tú eres Dios en Israel, y que yo soy tu siervo, y que por mandato tuyo he hecho todas estas cosas. Respóndeme, Jehová, respóndeme, para que conozca este pueblo que tú, oh Jehová, eres el Dios, y que tú vuelves a ti el corazón de ellos".

Sobre todos ... pesaba un silencio opresivo, solemne. Los sacerdotes de Baal temblaban de terror. Conscientes de su culpabilidad, veían llegar una presta retribución.

Apenas acabó Elías su oración, bajaron del cielo sobre el altar llamas de fuego, como brillantes relámpagos, y consumieron el sacrificio, evaporaron el agua de la trinchera y devoraron hasta las piedras del altar. El resplandor del fuego iluminó la montaña y deslumbró a la multitud. En los valles que se extendían más abajo, donde muchos observaban, suspensos de ansiedad, los movimientos de los que estaban en la altura, se vio claramente el descenso del fuego, y todos se quedaron asombrados por lo que veían. Era algo semejante a la columna de fuego que al lado del mar Rojo separó a los hijos de Israel de la hueste egipcia.

La gente que estaba sobre el monte se postró llena de pavor delante del Dios invisible. No se atrevía a continuar mirando el fuego enviado del cielo. Temía verse consumida. Convencidos de que era su deber reconocer al Dios de Elías como Dios de sus padres, al cual debían obedecer, gritaron a una voz: "¡Jehová es el Dios, Jehová es el Dios!" Con sorprendente claridad el clamor resonó por la montaña y repercutió por la llanura. Por fin Israel se despertaba, desengañado y penitente. Por fin el pueblo veía cuánto había deshonrado a Dios. Quedaba plenamente revelado el carácter del culto de Baal, en contraste con el culto racional exigido por el Dios verdadero. El pueblo reconoció la justicia y la misericordia que había manifestado Dios al privarlo de rocío y de lluvia hasta que confesara su nombre. Estaba ahora dispuesto a admitir que el Dios de Elías era superior a todo ídolo.

Los sacerdotes de Baal presenciaban consternados la maravillosa revelación del poder de Jehová. Sin embargo, aun en su derrota y en presencia de la gloria divina, rehusaron arrepentirse de su mal proceder. Querían seguir siendo los sacerdotes de Baal. Demostraron así que merecían ser destruidos. A fin de que el arrepentido pueblo de Israel se viese protegido de las seducciones de aquellos que le habían enseñado a adorar a Baal, el Señor indicó a Elías que destruyese a esos falsos maestros. La ira del pueblo ya había sido despertada contra los caudillos de la transgresión; y cuando Elías dio la orden: "Prended a los profetas de Baal, para que no escape ninguno", el pueblo estuvo listo para obedecer. Se apoderó de los sacerdotes, los llevó al arroyo Cisón y allí, antes que terminara el día que señalaba el comienzo de una reforma decidida, se dio muerte a los ministros de Baal. No se perdonó la vida a uno solo.

CAPITULO 12

Este capítulo está basado en 1 Reyes 18: 41-46; 19: 1-8.

De Jezreel a Horeb

UNA vez muertos los profetas de Baal, quedaba preparado el camino para realizar una poderosa reforma espiritual entre las diez tribus del reino del norte. Elías había presentado al pueblo su apostasía; lo había invitado a humillar su corazón y a volverse al Señor. Los juicios del cielo habían sido ejecutados; el pueblo había confesado sus pecados y había reconocido al Dios de sus padres como el Dios viviente; y ahora iba a retirarse la maldición del cielo y se renovarían las bendiciones temporales de la vida. La tierra iba a ser refrigerada por la lluvia. Elías dijo a Acab: "Sube, come y bebe; porque una lluvia grande se oye". Luego el profeta se fue a la cumbre del monte para orar.

El que Elías pudiese invitar confiadamente a Acab a que se preparase para la lluvia no se debía a que hubiese evidencias externas de que estaba por llover. El profeta no veía nubes en los cielos; ni oía truenos. Expresó simplemente las palabras que el Espíritu del Señor le movía a decir en respuesta a su propia fe poderosa. Durante todo el día había cumplido sin vacilar la voluntad de Dios, y había revelado su confianza implícita en las profecías de la palabra de Dios; y ahora, habiendo hecho todo lo que estaba a su alcance, sabía que el cielo otorgaría libremente las bendiciones predichas. El mismo Dios que había mandado la sequía había prometido abundancia de lluvia como recompensa del proceder correcto; y ahora Elías aguardaba que se derramase la lluvia prometida. En actitud humilde, "su rostro entre las rodillas", suplicó a Dios en favor del arrepentido Israel.

Vez tras vez, Elías mandó a su siervo a un lugar que dominaba el Mediterráneo, para saber si había alguna señal visible de que Dios había oído su oración. Cada vez volvió el siervo con la contestación: "No hay nada". El profeta no se impacientó ni perdió la fe, sino que continuó intercediendo con fervor. Seis veces el siervo volvió diciendo que no había señal de lluvia en los cielos que parecían de bronce. Sin desanimarse, Elías lo envió nuevamente; y esta vez el siervo regresó con la noticia: "Yo veo una pequeña nube como la palma de la mano de un hombre, que sube del mar".

Esto bastaba. Elías no aguardó que los cielos se ennegreciesen. En esa pequeña nube, vio por fe una lluvia abundante y de acuerdo a esa fe obró: mandó a su siervo que fuese prestamente a Acab con el mensaje: "Unce tu carro y desciende, para que la lluvia no te ataje".

Por el hecho de que Elías era hombre de mucha fe, Dios pudo usarlo en esta grave crisis de la historia de Israel. Mientras oraba, su fe se aferraba a las promesas del cielo; y perseveró en su oración hasta que sus peticiones fueron contestadas. No aguardó hasta tener la plena evidencia de que Dios le había oído, sino que estaba dispuesto a aventurarlo todo al notar la menor señal del favor divino. Y sin embargo lo que él pudo hacer bajo la dirección de Dios, todos pueden hacerlo en su esfera de actividad mientras sirven a Dios; porque acerca de ese profeta de las montañas de Galaad está escrito: "Elías era hombre sujeto a pasiones semejantes a las nuestras, y oró fervientemente para que no lloviese, y no llovió sobre la tierra por tres años y seis meses" (Santiago 5: 17).

Una fe tal es lo que se necesita en el mundo hoy, una fe que se aferre a las promesas de la palabra de Dios, y se niegue a renunciar a ellas antes que el cielo responda. Una fe tal nos relaciona estrechamente con el cielo, y nos imparte fuerza para luchar con las potestades de las tinieblas. Por la fe los hijos de Dios "conquistaron reinos, hicieron justicia, alcanzaron promesas, taparon bocas de leones, apagaron fuegos impetuosos, evitaron filo de espada, sacaron fuerzas de debilidad, se hicieron fuertes en batallas, pusieron en fuga ejércitos extranjeros" (Hebreos 11: 33, 34). Y por la fe hemos de llegar hoy a las alturas del propósito que Dios tiene para nosotros. "Si puedes creer, al que cree todo le es posible" (S. Marcos 9: 23).

La fe es un elemento esencial de la oración que prevalece. "Porque es necesario que el que se acerca a Dios crea que le hay, y que es galardonador de los que le buscan". "Si pedimos alguna cosa conforme a su voluntad, él nos oye. Y si sabemos que él nos oye en cualquiera cosa que pidamos, sabemos que tenemos las peticiones que le hayamos hecho" (Hebreos 11: 6; 1 Juan 5: 14, 15). Con la fe perseverante de

Jacob, con la persistencia inflexible de Elías, podemos presentar nuestras peticiones al Padre, solicitando todo lo que ha prometido. El honor de su trono está empeñado en el cumplimiento de su palabra.

Las sombras de la noche se estaban asentando en derredor del monte Carmelo cuando Acab se preparó para el descenso. "Y aconteció, estando en esto, que los cielos se oscurecieron con nubes y viento, y hubo una gran lluvia. Y subiendo Acab, vino a Jezreel". Mientras viajaba hacia la ciudad real a través de las tinieblas y de la lluvia enceguecedora, Acab no podía ver el camino delante de sí. Elías, quien, como profeta de Dios había humillado ese día a Acab delante de sus súbditos y dado muerte a sus sacerdotes idólatras, le reconocía sin embargo como rey de Israel; y ahora, como acto de homenaje, y fortalecido por el poder de Dios, corrió delante del carro real para guiar al rey hasta la entrada de la ciudad.

En este acto misericordioso del mensajero de Dios hacia

un rey impío, hay una lección para todos los que aseveran ser siervos de Dios, pero que se estiman muy encumbrados. Hay quienes se tienen por demasiado grandes para ejecutar deberes que consideran sin importancia. Vacilan en cumplir aun los servicios necesarios, temiendo que se los sorprenda haciendo trabajo de sirvientes. Los tales tienen que aprender del ejemplo de Elías. Por su palabra, la tierra había sido privada de los tesoros del cielo durante tres años; había sido muy honrado por Dios cuando, en respuesta a su oración en el Carmelo, el fuego había fulgurado del cielo y consumido el sacrificio; su mano había ejecutado el juicio de Dios al matar a los profetas idólatras; y su deseo había sido atendido cuando había pedido lluvia. Sin embargo, después de los excelsos triunfos con que Dios se había complacido en honrar su ministerio público, estaba dispuesto a cumplir el servicio de un criado.

Al llegar a la puerta de Jezreel, Elías y Acab se separaron. El profeta, prefiriendo permanecer fuera de la muralla, se envolvió en su manto y se acostó a dormir en el suelo. El rey, pasando adelante, llegó pronto al abrigo de su palacio, y allí relató a su esposa los maravillosos sucesos acontecidos ese día, así como la admirable revelación del poder divino que había probado a Israel que Jehová era el Dios verdadero, y Elías su mensajero escogido. Cuando Acab contó a la reina cómo habían muerto los profetas idólatras, Jezabel, endurecida e impenitente, se enfureció. Se negó a reconocer en los acontecimientos del Carmelo la predominante providencia de Dios y, empeñada en su desafío, declaró audazmente que Elías debía morir.

Esa noche un mensajero despertó al cansado profeta, y

le transmitió las palabras de Jezabel: "Así me hagan los dioses, y aun me añadan, si mañana a estas horas yo no he puesto tu persona como la de uno de ellos".

Parecía que después de haber manifestado valor tan indómito y de haber triunfado tan completamente sobre el rey, los sacerdotes y el pueblo, Elías ya no podría ceder al desaliento ni verse acobardado por la timidez. Pero el que había sido bendecido con tantas evidencias del cuidado amante de Dios, no estaba exento de las debilidades humanas, y en esa hora sombría le abandonaron su fe y su valor. Se despertó aturdido. Caía lluvia del cielo, y por todos lados había tinieblas. Olvidándose de que tres años antes, Dios había dirigido sus pasos hacia un lugar de refugio donde no le alcanzaron ni el odio de Jezabel ni la búsqueda de Acab, el profeta huyó para salvarse la vida. Llegando a Beerseba, "dejó allí a su criado. Y él se fue por el desierto un día de camino".

Elías no debería haber huido del puesto que le indicaba el deber, sino haber hecho frente a la amenaza de Jezabel suplicando la protección de Aquel que le había ordenado defender el honor de Jehová. Debiera haber dicho al mensajero que el Dios en quien confiaba lo protegería del odio de la reina. Sólo habían transcurrido algunas horas desde que había presenciado una maravillosa manifestación del poder divino, y esto debería haberle dado la seguridad de que no sería abandonado. Si hubiese permanecido donde estaba, si hubiese hecho de Dios su refugio y fortaleza y quedado firme por la verdad, habría sido protegido... El Señor le habría dado otra señalada victoria enviando sus castigos contra Jezabel; y la impresión que esto hubiera hecho en el rey y el pueblo habría realizado una gran reforma.

Elías había esperado mucho del milagro cumplido en el Carmelo. Había esperado que, después de esa manifestación del poder de Dios, Jezabel ya no influiría en el espíritu de Acab y que se produciría prestamente una reforma en todo Israel. Durante todo el día pasado en las alturas del Carmelo había trabajado sin alimentarse. Sin embargo, cuando guió el carro de Acab hasta la puerta de Jezreel, su valor era grande, a pesar del esfuerzo físico que había representado su labor.

Pero una reacción, como la que con frecuencia sigue a los momentos de mucha fe y de glorioso éxito, oprimía a Elías. Temía que la reforma iniciada en el Carmelo no durase; y la depresión se apoderó de él. Había sido exaltado a la cumbre del Pisga; ahora se hallaba en el valle. Mientras estaba bajo la inspiración del Todopoderoso, había soportado la prueba más severa de su fe; pero en el momento de desaliento, mientras repercutía en sus oídos la amenaza de Jezabel y Satanás prevalecía aparentemente en las maquinaciones de esa mujer impía, perdió su confianza en Dios. Había sido exaltado en forma extraordinaria, y la reacción fue tremenda. Olvidándose de Dios, Elías huyó hasta hallarse solo en un desierto deprimente. Completamente agotado, se sentó a descansar bajo un enebro. Sentado allí, rogó que se le dejase morir. Dijo: "Basta ya, oh Jehová, quítame la vida, pues no soy yo mejor que mis padres". Fugitivo, alejado de las moradas de los hombres, con el ánimo abrumado por una amarga desilusión, deseaba no volver a ver rostro humano alguno. Por fin, completamente agotado, se durmió.

A todos nos tocan a veces momentos de intensa desilusión y profundo desaliento, días en que nos embarga la tristeza y es difícil creer que Dios sigue siendo el bondadoso benefactor de sus hijos terrenales; días en que las dificultades acosan al alma, en que la muerte parece preferible a la vida. Entonces es cuando muchos pierden su confianza en Dios y caen en la esclavitud de la duda y la servidumbre de la incredulidad. Si en tales momentos pudiésemos discernir con percepción espiritual el significado de las providencias de Dios, veríamos ángeles que procuran salvarnos de nosotros mismos y luchan para asentar nuestros pies en un fundamento más firme que las colinas eternas; y nuestro ser se compenetraría de una nueva fe y una nueva vida.

En el día de su aflicción y tinieblas, el fiel Job había declarado:

> "Perezca el día en que yo nací".
> "¡Oh, que pesasen justamente mi queja y mi
>   tormento,
> y se alzasen igualmente en balanza!...
> ¡Quién me diera que viniese mi petición,
> y que me otorgase Dios lo que anhelo,
> y que agradara a Dios quebrantarme;
> que soltara su mano, y acabara conmigo!
> Sería aún mi consuelo"...
>
> "Por tanto, no refrenaré mi boca;
> hablaré en la angustia de mi espíritu,
> y me quejaré con la amargura de mi alma...
> Mi alma ... quiso la muerte más que mis huesos.
> Abomino de mi vida; no he de vivir para siempre;

John Steel

déjame, pues, porque mis días son vanidad"
(Job 3: 3; 6: 2, 8-10; 7: 11, 15, 16).

Pero aunque Job estaba cansado de la vida, no se le dejó morir. Le fueron recordadas las posibilidades futuras, y se le dirigió un mensaje de esperanza:

"Serás fuerte, y nada temerás;
y olvidarás tu miseria,
o te acordarás de ella como de aguas que pasaron.
La vida te será más clara que el mediodía;
aunque oscureciere, será como la mañana.
Tendrás confianza, porque hay esperanza...
Te acostarás, y no habrá quien te espante;
y muchos suplicarán tu favor.
Pero los ojos de los malos se consumirán,
y no tendrán refugio;
y su esperanza será dar su último suspiro"
(Job 11: 15-20).

Desde las profundidades del desaliento, Job se elevó a las alturas de la confianza implícita en la misericordia y el poder salvador de Dios. Declaró triunfantemente:

"He aquí, aunque él me matare, en él esperaré;...
y él mismo será mi salvación".
"Yo sé que mi Redentor vive,
y al fin se levantará sobre el polvo;
y después de deshecha esta mi piel,
en mi carne he de ver a Dios;
al cual veré por mí mismo,
y mis ojos lo verán, y no otro"
(Job 13: 15, 16; 19: 25-27).

Job, a pesar de sus pérdidas y sufrimiento, desarrolló tal confianza en Dios que pudo decir: "Aunque él me matare, en él esperaré".

"Respondió Jehová a Job desde un torbellino" (Job 38: 1), y reveló a su siervo la grandeza de su poder. Cuando Job alcanzó a vislumbrar a su Creador, se aborreció a sí mismo y se arrepintió en el polvo y la ceniza. Entonces el Señor pudo bendecirle abundantemente y hacer de modo que los últimos años de su vida fuesen los mejores.

La esperanza y el valor son esenciales para dar a Dios un servicio perfecto. Son el fruto de la fe. El abatimiento es pecaminoso e irracional. Dios puede y quiere dar "más abundantemente" (Hebreos 6: 17) a sus siervos la fuerza que necesitan para las pruebas. Los planes de los enemigos de su obra pueden parecer bien trazados y firmemente asentados; pero Dios puede anular los más enérgicos de ellos. Y lo hace cómo y cuándo quiere, a saber: cuando ve que la fe de sus siervos ha sido suficientemente probada.

Para los desalentados hay un remedio seguro en la fe, la oración y el trabajo. La fe y la actividad impartirán una seguridad y una satisfacción que aumentarán de día en día. ¿Estáis tentados a ceder a presentimientos ansiosos o al abatimiento absoluto? En los días más sombríos, cuando en apariencia hay más peligro, no temáis. Tened fe en Dios. El conoce vuestra necesidad. Tiene toda potestad. Su compasión y amor infinitos son incansables. No temáis que deje de cumplir su promesa. El es la verdad eterna. Nunca cambiará el pacto que hizo con los que le aman. Y otorgará a sus fieles siervos la medida de eficiencia que su necesidad exige. El apóstol Pablo atestiguó: "Me ha dicho: Bástate mi gracia; porque mi poder se perfecciona en la debilidad... Por lo cual, por amor a Cristo me gozo en las debilidades, en afrentas, en necesidades, en persecuciones, en angustias; porque cuando soy débil, entonces soy fuerte" (2 Corintios 12: 9, 10).

¿Desamparó Dios a Elías en su hora de prueba? ¡Oh, no! Amaba a su siervo Elías cuando se sentía abandonado de Dios y de los hombres, así como cuando, en respuesta a su oración, el fuego descendió del cielo e iluminó la cumbre de la montaña. Mientras Elías dormía, le despertaron un toque suave y una voz agradable. Se sobresaltó y, temiendo que el enemigo le hubiese descubierto, se dispuso a huir. Pero el rostro compasivo que se inclinaba sobre él no era el de un enemigo, sino de un amigo. Dios había mandado a un ángel del cielo para que alimentase a su siervo. "Levántate, come", dijo el ángel. "Entonces él miró, y he aquí a su cabecera una torta cocida sobre las ascuas, y una vasija de agua".

Después que Elías hubo comido el alimento preparado para él, se volvió a dormir. Por segunda vez, vino el ángel. Tocando al hombre agotado, dijo con compasiva ternura: "Levántate y come, porque largo camino te resta. Se levantó, pues, y comió y bebió"; y con la fuerza que le dio ese alimento pudo viajar "cuarenta días y cuarenta noches hasta Horeb, el monte de Dios", donde halló refugio en una cueva.

John Steel

CAPITULO 13

Este capítulo está basado en 1 Reyes 19: 9-18.

"¿Qué Haces Aquí?"

AUNQUE el lugar del monte Horeb al cual Elías se había retirado era un sitio oculto para los hombres, era conocido por Dios; y el profeta, cansado y desalentado, no fue abandonado para que luchase solo con las potestades de las tinieblas que lo acosaban. En la entrada de la cueva donde Elías se había refugiado, Dios se encontró con él, por medio de un ángel poderoso enviado para que averiguase sus necesidades y le diese a conocer el propósito divino para con Israel.

Mientras Elías no aprendiese a confiar plenamente en Dios no podía completar su obra en favor de aquellos que habían sido seducidos hasta el punto de adorar a Baal. El triunfo señalado que había alcanzado en las alturas del Carmelo había preparado el camino para otras victorias aún mayores; pero la amenaza de Jezabel había desviado a Elías de las oportunidades admirables que se le presentaban. Era necesario hacer comprender al hombre de Dios la debilidad de su posición actual en comparación con el terreno ventajoso que el Señor quería que ocupase.

Elías se paró frente a la entrada de la cueva, y, en medio del fuego, el viento y el terremoto, esperó hasta oír la promesa de Dios.

Dios preguntó a su siervo: "¿Qué haces aquí, Elías?" Te mandé al arroyo Querit, y después a la viuda de Sarepta. Te ordené que volvieses a Israel y te presentases ante los sacerdotes idólatras en el monte Carmelo; luego te doté de fortaleza para guiar el carro del rey hasta la puerta de Jezreel. Pero ¿quién te mandó huir apresuradamente al desierto? ¿Qué tienes que hacer aquí?

Con amargura en el alma, Elías exhaló su queja: "He sentido un vivo celo por Jehová Dios de los ejércitos; porque los hijos de Israel han dejado tu pacto, han derribado tus altares, y han matado a espada a tus profetas; y sólo yo he quedado, y me buscan para quitarme la vida".

Invitando al profeta a salir de la cueva, el ángel le ordenó que se pusiera de pie delante del Señor en la montaña, y escuchase su palabra. "Y he aquí Jehová que pasaba, y un grande y poderoso viento que rompía los montes, y quebraba las peñas delante de Jehová; pero Jehová no estaba en el viento. Y tras el viento un terremoto; pero Jehová no estaba en el terremoto. Y tras el terremoto un fuego; pero Jehová no estaba en el fuego. Y tras el fuego un silbo apacible y delicado. Y cuando lo oyó Elías, cubrió su rostro con su manto, y salió, y se puso a la puerta de la cueva".

No fue mediante grandes manifestaciones del poder divino, sino por "un silbo apacible", como Dios prefirió revelarse a su siervo. Deseaba enseñar a Elías que no es siempre la obra que se realiza con la mayor demostración la que tiene más éxito para cumplir su propósito. Mientras Elías aguardaba la revelación del Señor, rugió una tempestad, fulguraron los relámpagos, y pasó un fuego devorador; pero Dios no estaba en todo eso. Luego se oyó una queda vocecita, y el profeta se cubrió la cabeza en la presencia del Señor. Su impaciencia quedó acallada; su espíritu, enternecido y subyugado. Sabía ahora que una tranquila confianza y el apoyarse firmemente en Dios le proporcionarían siempre ayuda en tiempo de necesidad.

No es siempre la presentación más sabia de la verdad de Dios la que convence y convierte al alma. Los corazones de los hombres no son alcanzados por la elocuencia ni la lógica, sino por las dulces influencias del Espíritu Santo que obra quedamente, y sin embargo en forma segura, para transformar y desarrollar el carácter. Es la suave vocecita del Espíritu de Dios la que puede cambiar el corazón.

"¿Qué haces aquí, Elías?" preguntó la voz; y nuevamente el profeta contestó: "He sentido un vivo celo por Jehová Dios de los ejércitos; porque los hijos de Israel han dejado tu pacto, han derribado tus altares, y han matado a espada a tus profetas; y sólo yo he quedado, y me buscan para quitarme la vida".

El Señor respondió a Elías que los que obraban mal en Israel no quedarían sin castigo. Iban a ser escogidos especialmente hombres que cumplirían el propósito divino de castigar al reino idólatra. Debía realizarse una obra severa, para que todos tuviesen oportunidad de colocarse de parte del Dios verdadero. Elías mismo debía regresar a Israel, y compartir con otros la carga de producir una reforma.

El Señor ordenó a Elías: "Ve, vuélvete por tu camino, por el desierto de Damasco; y llegarás, y ungirás a Hazael por rey de Siria. A Jehú hijo de Nimsi ungirás por rey sobre Israel; y a Eliseo hijo de Safat, de Abel-mehola, ungirás para que sea profeta en tu lugar. Y el que escapare de la espada de Hazael, Jehú lo matará; y el que escapare de la espada de Jehú, Eliseo lo matará".

Elías pensaba que él era el único que adoraba al verdadero Dios en Israel; pero el que lee en todos los corazones reveló al profeta que eran muchos los que a través de los largos años de apostasía le habían permanecido fieles. Dijo Dios: "Yo haré que queden en Israel siete mil, cuyas rodillas no se doblaron ante Baal, y cuyas bocas no lo besaron".

Son muchas las lecciones que se pueden sacar de lo que experimentó Elías durante aquellos días de desaliento y derrota aparente, y son lecciones inestimables para los siervos de Dios en esta época, que se distingue por una desviación general de lo correcto. La apostasía que prevalece hoy es similar a la que se extendió en Israel en tiempos del profeta. Multitudes siguen hoy a Baal al elevar lo humano sobre lo divino, al alabar a los dirigentes populares, al rendir culto a Mamón *(las riquezas)* y al colocar las enseñanzas de la ciencia sobre las verdades de la revelación. La duda e incredulidad están ejerciendo su influencia nefasta sobre las mentes y los corazones, y muchos están reemplazando los oráculos de Dios por las teorías de los hombres. Se enseña públicamente que ... la razón humana debe ser elevada [ahora] por sobre las enseñanzas de la Palabra. La ley de Dios, divina norma de la justicia, se declara anulada. El enemigo de toda verdad está obrando con poder engañoso para inducir a hombres y mujeres a poner las instituciones humanas donde Dios debiera estar, y a olvidar lo que fue ordenado para la felicidad y salvación de la humanidad.

Sin embargo, esta apostasía, por extensa que sea, no es universal. No todos los habitantes del mundo son inicuos y pecaminosos; no todos se han decidido en favor del enemigo. Dios tiene a muchos millares que no han doblado la rodilla ante Baal, que anhelan comprender más plenamente lo que se refiere a Cristo y a la ley, muchos que esperan contra toda esperanza que Jesús vendrá pronto para acabar con el reinado del pecado y de la muerte. Y son muchos los que han estado adorando a Baal por ignorancia, pero con los cuales el Espíritu de Dios sigue luchando.

Los tales necesitan la ayuda personal de quienes han aprendido a conocer a Dios y el poder de su palabra. En un tiempo como éste, cada hijo de Dios debe dedicarse activamente a ayudar a otros. Mientras los que comprenden la verdad bíblica procuren encontrar a los hombres y mujeres que anhelan luz, los ángeles de Dios los acompañarán. Y donde vayan los ángeles, nadie necesita temer avanzar. Como resultado de los esfuerzos fieles de obreros consagrados, muchos serán desviados de la idolatría al culto del Dios viviente. Muchos cesarán de tributar homenaje a las instituciones humanas, y se pondrán intrépidamente de parte de Dios y de su ley.

Mucho depende de la actividad incesante de los que son fieles y leales; y por esta razón Satanás hace cuanto puede para impedir que el propósito divino sea realizado mediante los obedientes. Induce a algunos a olvidar su alta y santa misión y a hallar satisfacción en los placeres de esta vida. Los mueve a buscar la comodidad, o a dejar los lugares donde podrían ser una potencia para el bien y a preferir los que les ofrezcan mayores ventajas mundanales. A otros los induce a huir de su deber, desalentados por la oposición o la persecución. Pero los tales son considerados por el cielo con el más tierno amor. A todo hijo de Dios cuya voz el enemigo de las almas ha logrado silenciar, se le pregunta: "¿Qué haces aquí?" Te ordené que fueras a todo el mundo y predicaras el Evangelio, a fin de preparar a un pueblo para el día de Dios. ¿Por qué estás aquí? ¿Quién te envió?

El gozo propuesto a Cristo, el que le sostuvo a través de sacrificios y sufrimientos, fue el gozo de ver pecadores salvados. Debe ser el de todo aquel que le siga, el blanco de su ambición. Los que comprendan, siquiera en un grado limitado, lo que la redención significa para ellos y sus semejantes, entenderán en cierta medida las vastas necesidades de la humanidad. Sus corazones serán movidos a compasión al ver la indigencia moral y espiritual de millares que están bajo la sombra de una condenación terrible, frente a la cual los sufrimientos físicos resultan insignificantes.

A las familias, tanto como a los individuos, se pregunta: "¿Qué haces aquí?" En muchas iglesias hay familias bien instruidas en las verdades de la Palabra de Dios, que podrían ampliar la esfera de su influencia trasladándose a lugares donde se necesita el ministerio que ellas son capaces de cumplir. Dios invita a las familias cristianas para que vayan a los lugares oscuros de la tierra, a trabajar sabia y perseverantemente en favor de aquellos que están rodeados de lobreguez espiritual. Para contestar a este llamamiento se requiere abnegación. Mientras que muchos aguardan que todo obstáculo sea eliminado, hay almas que mueren sin esperanza y sin Dios. Por amor a las ventajas mundanales, o con el fin de adquirir conocimientos científicos, hay hombres que están dispuestos a aventurarse en regiones pestilentes, y a soportar penurias y privaciones. ¿Dónde están los que quieran hacer lo mismo por el afán de hablar a otros del Salvador?

Si, en circunstancias penosas, hombres de poder espiritual, apremiados más de lo que pueden soportar, se desalientan y abaten; si a veces no ven nada deseable en la vida, esto no es cosa extraña o nueva. Recuerden los tales que uno de los profetas más poderosos huyó por su vida ante la ira de una mujer enfurecida. Fugitivo, cansado y agobiado por el viaje, con el ánimo abatido por la cruel desilusión, solicitó que se le dejase morir. Pero cuando su esperanza había desaparecido y la obra de su vida se veía amenazada por la derrota, fue cuando aprendió una de las lecciones más preciosas de su vida. En la hora de su mayor flaqueza conoció la necesidad y la posibilidad de confiar en Dios en las circunstancias más severas.

Los que, mientras dedican las energías de su vida a una labor abnegada, se sienten tentados a ceder al abatimiento y la desconfianza, pueden cobrar valor de lo que experimentó Elías. El cuidado vigilante de Dios, su amor y su poder se manifiestan en forma especial para favorecer a sus siervos cuyo celo no es comprendido ni apreciado, cuyos consejos y reprensiones se desprecian y cuyos esfuerzos por las reformas se retribuyen con odio y oposición.

Es en el momento de mayor debilidad cuando Satanás asalta al alma con sus más fieras tentaciones. Así fue como esperó prevalecer contra el Hijo de Dios; porque por este método había obtenido muchas victorias sobre los hombres. Cuando la fuerza de voluntad flaqueaba y faltaba la fe, entonces los que se habían destacado durante mucho tiempo y con valor por el bien, cedían a la tentación. Moisés, cansado por cuarenta años de peregrinación e incredulidad, perdió por un momento su confianza en el Poder infinito. Fracasó precisamente en los lindes de la tierra prometida. Así también fue con Elías. El que había mantenido su confianza en Jehová a través de los años de sequía y hambre; el que había estado intrépidamente frente a Acab; el que durante el día de prueba había estado en el Carmelo delante de toda la nación como único testigo del Dios verdadero, en un momento de cansancio permitió que el temor de la muerte venciese su fe en Dios.

Y así sucede hoy. Cuando estamos rodeados de dudas y las circunstancias nos dejan perplejos, o nos afligen la pobreza y la angustia, Satanás procura hacer vacilar nuestra confianza en Jehová. Entonces es cuando despliega delante de nosotros nuestros errores y nos tienta a desconfiar de Dios, a poner en duda su amor. Así espera desalentar al alma, y separarnos de Dios.

Los que, destacándose en el frente del conflicto, se sientan impulsados por el Espíritu de Dios a hacer una obra especial, experimentarán con frecuencia una reacción cuando cese la presión. El abatimiento puede hacer vacilar la fe más heroica y debilitar la voluntad más firme. Pero Dios comprende, y sigue manifestando compasión y amor. Lee los motivos y los propósitos del corazón. Aguardar con paciencia, confiar cuando todo parece sombrío, es la lección que necesitan aprender los dirigentes de la obra de Dios. El cielo no los desamparará en el día de su adversidad. No hay nada que parezca más impotente que el alma que siente su insignificancia y confía plenamente en Dios; pero en realidad no hay nada que sea más invencible.

No sólo es para los hombres que ocupan puestos de gran responsabilidad la lección de lo que experimentó Elías al aprender de nuevo a confiar en Dios en la hora de prueba. El que fue la fortaleza de Elías es poderoso para sostener a cada hijo suyo que lucha, por débil que sea. Espera de cada uno que manifieste lealtad, y a cada uno concede poder según su necesidad. En su propia fuerza el hombre es absolutamente débil; pero en el poder de Dios puede ser fuerte para vencer el mal y ayudar a otros a vencerlo. Satanás no puede nunca aventajar a aquel que hace de Dios su defensa. "Ciertamente en Jehová está la justicia y la fuerza" (Isaías 45: 24).

Hermano cristiano, Satanás conoce tu debilidad; por lo tanto aférrate a Jesús. Permaneciendo en el amor de Dios, puedes soportar toda prueba. Sólo la justicia de Cristo puede darte poder para resistir a la marea del mal que arrasa al mundo. Introduce fe en tu experiencia. La fe alivia toda carga y todo cansancio. Si confías de continuo en Dios, podrás comprender las providencias que te resultan ahora misteriosas. Recorre por la fe la senda que él te traza. Tendrás pruebas; pero sigue avanzando. Esto fortalecerá tu fe, y te preparará para servir. Los anales de la historia sagrada fueron escritos, no simplemente para que los leamos y nos maravillemos, sino para que obre en nosotros la misma fe que obró en los antiguos siervos de Dios. El Señor obrará ahora de una manera que no será menos notable dondequiera que haya corazones llenos de fe para ser instrumentos de su poder.

A nosotros, como a Pedro, se dirigen estas palabras: "Satanás os ha pedido para zarandearos como a trigo; pero yo he rogado por ti, que tu fe no falte" (S. Lucas 22: 31, 32). Nunca abandonará Cristo a aquellos por quienes murió. Nosotros podemos dejarle y ser abrumados por la tentación; pero nunca puede Cristo apartarse de un alma por la cual dio su propia vida como rescate. Si nuestra visión espiritual pudiese despertarse, veríamos almas agobiadas por la opresión y cargadas de pesar como un carro de gavillas, a punto de morir desalentadas. Veríamos ángeles volar prestamente en ayuda de estos seres tentados, para rechazar las huestes del mal que los rodean y colocar sus pies sobre el fundamento seguro. Las batallas que se riñen entre los dos ejércitos son tan reales como las que entablan los ejércitos de este mundo, y son destinos eternos los que dependen del resultado del conflicto espiritual.

En la visión del profeta Ezequiel aparecía como una mano debajo de las alas de los querubines. Esto tenía por fin enseñar a los siervos de Dios que el poder divino es lo que da éxito. Aquellos a quienes Dios emplea como sus mensajeros no deben considerar que la obra de él depende de ellos. Los seres finitos no son los que han de llevar esa carga de responsabilidad. El que no duerme, el que está obrando de continuo para realizar sus designios, llevará adelante su obra. El estorbará los propósitos de los hombres impíos, confundirá los consejos de aquellos que maquinan el mal contra su pueblo. El que es el Rey, el Señor de los ejércitos, está sentado entre los querubines; y en medio de la lucha y el tumulto de las naciones, sigue guardando a sus hijos. Cuando las fortalezas de los reyes sean derribadas, cuando las saetas de la ira atraviesen los corazones de sus enemigos, su pueblo estará seguro en sus manos.

CAPITULO 14

"En el Espíritu y Poder de Elías"

A TRAVES de los largos siglos transcurridos desde el tiempo de Elías, el relato de su vida y de su obra comunicó inspiración y valor a aquellos que fueron llamados a ponerse de parte de la justicia en medio de la apostasía. Y para nosotros, "a quienes han alcanzado los fines de los siglos" (1 Corintios 10: 11), tiene un significado especial. La historia se está repitiendo. El mundo tiene hoy sus Acabes y sus Jezabeles. La época actual es tiempo de una idolatría tan cierta como lo fue aquella en que vivió Elías. Tal vez no se vean santuarios materiales ni haya imágenes en que se detengan los ojos, y sin embargo millares van en pos de los dioses de este mundo: las riquezas, la fama, el placer, las fábulas agradables que permiten al hombre que siga las inclinaciones del corazón irregenerado. Multitudes tienen un concepto erróneo de Dios y de sus atributos, y están tan ciertamente sirviendo a un dios falso como los adoradores de Baal. Aun muchos de los que se llaman cristianos se han aliado con las influencias inalterablemente opuestas a Dios y su verdad. Así se ven inducidos a apartarse de lo divino y a exaltar lo humano.

El espíritu que prevalece en nuestro tiempo es de incredulidad y apostasía. Es un espíritu que se cree iluminado por el conocimiento de la verdad, cuando no es sino la más ciega presunción. Se exaltan las teorías humanas y se las coloca en donde deben estar Dios y su ley. Satanás tienta a los hombres y mujeres a desobedecer al prometerles que en la desobediencia hallarán una libertad que los hará como dioses. Se manifiesta un espíritu de oposición a la sencilla palabra de Dios, un ensalzamiento idólatra de la sabiduría humana sobre la revelación divina. Los hombres permiten que sus mentes se llenen a tal punto de oscuridad y confusión por la conformidad con las costumbres e influencias humanas, que parecen haber perdido toda facultad de discriminar entre la luz y las tinieblas, entre la verdad y el error. Se han alejado tanto del camino recto que consideran las opiniones de algunos así llamados filósofos como más fidedignas que las verdades de la Biblia. Las súplicas y las promesas de la Palabra de Dios, sus amenazas contra la desobediencia y la idolatría, parecen carecer de poder para subyugar sus corazones. Una fe como la que impulsó a Pablo, Pedro y Juan es considerada anticuada, mística e indigna de la inteligencia de los pensadores modernos.

En el principio Dios dio su ley a la humanidad como medio de alcanzar felicidad y vida eterna. La única esperanza de Satanás para estorbar el propósito de Dios consiste en inducir a hombres y mujeres a desobedecer esta ley; y ha hecho un esfuerzo constante para torcer sus enseñanzas y reducir su importancia. Su golpe magistral fue la tentativa de cambiar la ley misma, de manera que pudiera inducir a los hombres a violar sus preceptos mientras aparentaban obedecerlos.

Un autor ha comparado la tentativa de cambiar la ley de Dios con una antigua práctica malvada de hacer apuntar en una dirección errónea una señal colocada en una importante encrucijada de caminos. A menudo, un acto tal ocasionaba mucha perplejidad y grandes aprietos.

Dios erigió una señal indicadora para los que viajan en este mundo. Un brazo de esta señal apunta hacia la obediencia voluntaria al Creador como camino que lleva a la felicidad y la vida, mientras que el otro brazo indica la desobediencia como sendero que lleva a la desgracia y a la muerte. El camino a la felicidad está tan claramente señalado como lo estaban los caminos que llevaban a la ciudad de refugio en tiempos de los judíos. Pero en mala hora para la familia humana, el enemigo de todo bien puso las señales en sentidos contrarios, y multitudes han errado el camino.

Mediante Moisés el Señor instruyó así a los israelitas: "En verdad vosotros guardaréis mis días de reposo* porque es señal entre mí y vosotros por vuestras generaciones, para que sepáis que yo soy Jehová que os santifico. Así que guardaréis el día de reposo* porque santo es a vosotros; el que lo profanare, de cierto morirá; porque cualquiera que hiciere obra alguna ... en el día de reposo* ciertamente morirá. Guardarán, pues, el día de reposo* los hijos de Israel, celebrándolo por sus generaciones por pacto perpetuo. Señal es para siempre entre mí y los hijos de Israel; porque en seis días hizo Jehová los cielos y la tierra, y en el séptimo día

*"Aquí equivale a *sábado*". Nota de la versión Reina-Valera 1960.

cesó y reposó" (Exodo 31: 13-17).

Con estas palabras el Señor definió claramente la obediencia como camino que lleva a la ciudad de Dios; pero el hombre de pecado cambió la dirección de la señal, y la puso en un sentido erróneo. Estableció un falso día de reposo, e hizo creer a hombres y mujeres que descansando en él obedecían la orden del Creador.

Dios declaró que el séptimo día es el día de reposo del Señor. Cuando "fueron, pues, acabados los cielos y la tierra", exaltó este día como un monumento de su obra creadora. Descansando en el séptimo día "de toda la obra que había hecho", "bendijo Dios al día séptimo, y lo santificó" (Génesis 2: 1-3).

En ocasión del éxodo de Egipto, la institución del sábado fue recordada al pueblo de Dios en forma destacada. Mientras estaba todavía en servidumbre, sus capataces habían intentado obligarlo a trabajar en sábado aumentando la cantidad de trabajo que le exigían cada semana. Fueron haciendo cada vez más duras las condiciones del trabajo y exigiendo cada vez más. Pero los israelitas fueron librados de la esclavitud y llevados adonde pudieran observar sin molestias todos los preceptos de Jehová. La ley fue promulgada en el Sinaí; y una copia de ella, en dos tablas de piedra, "escritas con el dedo de Dios", fue entregada a Moisés. Durante casi cuarenta años de peregrinación, el día señalado por Dios fue recordado constantemente a los israelitas por el hecho de que no había maná cada séptimo día, y la doble porción que caía en el día de preparación se conservaba milagrosamente.

Antes de entrar en la tierra prometida, los israelitas

fueron exhortados por Moisés a guardar "el día del reposo* para santificarlo" (Deuteronomio 5: 12). El Señor quería que por una observancia fiel del mandamiento referente al sábado, Israel recordase continuamente que era responsable ante él como su Creador y su Redentor. Mientras observasen el sábado con el debido espíritu, no podría haber idolatría; pero si se descartaban las exigencias de ese precepto del Decálogo como si no estuviese ya en vigencia, el Creador quedaría olvidado, y los hombres adorarían otros dioses. Dios declaró: "Y les di también mis días de reposo,* para que fuesen por señal entre mí y ellos, para que supiesen que yo soy Jehová que los santifico". Sin embargo, "desecharon mis decretos, y no anduvieron en mis estatutos, y mis días de reposo* profanaron, porque tras sus ídolos iba su corazón".

Y al suplicarles que volviesen a él, les llamó la atención nuevamente a la importancia que tenía la santificación del sábado. Dijo: "Yo soy Jehová vuestro Dios; andad en mis estatutos, y guardad mis preceptos, y ponedlos por obra; y santificad mis días de reposo,* y sean por señal entre mí y vosotros, para que sepáis que yo soy Jehová vuestro Dios" (Ezequiel 20: 12, 16, 19, 20).

Al llamar la atención de Judá a los pecados que atrajeron finalmente sobre él el cautiverio babilónico, declaró el Señor: "Mis días de reposo* has profanado". "Por tanto, derramé sobre ellos mi ira; con el ardor de mi ira los consumí; hice volver el camino de ellos sobre su propia cabeza" (Ezequiel 22: 8, 31).

Cuando Jerusalén fue restaurada, en los días de Nehemías, la violación del sábado fue objeto de esta severa averi-

*"Aquí equivale a *sábado*". Nota de la versión Reina-Valera 1960.

John Steel

guación: "¿No hicieron así vuestros padres, y trajo nuestro Dios todo este mal sobre nosotros y sobre esta ciudad? ¿Y vosotros añadís ira sobre Israel profanando el día de reposo?"* (Nehemías 13: 18).

Durante su ministerio terrenal, Cristo recalcó la vigencia de lo ordenado acerca del sábado; en toda su enseñanza manifestó reverencia hacia la institución que él mismo había dado. En su tiempo, el sábado había quedado tan pervertido que su observancia reflejaba el carácter de hombres egoístas y arbitrarios más bien que el carácter de Dios. Cristo puso a un lado las falsas enseñanzas con que habían calumniado a Dios los que aseveraban conocerle. Aunque los rabinos lo seguían con implacable hostilidad, no aparentaba siquiera conformarse con sus exigencias, sino que iba adelante observando el sábado según la ley de Dios.

En lenguaje claro expuso su respeto por la ley de Jehová. "No penséis que he venido para abrogar la ley o los profetas; no he venido para abrogar, sino para cumplir. Porque de cierto os digo que hasta que pasen el cielo y la tierra, ni una jota ni una tilde pasará de la ley, hasta que todo se haya cumplido. De manera que cualquiera que quebrante uno de estos mandamientos muy pequeños, y así enseñe a los hombres, muy pequeño será llamado en el reino de los cielos; mas cualquiera que los haga y los enseñe, éste será llamado grande en el reino de los cielos" (S. Mateo 5: 17-19).

Durante la dispensación cristiana, el gran enemigo de la felicidad del hombre hizo al sábado del cuarto mandamiento objeto de ataques especiales. Satanás dice: "Obraré en forma contraria a los propósitos de Dios. Daré a mis secuaces poder para desechar el monumento de Dios, el sépti-

*"Aquí equivale a *sábado*". Nota de la versión Reina-Valera 1960.

Los israelitas guardaron el sábado mientras eran esclavos en Egipto, y frecuentemente sufrieron bajo extrema crueldad.

JOHN STEEL © PPPA

mo día como día de reposo. Así demostraré al mundo que el día santificado y bendecido por Dios fue cambiado. Ese día no vivirá en la mente del pueblo. Borraré su recuerdo. Pondré en su lugar un día que no lleva las credenciales de Dios, un día que no puede ser una señal entre Dios y su pueblo. Induciré a los que acepten este día a que lo revistan de la santidad que Dios dio al séptimo día.

"Mediante mi vicerregente me exaltaré a mí mismo. El primer día será ensalzado, y el mundo protestante recibirá este falso día de reposo [*domingo*] como verdadero. Mediante el abandono de la observancia del sábado que Dios instituyó, haré despreciar su ley. Haré aplicar a mi día de reposo las palabras: 'Señal entre mí y vosotros por vuestras generaciones'.

"De esta manera el mundo llegará a ser mío. Seré gobernante de la tierra, príncipe del mundo. Regiré de tal modo los ánimos que estén bajo mi poder que el sábado de Dios será objeto especial de desprecio. ¿Una señal? Yo haré que la observancia del séptimo día sea una señal de deslealtad hacia las autoridades de la tierra. Las leyes humanas se volverán tan estrictas que hombres y mujeres no se atreverán a observar el séptimo día como día de reposo. Por temor a que les falten el alimento y el vestido, se unirán al mundo en la transgresión de la ley de Dios. La tierra quedará completamente bajo mi dominio".

Por el establecimiento de un falso día de reposo, el enemigo pensó cambiar los tiempos y las leyes. Pero ¿logró realmente cambiar la ley de Dios? La respuesta se encuentra en las palabras del capítulo 31 de Exodo. El que es el mismo ayer, hoy y por los siglos, declaró acerca del día de reposo, o sábado: "Es señal entre mí y vosotros por vuestras generaciones... Señal es para siempre" (Exodo 31: 13, 17). La señal indicadora que fue cambiada apunta en un sentido equivocado, pero Dios no ha cambiado. Sigue siendo el poderoso Dios de Israel. "He aquí que las naciones le son como la gota de agua que cae del cubo, y como menudo polvo en las balanzas le son estimadas; he aquí que hace desaparecer las islas como polvo. Ni el Líbano bastará para el fuego, ni todos sus animales para el sacrificio. Como nada son todas las naciones delante de él; y en su comparación serán estimadas en menos que nada, y que lo que no es" (Isaías 40: 15-17). Y el Señor siente hoy tanto celo por su ley como en los días de Acab y Elías.

Sin embargo, ¡cómo se desprecia esa ley! Miremos hoy al mundo en abierta rebelión contra Dios. Esta es en verdad una generación rebelde, llena de ingratitud, formalismo, falsedad, orgullo y apostasía. Los hombres descuidan la Biblia y odian la verdad. Jesús ve su ley rechazada, su amor despreciado, sus embajadores tratados con indiferencia. El habló por medio de sus misericordias, pero éstas no han sido reconocidas; él dirigió advertencias, pero éstas no han sido escuchadas. Los atrios del templo del alma humana han sido convertidos en lugares de tráfico profano. El egoísmo, la envidia, el orgullo y la malicia son las cosas que se cultivan.

Muchos no vacilan en burlarse de la palabra de Dios. Los que creen esa palabra tal como se expresa, son ridiculizados. Existe un desprecio cada vez mayor por la ley y el orden, y se debe directamente a una violación de las claras órdenes de Jehová. La violencia y los crímenes son resultado del hecho de que la humanidad se ha desviado de la senda de la obediencia. Miremos la desgracia y la miseria de las multitudes que adoran ante los ídolos y buscan en vano felicidad y paz.

Miremos el desprecio casi universal en que se tiene el mandamiento del sábado. Miremos también la audaz impiedad de aquellos que, mientras promulgan leyes para salvaguardar la supuesta santidad del primer día de la semana, legalizan el tráfico de las bebidas alcohólicas. Demasiado sabios para prestar atención a lo escrito, intentan forzar las conciencias de los hombres mientras sancionan un mal que embrutece y destruye a los seres creados a la imagen de Dios. Es Satanás mismo quien inspira esa legislación. El sabe muy bien que la maldición de Dios descansará sobre los que exalten los decretos humanos sobre los divinos; y hace cuanto está en su poder para llevar a los hombres por la ancha vía que acaba en la destrucción.

Los hombres han adorado durante tanto tiempo las opiniones y las instituciones humanas, que casi todo el mundo sigue en pos de los ídolos. Y el que procuró cambiar la ley de Dios usa todo artificio engañoso para inducir a hombres y mujeres a alistarse contra Dios y contra la señal por la cual se conoce a los justos. Pero el Señor no tolerará siempre que su ley sea violada y despreciada con impunidad. Llegará un tiempo en que "la altivez de los ojos del hombre será abatida, y la soberbia de los hombres será humillada; y Jehová solo será exaltado en aquel día" (Isaías 2: 11). Los escépticos pueden tratar los requerimientos de la ley de Dios con escarnio, burlas y negativas. El espíritu de mundanalidad puede contaminar a los muchos y dominar a los pocos;

puede ser que la causa de Dios se sostenga tan sólo por gran esfuerzo y continuo sacrificio; pero al fin la verdad triunfará gloriosamente.

En la obra final que Dios realiza en la tierra, el estandarte de su ley volverá a enarbolarse. Podrá prevalecer la religión falsa, abundar la iniquidad, enfriarse el amor de muchos, perderse de vista la cruz del Calvario, y podrán las tinieblas esparcirse por la tierra como mortaja; podrá volverse contra la verdad toda la fuerza de las corrientes populares; podrán tramarse una maquinación tras otra para destruir al pueblo de Dios; pero en la hora del mayor peligro, el Dios de Elías suscitará instrumentos humanos para proclamar un mensaje que no será acallado. En las ciudades populosas de la tierra, y en los lugares donde los hombres más se han esforzado por hablar contra el Altísimo, se oirá la voz de una reprensión severa. Con osadía los hombres designados por Dios denunciarán la unión de la iglesia con el mundo. Con fervor invitarán a hombres y mujeres a apartarse de la observancia de una institución humana para guardar el verdadero día de reposo. Proclamarán a toda nación: "Temed a Dios, y dadle gloria, porque la hora de su juicio ha llegado; y adorad a aquel que hizo el cielo y la tierra, el mar y las fuentes de las aguas... Si alguno adora a la bestia y a su imagen, y recibe la marca en su frente o en su mano, él también beberá del vino de la ira de Dios, que ha sido vaciado puro en el cáliz de su ira" (Apocalipsis 14: 7-10).

Dios no violará su pacto, ni alterará lo que proclamaron sus labios. Su palabra perdurará para siempre, tan inalterable como su trono. En el juicio, este pacto se destacará, escrito claramente por el dedo de Dios; y el mundo será emplazado ante el tribunal de la justicia infinita para recibir su sentencia.

Hoy como en el tiempo de Elías, la línea de demarcación entre el pueblo que guarda los mandamientos de Dios y los adoradores de los falsos dioses, está claramente trazada. Elías clamó: "¿Hasta cuándo claudicaréis vosotros entre dos pensamientos? Si Jehová es Dios, seguidle; y si Baal, id en pos de él" (1 Reyes 18: 21). Y el mensaje destinado a nuestra época es: "Ha caído, ha caído la gran Babilonia... Salid de ella, pueblo mío, para que no seáis partícipes de sus pecados, ni recibáis parte de sus plagas; porque sus pecados han llegado hasta el cielo, y Dios se ha acordado de sus maldades" (Apocalipsis 18: 2, 4, 5).

No está lejos el tiempo en que cada alma será probada. Se procurará imponernos la observancia del falso día de reposo. La contienda será entre los mandamientos de Dios y los de los hombres. Los que hayan cedido paso a paso a las exigencias mundanales y se hayan conformado a las costumbres del mundo, cederán a las autoridades antes que someterse al ridículo, los insultos, las amenazas de encarcelamiento y la muerte. En aquel tiempo el oro quedará separado de la escoria. La verdadera piedad se distinguirá claramente de las apariencias de ella y su oropel. Más de una estrella que hemos admirado por su brillo se apagará entonces en las tinieblas. Los que hayan presumido vestir ornamentos del santuario, pero sin estar revestidos de la justicia de Cristo, se verán en la vergüenza de su propia desnudez.

Entre los habitantes de la tierra hay, dispersos en todo país, quienes no han doblado la rodilla ante Baal. Como las estrellas del cielo, que sólo se ven de noche, estos fieles brillarán cuando las tinieblas cubran la tierra y densa oscuridad los pueblos. En la pagana Africa, en las tierras católicas de Europa y Sudamérica, en la China, en la India, en las islas del mar y en todos los rincones oscuros de la tierra, Dios tiene en reserva un firmamento de escogidos que brillarán en medio de las tinieblas para demostrar claramente a un mundo apóstata el poder transformador que tiene la obediencia a su ley. Ahora mismo se están revelando en toda nación, entre toda lengua y pueblo; y en la hora de la más profunda apostasía, cuando se esté realizando el supremo esfuerzo de Satanás para que "todos, pequeños y grandes, ricos y pobres, libres y esclavos" (Apocalipsis 13: 16), reciban, bajo pena de muerte, la señal de lealtad a un falso día de reposo, estos fieles, "irreprensibles y sencillos, hijos de Dios sin mancha", resplandecerán "como luminares en el mundo" (Filipenses 2: 15). Cuanto más oscura sea la noche, mayor será el esplendor con que brillarán.

¡Cuán extraño censo habría levantado Elías en Israel cuando los juicios de Dios estaban cayendo sobre el pueblo apóstata! Sólo podía contar a una persona de parte del Señor. Pero cuando dijo: "Sólo yo he quedado, y me buscan para quitarme la vida", esta respuesta del Señor lo sorprendió: "Yo haré que queden en Israel siete mil, cuyas rodillas no se doblaron ante Baal" (1 Reyes 19: 14, 18).

Que nadie intente censar a Israel hoy, que cada uno tenga un corazón de carne, lleno de tierna simpatía, que, como el corazón de Cristo, procure la salvación de un mundo perdido.

John Steel

CAPITULO 15

Josafat

HASTA que fue llamado al trono cuando tenía treinta y cinco años, Josafat tuvo delante de sí el ejemplo del buen rey Asa, quien había hecho en casi toda crisis "lo recto ante los ojos de Jehová" (1 Reyes 15: 11). Durante su próspero reinado de veinticinco años, Josafat procuró andar "en todo el camino de Asa su padre, sin desviarse de él" (1 Reyes 22: 43).

En sus esfuerzos por gobernar sabiamente, Josafat procuró persuadir a sus súbditos a que se opusieran firmemente a las prácticas idólatras. Gran número de los habitantes de su reino "sacrificaba aún, y quemaba incienso" en los altos (vers. 43). El rey no destruyó en seguida esos altares; pero desde el principio procuró salvaguardar a Judá de los pecados que caracterizaban al reino del norte bajo el gobierno de Acab, de quien fue contemporáneo durante muchos años. Josafat mismo era leal a Dios. "No buscó a los baales, sino que buscó al Dios de su padre y anduvo en sus mandamientos, y no según las obras de Israel". Por causa de su

Josafat buscó a Dios y anduvo en sus caminos,
y lo bendijo y afianzó el reino en sus manos.

integridad, el Señor le acompañaba, y "confirmó el reino en su mano" (2 Crónicas 17: 3-5).

"Todo Judá dio a Josafat presentes; y tuvo riquezas y gloria en abundancia. Y se animó su corazón en los caminos de Jehová" (vers. 5, 6). A medida que transcurría el tiempo y se realizaban reformas, el rey "quitó los lugares altos y las imágenes de Asera de en medio de Judá" (vers. 6). "Barrió también de la tierra el resto de los sodomitas que habían quedado en el tiempo de su padre Asa" (1 Reyes 22: 46). En esta forma los habitantes de Judá fueron librados gradualmente de muchos de los peligros que habían amenazado con retardar seriamente su desarrollo espiritual.

Por todo el reino, la gente necesitaba ser instruida en la ley de Dios. Su seguridad estribaba en la comprensión de esta ley; si conformaban su vida a sus requerimientos, serían leales a Dios y a los hombres. Sabiendo esto, Josafat tomó medidas para asegurar a su pueblo una instrucción cabal en las Santas Escrituras. Ordenó a los príncipes encargados de las diferentes partes de su reino que facilitasen el ministerio fiel de los sacerdotes instructores. Por orden real, estos maestros, obrando bajo la dirección personal de los príncipes, "recorrieron todas las ciudades de Judá enseñando al pueblo" (2 Crónicas 17: 7-9). Y como muchos procuraban comprender los requerimientos de Dios y desechar el pecado, se produjo un reavivamiento.

Josafat debió gran parte de su prosperidad como gobernante a estas sabias medidas tomadas para suplir las necesidades espirituales de sus súbditos. Hay mucho beneficio en la obediencia a la ley de Dios. En la conformidad con los requerimientos divinos hay un poder transformador que imparte paz y buena voluntad entre los hombres. Si las enseñanzas de la palabra de Dios ejercieran una influencia dominadora en la vida de cada hombre y mujer, y los corazones y las mentes fuesen sometidos a su poder refrenador, los males que ahora existen en la vida nacional y social no hallarían cabida. De todo hogar emanaría una influencia que haría a los hombres y mujeres fuertes en percepción espiritual y en poder moral, y así naciones e individuos serían colocados en un terreno ventajoso.

Josafat vivió en paz durante muchos años, sin que le molestaran las naciones circundantes. "Y cayó el pavor de Jehová sobre todos los reinos de las tierras que estaban alrededor de Judá" (vers. 10). De la tierra de los filisteos recibían tributos en dinero y presentes; de Arabia, grandes rebaños de ovejas y cabras. "Iba, pues, Josafat engrandeciéndose mucho; y edificó en Judá fortalezas y ciudades de aprovisionamiento... Hombres de guerra muy valientes,... eran siervos del rey, sin los que el rey había puesto en las ciudades fortificadas en todo Judá" (vers. 12-19). Habiendo sido bendecido con abundancia de "riquezas y gloria" (2 Crónicas 18: 1), pudo ejercer una gran influencia en favor de la verdad y de la justicia.

Algunos años después de ascender al trono, Josafat, ya en el apogeo de su prosperidad, consintió en que su hijo Joram se casara con Atalía, hija de Acab y Jezabel. Mediante esta unión se estableció entre los reinos de Judá y de Israel una alianza que no se conformaba a lo que Dios quería, y que en un tiempo de crisis atrajo un desastre sobre el rey y sobre muchos de sus súbditos.

En una ocasión Josafat visitó al rey de Israel en Samaria. Se tributaron honores especiales al huésped real...; y antes que terminase su visita se le persuadió a que se uniese con el rey de Israel en una guerra contra los sirios. Acab esperaba que, uniendo sus fuerzas con las de Judá, podría recuperar Ramot, una de las ciudades de refugio que, sostenía él, pertenecía legítimamente a los israelitas.

Aunque en un momento de debilidad Josafat había prometido temerariamente unirse al rey de Israel en su guerra contra los sirios, su mejor criterio le indujo a procurar el conocimiento de la voluntad de Dios acerca de la empresa. Sugirió a Acab: "Te ruego que consultes hoy la palabra de Jehová". En respuesta, Acab convocó a cuatrocientos de los falsos profetas de Samaria y les preguntó: "¿Iremos a la guerra contra Ramot de Galaad, o me estaré quieto?" Ellos contestaron: "Sube, porque Dios los entregará en mano del rey" (2 Crónicas 18: 4, 5).

Como no estaba satisfecho con esto, Josafat intentó conocer con certidumbre la voluntad de Dios. Averiguó: "¿Hay aún aquí algún profeta de Jehová, para que por medio de él preguntemos?" (vers. 6). Contestó Acab: "Aún hay un varón por el cual podríamos consultar a Jehová, Micaías hijo de Imla; mas yo le aborrezco, porque nunca me profetiza bien, sino solamente mal" (1 Reyes 22: 8). Josafat manifestó firmeza en su pedido de que se llamase al varón de Dios; y cuando éste compareció delante de ellos y Acab le ordenó que no hablase "sino la verdad en el nombre de Jehová", Micaías dijo: "Yo vi a todo Israel esparcido por los montes, como ovejas que no tienen pastor; y Jehová dijo: Estos no tienen señor; vuélvase cada uno a su casa en paz" (vers. 16, 17).

Las palabras del profeta debieran haber bastado para indicar a los reyes que su proyecto no tenía el favor del cielo; pero ni uno ni otro de los gobernantes se sentía inclinado a escuchar la advertencia. Acab había trazado su conducta, y estaba resuelto a seguirla. Josafat había dado su palabra de honor: "Iremos contigo a la guerra" (2 Crónicas 18: 3); y después de hacer una promesa tal no quería retirar sus fuerzas. "Subió, pues, el rey de Israel con Josafat rey de Judá a Ramot de Galaad" (1 Reyes 22: 29).

Durante la batalla que siguió, Acab fue alcanzado por una saeta, y murió al atardecer. "Y a la puesta del sol salió un pregón por el campamento, diciendo: ¡Cada uno a su ciudad, y cada cual a su tierra!" (vers. 36). Así se cumplió la palabra del profeta.

Después de esta batalla desastrosa, Josafat volvió a Jerusalén. Cuando se acercaba a la ciudad, el profeta Jehú se le acercó con este reproche: "¿Al impío das ayuda, y amas a los que aborrecen a Jehová? Pues ha salido de la presencia de Jehová ira contra ti por esto. Pero se han hallado en ti buenas cosas, por cuanto has quitado de la tierra las imágenes de Asera, y has dispuesto tu corazón para buscar a Dios" (2 Crónicas 19: 2, 3).

Josafat dedicó los últimos años de su reinado mayormente a fortalecer las defensas nacionales y espirituales de Judá. "Pero daba vuelta y salía al pueblo, desde Beerseba hasta el monte de Efraín, y los conducía a Jehová el Dios de sus padres" (vers. 4).

Uno de los pasos importantes que dio el rey consistió en establecer y mantener tribunales eficientes. "Y puso jueces en todas las ciudades fortificadas de Judá, por todos los lu-

gares", y entre sus recomendaciones les dio ésta: "Mirad lo que hacéis; porque no juzgáis en lugar de hombre, sino en lugar de Jehová, el cual está con vosotros cuando juzgáis. Sea, pues, con vosotros el temor de Jehová; mirad lo que hacéis, porque con Jehová nuestro Dios no hay injusticia, ni acepción de personas, ni admisión de cohecho" (vers. 5-7).

El sistema judicial quedó perfeccionado por la fundación de una corte de apelaciones en Jerusalén, donde Josafat nombró a "algunos de los levitas y sacerdotes, y de los padres de familias de Israel, para el juicio de Jehová y para las causas" (vers. 8).

El rey exhortó a estos jueces a ser fieles. Les encargó: "Procederéis asimismo con temor de Jehová, con verdad, y con corazón íntegro. En cualquier causa que viniere a vosotros de vuestros hermanos que habitan en las ciudades, en causas de sangre, entre ley y precepto, estatutos y decretos, les amonestaréis que no pequen contra Jehová, para que no venga ira sobre vosotros y sobre vuestros hermanos. Haciendo así, no pecaréis.

"Y he aquí, el sacerdote Amarías será el que os presida en todo asunto de Jehová, y Zebadías hijo de Ismael, príncipe de la casa de Judá, en todos los negocios del rey; también los levitas serán oficiales en presencia de vosotros. Esforzaos, pues, para hacerlo, y Jehová estará con el bueno" (vers. 9-11).

En su cuidado por salvaguardar los derechos y la libertad de sus súbditos, Josafat recalcó la consideración que cada miembro de la familia humana recibe del Dios de justicia, que gobierna a todos. "Dios está en la reunión de los

El rey Acab rechazó con soberbia el consejo del profeta Micaías de no atacar a los sirios, y perdió la vida en la batalla que se libró.

dioses; en medio de los dioses juzga". Y a los que son designados como jueces bajo su dirección, se les dice: "Defended al débil y al huérfano; haced justicia al afligido y al menesteroso... Libradlo de mano de los impíos" (Salmo 82: 1, 3, 4).

Hacia el final del reinado de Josafat, el reino de Judá fue invadido por un ejército ante cuyo avance los habitantes de la tierra tenían motivo para temblar. "Pasadas estas cosas, aconteció que los hijos de Moab y de Amón, y con ellos otros de los amonitas, vinieron contra Josafat a la guerra". Las noticias de esta invasión fueron llevadas al rey por un mensajero que se presentó con este mensaje sorprendente: "Contra ti viene una gran multitud del otro lado del mar, y de Siria; y he aquí están en Hazezon-tamar, que es Engadi" (2 Crónicas 20: 1, 2).

Josafat era hombre de valor. Durante años había fortalecido sus ejércitos y sus ciudades. Estaba bien preparado para enfrentarse casi a cualquier enemigo; sin embargo en esta crisis no confió en los brazos carnales. No era mediante ejércitos disciplinados ni ciudades amuralladas, como podía esperar la victoria sobre estos paganos que se jactaban de poder humillar a Judá delante de las naciones, sino por una fe viva en el Dios de Israel.

"Entonces él tuvo temor; y Josafat humilló su rostro para consultar a Jehová, e hizo pregonar ayuno a todo Judá. Y se reunieron los de Judá para pedir socorro a Jehová; y también en todas las ciudades de Judá vinieron a pedir ayuda a Jehová"...

De pie en el atrio del templo frente al pueblo, Josafat derramó su alma en oración, invocando las promesas de

Dios y confesando la incapacidad de Israel. Rogó: "Jehová Dios de nuestros padres, ¿no eres tú Dios en los cielos, y tienes dominio sobre todos los reinos de las naciones? ¿No está en tu mano tal fuerza y poder, que no hay quien te resista? Dios nuestro, ¿no echaste tú los moradores de esta tierra delante de tu pueblo Israel, y la diste a la descendencia de Abrahán tu amigo para siempre? Y ellos han habitado en ella, y te han edificado en ella santuario a tu nombre, diciendo: Si mal viniere sobre nosotros, o espada de castigo, o pestilencia, o hambre, nos presentaremos delante de esta casa, y delante de ti (porque tu nombre está en esta casa), y a causa de nuestras tribulaciones clamaremos a ti, y tú nos oirás y salvarás.

"Ahora, pues, he aquí los hijos de Amón y de Moab, y los del monte de Seir, a cuya tierra no quisiste que pasase Israel cuando venía de la tierra de Egipto, sino que se apartase de ellos, y no los destruyese; he aquí ellos nos dan el pago viniendo a arrojarnos de la heredad que tú nos diste en posesión. ¡Oh Dios nuestro! ¿no los juzgarás tú? Porque en nosotros no hay fuerza contra tan grande multitud que viene contra nosotros; no sabemos qué hacer, y a ti volvemos nuestros ojos" (vers. 3-12).

Con confianza, podía Josafat decir al Señor: "A ti volvemos nuestros ojos". Durante años había enseñado al pueblo a confiar en Aquel que en siglos pasados había intervenido tan a menudo para salvar a sus escogidos de la destrucción completa; y ahora, cuando peligraba el reino, Josafat no estaba solo. "Todo Judá estaba en pie delante de Jehová, con sus niños y sus mujeres y sus hijos" (vers. 13). Unidos, ayunaron y oraron; unidos, suplicaron al Señor que confundiese sus enemigos, a fin de que el nombre de Jehová fuese glorificado.

"Oh Dios, no guardes silencio;
no calles, oh Dios, ni te estés quieto.
Porque he aquí que rugen tus enemigos,
y los que te aborrecen alzan cabeza.
Contra tu pueblo han consultado astuta y
secretamente,
y han entrado en consejo contra tus protegidos.
Han dicho: Venid, y destruyámoslos para que no sean
nación,
y no haya más memoria del nombre de Israel.
Porque se confabulan de corazón a una,
contra ti han hecho alianza
las tiendas de los edomitas y de los ismaelitas,
Moab y los agarenos;
Gebal, Amón y Amalec...
Hazles como a Madián,
como a Sísara, como a Jabín en el arroyo de Cisón...
Sean afrentados y turbados para siempre;
sean deshonrados, y perezcan.
Y conozcan que tu nombre es Jehová;
tú solo Altísimo sobre toda la tierra"

(Salmo 83).

Mientras el pueblo y el rey se humillaban juntos delante de Dios y le solicitaban su ayuda, el Espíritu de Jehová descendió sobre Jahaziel, "levita de los hijos de Asaf", y él dijo:

"Oíd, Judá todo, y vosotros moradores de Jerusalén, y

tú, rey Josafat. Jehová os dice así: No temáis ni os amedrentéis delante de esta multitud tan grande porque no es vuestra la guerra, sino de Dios. Mañana descenderéis contra ellos; he aquí que ellos subirán por la cuesta de Sis, y los hallaréis junto al arroyo, antes del desierto de Jeruel. No habrá para qué peleéis vosotros en este caso; paraos, estad quietos, y ved la salvación de Jehová con vosotros. Oh Judá y Jerusalén, no temáis ni desmayéis; salid mañana contra ellos, porque Jehová estará con vosotros.

"Entonces Josafat se inclinó rostro a tierra, y asimismo todo Judá y los moradores de Jerusalén se postraron delante de Jehová, y adoraron a Jehová. Y se levantaron los levitas de los hijos de Coat y de los hijos de Coré, para alabar a Jehová el Dios de Israel con fuerte y alta voz".

Temprano por la mañana se levantaron y fueron al desierto de Tecoa. Mientras avanzaban a la batalla, Josafat dijo: "Oídme, Judá y moradores de Jerusalén. Creed en Jehová vuestro Dios, y estaréis seguros; creed a sus profetas, y seréis prosperados. Y habido consejo con el pueblo, puso a algunos que cantasen y alabasen a Jehová, vestidos de ornamentos sagrados" (2 Crónicas 20: 14-21). Estos cantores iban delante del ejército, elevando sus voces en alabanza a Dios por la promesa de la victoria.

Era una manera singular de ir a pelear contra el ejército enemigo, eso de alabar a Jehová con cantos y ensalzar al Dios de Israel. Tal era su canto de batalla. Poseían la hermosura de la santidad. Si hoy se alabase más a Dios, aumentarían constantemente la esperanza, el valor y la fe. ¿No fortalecería esto las manos de los soldados valientes que hoy defienden la verdad?

"Jehová puso contra los hijos de Amón, de Moab y del monte de Seir, las emboscadas de ellos mismos que venían contra Judá, y se levantaron contra los del monte de Seir para matarlos y destruirlos; y cuando hubieron acabado con los del monte de Seir, cada cual ayudó a la destrucción de su compañero.

"Y luego que vino Judá a la torre del desierto, miraron hacia la multitud, y he aquí yacían ellos en tierra muertos, pues ninguno había escapado" (vers. 22-24).

Dios fue la fortaleza de Judá en esta crisis, y es hoy la fortaleza de su pueblo. No hemos de confiar en príncipes, ni poner a los hombres en lugar de Dios. Debemos recordar que los seres humanos son sujetos a errar, y que Aquel que tiene todo el poder es nuestra fuerte torre de defensa. En toda emergencia, debemos reconocer que la batalla es suya. Sus recursos son ilimitados, y las imposibilidades aparentes harán tanto mayor la victoria.

> "Sálvanos, oh Dios, salvación nuestra;
> recógenos, y líbranos de las naciones,
> para que confesemos tu santo nombre,
> y nos gloriemos en tus alabanzas"
> (1 Crónicas 16: 35).

Cargados de despojos, los ejércitos de Israel volvieron "gozosos, porque Jehová les había dado gozo liberándolos de sus enemigos. Y vinieron a Jerusalén con salterios, arpas y trompetas, a la casa de Jehová" (2 Crónicas 20: 27, 28). Tenían mucho motivo de regocijarse. Al obedecer a la orden: "Paraos, estad quietos, y ved la salvación de Jehová... No temáis ni desmayéis" (vers. 17), habían confiado plenamente en Dios, y él había demostrado que era su fortaleza y su libertador. Ahora podían cantar con buen entendimiento los himnos inspirados de David:

"Dios es nuestro amparo y fortaleza,
nuestro pronto auxilio en las tribulaciones...
Que quiebra el arco, corta la lanza,
y quema los carros en el fuego.
Estad quietos, y conoced que yo soy Dios;
seré exaltado entre las naciones;
enaltecido seré en la tierra.
Jehová de los ejércitos está con nosotros;
nuestro refugio es el Dios de Jacob" (Salmo 46).

"Conforme a tu nombre, oh Dios,
así es tu loor hasta los fines de la tierra;
de justicia está llena tu diestra.
Se alegrará el monte de Sión;
se gozarán las hijas de Judá por tus juicios...
"Porque este Dios es Dios nuestro eternamente y para siempre;
él nos guiará aun más allá de la muerte"
(Salmo 48: 10, 11, 14).

Debido a la fe manifestada por el gobernante de Judá y sus ejércitos, "el pavor de Dios cayó sobre todos los reinos de aquella tierra, cuando oyeron que Jehová había peleado contra los enemigos de Israel. Y el reino de Josafat tuvo paz porque su Dios le dio paz por todas partes" (2 Crónicas 20: 29, 30).

CAPITULO 16

Este capítulo está basado en 1 Reyes 21; 2 Reyes 1.

Caída de la Casa de Acab

LA MALA influencia que Jezabel había ejercido desde el principio sobre Acab continuó durante los últimos años de su vida, y dio frutos en actos vergonzosos y violentos que pocas veces fueron igualados en la historia sagrada. "A la verdad ninguno fue como Acab, que se vendió para hacer lo malo ante los ojos de Jehová; porque Jezabel su mujer lo incitaba".

Siendo por naturaleza codicioso, Acab, fortalecido y apoyado en el mal hacer por Jezabel, había seguido los dictados de su mal corazón, hasta quedar completamente dominado por el espíritu de egoísmo. No toleraba que se le negase algo que deseaba, sino que lo consideraba legítimamente suyo.

Esta característica dominante de Acab, que influyó tan desastrosamente en la suerte del reino bajo sus sucesores, quedó recalcada por un incidente que se produjo mientras

Los siervos obedecieron la orden del rey Jehú, y lanzaron a la impía e idólatra Jezabel desde una ventana, y murió.

Elías era todavía profeta en Israel. Junto al palacio del rey había un viñedo que pertenecía a Nabot, de Jezreel. Acab se había propuesto obtener ese viñedo; y quiso comprarlo, o cambiarlo por otra parcela de tierra. Dijo a Nabot: "Dame tu viña para un huerto de legumbres, porque está cercana a mi casa, y yo te daré por ella otra viña mejor que ésta; o si mejor te pareciere, te pagaré su valor en dinero".

Nabot apreciaba mucho su viñedo porque había pertenecido a sus padres, y se negó a venderlo. Dijo a Acab: "Guárdeme Jehová de que yo te dé a ti la heredad de mis padres". Según el código levítico, ningún terreno podía transferirse en forma permanente por una venta o un cambio; y cada uno de los hijos de Israel debía conservar "la heredad... de sus padres" (Números 36: 7).

La negativa de Nabot enfermó al monarca egoísta. "Y vino Acab a su casa triste y enojado, por la palabra que Nabot de Jezreel le había respondido... Se acostó en su cama, y volvió su rostro, y no comió".

Pronto conoció Jezabel los detalles e indignada de que alguien rehusase al rey lo que quería, aseguró a Acab que no necesitaba ya entristecerse. Dijo: "¿Eres tú ahora rey sobre Israel? Levántate, y come y alégrate; yo te daré la viña de Nabot de Jezreel".

A Acab no le interesaban los medios por los cuales su esposa pudiese lograr lo que deseaba, y Jezabel procedió inmediatamente a ejecutar su impío propósito. Escribió cartas en nombre del rey, las selló con su sello, y las envió a los ancianos y nobles de la ciudad donde moraba Nabot para decirles: "Proclamad ayuno, y poned a Nabot delante del pueblo; y poned a dos hombres perversos delante de él, que atestigüen contra él y digan: Tú has blasfemado a Dios y al rey. Y entonces sacadlo, y apedreadlo para que muera".

La orden fue obedecida. "Y los de su ciudad, los ancianos y los principales que moraban en su ciudad, hicieron como Jezabel les mandó, conforme a lo escrito en las cartas que ella les había enviado". Entonces Jezabel se dirigió al rey y le invitó a levantarse y tomar posesión del viñedo. Y Acab, sin prestar atención a las consecuencias, siguió ciegamente el consejo, y descendió a apoderarse de la propiedad codiciada.

No se le dejó al rey disfrutar sin reproches de lo que había obtenido por fraude y derramamiento de sangre. "Entonces vino palabra de Jehová a Elías tisbita, diciendo: Levántate, desciende a encontrarte con Acab rey de Israel, que está en Samaria; he aquí él está en la viña de Nabot, a la cual ha descendido para tomar posesión de ella. Y le hablarás diciendo: Así ha dicho Jehová: ¿No mataste, y también has despojado?" Y el Señor indicó, además, a Elías, que pronunciase un juicio terrible contra Acab.

El profeta se apresuró a ejecutar la orden divina. El gobernante culpable, al encontrarse frente a frente en el viñedo con el severo mensajero de Jehová, expresó su temor y sorpresa con estas palabras: "¿Me has hallado, enemigo mío?"

Sin vacilación, el mensajero del Señor contestó: "Te he encontrado, porque te has vendido a hacer lo malo delante de Jehová. He aquí yo traigo mal sobre ti, y barreré tu posteridad". No iba a haber misericordia. El Señor declaró por medio de su siervo que la casa de Acab habría de quedar destruida por completo, "como la casa de Jeroboam hijo de

Nabat, y como la casa de Baasa hijo de Ahías, por la rebelión con que me provocaste a ira, y con que has hecho pecar a Israel".

Y acerca de Jezabel el Señor declaró: "Los perros comerán a Jezabel en el muro de Jezreel. El que de Acab fuere muerto en la ciudad, los perros lo comerán, y el que fuere muerto en el campo, lo comerán las aves del cielo".

Cuando el rey oyó este mensaje pavoroso, "rasgó sus vestidos y puso cilicio sobre su carne, ayunó, y durmió en cilicio, y anduvo humillado.

"Entonces vino palabra de Jehová a Elías tisbita, diciendo: ¿No has visto cómo Acab se ha humillado delante de mí? Pues por cuanto se ha humillado delante de mí, no traeré el mal en sus días; en los días de su hijo traeré el mal sobre su casa".

Menos de tres años después, el rey Acab fue muerto por los sirios. Ocozías, su sucesor, "hizo lo malo ante los ojos de Jehová, y anduvo en el camino de su padre, y en el camino de su madre, y en el camino de Jeroboam...; porque sirvió a Baal, y lo adoró, y provocó a ira a Jehová Dios de Israel" (1 Reyes 22: 52-54), como había hecho su padre Acab. Pero los juicios siguieron pronto a los pecados del rey rebelde. Una guerra desastrosa con Moab, y luego un accidente en el cual su vida fue amenazada, atestiguaron la ira de Dios contra él.

Habiendo caído "por la ventana de una sala", quedó Ocozías gravemente herido, y temiendo lo que de ello pudiera resultar, envió a algunos de sus siervos para que consultaran a Baal-zebub, dios de Ecrón, si se restablecería o no. Se creía que el dios de Ecrón podía dar información, mediante sus sacerdotes, acerca de acontecimientos futuros. Mucha gente iba a hacerle preguntas; pero las predicciones que se hacían allí y la información que se daba, procedían del príncipe de las tinieblas.

Un hombre de Dios se encontró con los siervos de Ocozías y les ordenó que volviesen al rey para llevarle este mensaje: "¿No hay Dios en Israel, que vais a consultar a Baalzebub dios de Ecrón? Por tanto, así ha dicho Jehová: Del lecho en que estás no te levantarás sino que ciertamente morirás". Habiendo comunicado su mensaje, el profeta partió.

Los asombrados siervos se apresuraron a volver al rey, y le repitieron las palabras del varón de Dios. El rey preguntó: "¿Cómo era aquel varón?" Ellos contestaron que era "un varón que tenía vestido de pelo, y ceñía sus lomos con un cinturón de cuero". "Es Elías tisbita", exclamó Ocozías. Sabía que si el forastero con quien se habían encontrado sus siervos era en verdad Elías, se cumplirían con seguridad las palabras que le condenaban. Ansioso de evitar, si era posible, el juicio que le amenazaba, resolvió llamar al profeta.

Dos veces mandó Ocozías una compañía de soldados para intimidar al profeta, y dos veces cayó sobre ellos el juicio de la ira de Dios. La tercera compañía de soldados se humilló delante de Dios; y su capitán, al acercarse al mensajero del Señor, "se puso de rodillas delante de Elías y le rogó, diciendo: Varón de Dios, te ruego que sea de valor delante de tus ojos mi vida, y la vida de estos tus cincuenta siervos".

"Entonces el ángel de Jehová dijo a Elías: Desciende

con él; no tengas miedo de él. Y él se levantó, y descendió con él al rey. Y le dijo: Así ha dicho Jehová: Por cuanto enviaste mensajeros a consultar a Baal-zebub dios de Ecrón, ¿no hay Dios en Israel para consultar en su palabra? No te levantarás, por tanto, del lecho en que estás, sino que de cierto morirás".

Durante el reinado de su padre, Ocozías había presenciado las obras prodigiosas del Altísimo. Había visto que Dios había dado al apóstata Israel terribles evidencias de cómo considera a los que desechan las obligaciones de su ley. Ocozías había obrado como si esas pavorosas realidades fuesen cuentos vanos. En vez de humillar su corazón delante del Señor, había seguido a Baal, y por fin se atrevió a realizar su acto más audaz de impiedad. Lleno de rebeldía y negándose a arrepentirse, murió Ocozías "conforme a la palabra de Jehová, que había hablado Elías".

La historia del pecado del rey Ocozías y su castigo encierra una amonestación que nadie puede despreciar con impunidad. Tal vez los hombres de hoy no tributen homenaje a dioses paganos, pero miles están adorando ante el altar de Satanás tan ciertamente como lo hacía el rey de Israel. El espíritu de idolatría abunda en el mundo hoy, aunque, bajo la influencia de la ciencia y la educación, ha asumido formas más refinadas y atrayentes que las que tenía en el tiempo cuando Ocozías quiso consultar al dios de Ecrón. Cada día aumentan las tristes evidencias de que disminuye la fe en la segura palabra profética, y que en su lugar la superstición y la hechicería satánica cautivan muchos intelectos.

Hoy los misterios del culto pagano han sido reemplazados por reuniones y sesiones secretas, por las oscuridades y los prodigios de los médiums espiritistas. Las revelaciones de estos médiums son recibidas con avidez por miles que se niegan a aceptar la luz comunicada por la palabra de Dios o por su Espíritu. Los que creen en el espiritismo hablan tal vez con desprecio de los antiguos magos, pero el gran engañador se ríe triunfante mientras ceden a las artes que él practica en una forma diferente.

Son muchos los que se horrorizan al pensar en consultar a los médiums espiritistas, pero se sienten atraídos por las formas más agradables del espiritismo. Otros son extraviados por las enseñanzas de la ciencia cristiana, y por el misticismo de la teosofía y otras religiones orientales.

Los apóstoles de casi todas las formas de espiritismo aseveran tener el poder de curar. Atribuyen este poder a la electricidad, el magnetismo, los remedios que obran, dicen, por "simpatía", o debido a fuerzas latentes en la mente humana. Y no son pocos, aun en esta era cristiana, los que se dirigen a tales curanderos en vez de confiar en el poder del Dios viviente y en la capacidad de médicos bien preparados. La madre que vela al lado de la cama de su niño enfermo exclama: "Nada puedo hacer ya. ¿No hay médico que tenga poder para sanar a mi hijo?" Se le habla de las curaciones admirables realizadas por algún clarividente o sanador magnético, y le confía a su amado, colocándolo tan ciertamente en las manos de Satanás como si éste estuviese a su lado. En muchos casos la vida futura del niño queda dominada por un poder satánico que parece imposible quebrantar.

Dios tuvo motivos de desagrado en la impiedad de Ocozías. ¿Que había dejado de hacer el Señor para conquistar el corazón de Israel, e inspirarle confianza en su poder? Durante siglos, había dado a su pueblo pruebas de su bondad y amor sin iguales. Desde el principio, le había demostrado que sus "delicias son con los hijos de los hombres" (Proverbios 8: 31). Había sido un auxilio siempre presente para todos los que le buscaran con sinceridad. Sin embargo, en esa ocasión, el rey de Israel, al apartarse de Dios para solicitar ayuda al peor enemigo de su pueblo, proclamó a los paganos que tenía más confianza en sus ídolos que en el Dios del cielo. Asimismo le deshonran hoy hombres y mujeres cuando se apartan del Manantial de fuerza y sabiduría para pedir ayuda o consejo a las potestades de las tinieblas. Si el acto de Ocozías provocó la ira de Dios, ¿cómo considerará él a los que, teniendo aun más luz, deciden seguir una conducta similar?

Los que se entregan al sortilegio de Satanás, pueden

jactarse de haber recibido grandes beneficios; pero ¿prueba esto que su conducta fue sabia o segura? ¿Qué representaría el que la vida fuese prolongada? ¿O que se obtuviesen ganancias temporales? ¿Puede haber al fin compensación por haber despreciado la voluntad de Dios? Cualesquiera ganancias aparentes resultarían al fin en una pérdida irreparable. No podemos quebrantar con impunidad una sola barrera que Dios haya erigido para proteger a su pueblo del poder de Satanás.

Como Ocozías no tenía hijo, le sucedió Joram, su hermano, quien reinó sobre las diez tribus por doce años, durante los cuales vivía todavía su madre, Jezabel, y continuó ejerciendo su mala influencia sobre los asuntos de la nación. Muchos del pueblo seguían practicando costumbres idólatras. Joram mismo "hizo lo malo ante los ojos de Jehová, aunque no como su padre y su madre; porque quitó las estatuas de Baal que su padre había hecho. Pero se entregó a los pecados de Jeroboam hijo de Nabat, que hizo pecar a Israel, y no se apartó de ellos" (2 Reyes 3: 2, 3).

Fue mientras Joram reinaba sobre Israel cuando Josafat murió, y el hijo de él, también llamado Joram, subió al trono del reino de Judá. Por su casamiento con la hija de Acab y Jezabel, Joram de Judá se vio estrechamente ligado con el rey de Israel; y durante su reinado siguió en pos de Baal, "como hizo la casa de Acab". "Además de esto, hizo lugares altos en los montes de Judá, e hizo que los moradores de Jerusalén fornicasen tras ellos, y a ello impelió a Judá" (2 Crónicas 21: 6, 11).

No se dejó al rey de Judá continuar sin reprensión en su terrible apostasía. El profeta Elías no había sido trasladado aún al cielo, y no pudo guardar silencio mientras el reino de Judá seguía por el mismo camino que había llevado al reino del norte al borde de la ruina. El profeta envió a Joram de Judá una comunicación escrita en la cual el rey impío leyó estas palabras pavorosas:

"Jehová el Dios de David tu padre ha dicho así: Por cuanto no has andado en los caminos de Josafat tu padre, ni en los caminos de Asa rey de Judá, sino que has andado en el camino de los reyes de Israel, y has hecho que fornicase Judá y los moradores de Jerusalén, como fornicó la casa de Acab; y además has dado muerte a tus hermanos, a la familia de tu padre, los cuales eran mejores que tú; he aquí Jehová herirá a tu pueblo de una gran plaga".

En cumplimiento de esta profecía, "Jehová despertó contra Joram la ira de los filisteos y de los árabes que estaban junto a los etíopes; y subieron contra Judá, e invadieron la tierra, y tomaron todos los bienes que hallaron en la casa del rey, y a sus hijos y a sus mujeres; y no le quedó más hijo sino solamente Joacaz el menor de sus hijos.

"Después de todo esto, Jehová lo hirió con una enfermedad incurable en los intestinos. Y aconteció que al pasar muchos días, al fin, al cabo de dos años", murió de esa "enfermedad muy penosa". "Y reinó en lugar suyo Ocozías, su hijo" (2 Crónicas 21: 12-19; 2 Reyes 8: 24).

Joram, hijo de Acab, reinaba todavía en el reino de Israel cuando su sobrino Ocozías subió al trono de Judá. Ocozías reinó solamente un año y durante ese tiempo, bajo la influencia de su madre Atalía, quien "le aconsejaba a que actuase impíamente", "anduvo en el camino de la casa de Acab, e hizo lo malo ante los ojos de Jehová" (2 Crónicas 22:

3; 2 Reyes 8: 27). Vivía todavía su abuela Jezabel, y él se alió audazmente con Joram de Israel, su tío.

Ocozías de Judá no tardó en llegar a un fin trágico. Los miembros sobrevivientes de la casa de Acab fueron en verdad, "después de la muerte de su padre", los que "le aconsejaron para su perdición" (2 Crónicas 22: 3, 4). Mientras Ocozías visitaba a su tío en Jezreel, Dios indicó al profeta Eliseo que mandase a uno de los hijos de los profetas a Ramot de Galaad para ungir a Jehú rey de Israel. Las fuerzas combinadas de Judá e Israel estaban entonces empeñadas en una campaña militar contra los sirios de Ramot de Galaad. Joram había sido herido en la batalla, y había regresado a Jezreel, dejando a Jehú encargado de los ejércitos reales.

Al ungir a Jehú, el mensajero de Eliseo declaró: "Yo te he ungido por rey sobre Israel, pueblo de Jehová". Y luego dio solemnemente a Jehú un encargo especial del cielo. El Señor declaró por su mensajero: "Herirás la casa de Acab tu señor, para que yo vengue la sangre de mis siervos los profetas, y la sangre de todos los siervos de Jehová, de la mano de Jezabel. Y perecerá toda la casa de Acab" (2 Reyes 9: 6-8).

Después que fuera proclamado rey por el ejército, Jehú se dirigió apresuradamente a Jezreel, donde inició su obra de ejecutar a los que habían preferido deliberadamente continuar en el pecado e inducir a otros a hacer lo mismo. Fueron muertos Joram de Israel, Ocozías de Judá y Jezabel la reina madre, con "todos los que habían quedado de la casa de Acab en Jezreel", así como "todos sus príncipes", "todos sus familiares, y ... sus sacerdotes". Pasaron a cuchillo a "todos los profetas de Baal, a todos sus siervos y a todos sus sacerdotes" que moraban en el centro dedicado al culto de Baal cerca de Samaria. Los ídolos fueron derribados y quemados, y el templo de Baal quedó en ruinas. "Así exterminó Jehú a Baal de Israel" (2 Reyes 10: 11, 19, 28).

Llegaron noticias de esta ejecución general a Atalía, hija de Jezabel, que ejercía todavía autoridad en el reino de Judá. Cuando vio que su hijo, el rey de Judá, había muerto "se levantó y exterminó toda la descendencia real de la casa de Judá". En esa matanza perecieron todos los descendientes de David que pudieran ser elegidos para el trono, con excepción de un niñito llamado Joás, a quien escondió en las dependencias del templo la esposa de Joiada, el sumo sacerdote. Durante seis años el niño permaneció escondido, "entre tanto, Atalía reinaba en el país" (2 Crónicas 22: 10, 12).

Al fin de este plazo, "los levitas y todo Judá" (2 Crónicas 23: 8) se unieron con Joiada el sumo sacerdote para coronar y ungir al niño Joás, y le aclamaron como su rey. "Y batiendo las manos dijeron: ¡Viva el rey!" (2 Reyes 11: 12).

"Cuando Atalía oyó el estruendo de la gente que corría, y de los que aclamaban al rey, vino al pueblo a la casa de Jehová" (2 Crónicas 23: 12). "Y cuando miró, he aquí que el rey estaba junto a la columna, conforme a la costumbre, y los príncipes y los trompeteros junto al rey; y todo el pueblo del país se regocijaba, y tocaban las trompetas.

"Entonces Atalía, rasgando sus vestidos, clamó a voz en cuello: ¡Traición! ¡Traición!" (2 Reyes 11: 14). Pero Joiada ordenó a los oficiales que echaran mano de ella y de todos sus secuaces, para conducirlos fuera del templo a un lugar donde debían ejecutarlos.

Atalía gobernó seis años con mucha tiranía, y el pueblo se levantó contra ella y coronaron a Joás como rey.

Así pereció el último miembro de la casa de Acab. El terrible mal que resultara de su unión con Jezabel subsistió hasta que pereció el último de sus descendientes. Aun en la tierra de Judá, donde el culto del verdadero Dios no había sido nunca desechado formalmente, Atalía había logrado seducir a muchos. Inmediatamente después de la ejecución de la reina impenitente, "todo el pueblo de la tierra entró en el templo de Baal, y lo derribaron; asimismo despedazaron enteramente sus altares y sus imágenes, y mataron a Matán sacerdote de Baal delante de los altares" (2 Reyes 11: 18).

Siguió una reforma. Los que participaron en la aclamación de Joás como rey, habían hecho un pacto solemne de que "serían pueblo de Jehová". Y una vez eliminada del reino de Judá la mala influencia de la hija de Jezabel, y una vez muertos los sacerdotes de Baal y su templo destruido, "se regocijó todo el pueblo del país; y la ciudad estuvo tranquila" (2 Crónicas 23: 16, 21).

CAPITULO 17

El Llamamiento de Eliseo

DIOS había ordenado a Elías que ungiese a otro hombre para que fuese profeta en su lugar. Le había dicho: "A Eliseo hijo de Safat,... ungirás para que sea profeta en tu lugar" (1 Reyes 19: 16); y en obediencia a la orden, Elías se fue en busca de Eliseo. Mientras se dirigía hacia el norte, notaba cuán cambiado estaba el escenario en comparación con lo que había sido poco tiempo antes. La tierra estaba entonces quemada, y no se labraban las regiones agrícolas porque hacía tres años y medio que no caía rocío ni lluvia. Ahora la vegetación brotaba por todos lados, como para redimir el tiempo de la sequía y del hambre.

El padre de Eliseo era un agricultor rico, cuya familia se contaba entre los que no habían doblado la rodilla ante Baal en un tiempo de apostasía casi universal. En su casa se honraba a Dios, y la obediencia a la fe del antiguo Israel era la norma de la vida diaria. En tal ambiente habían transcurrido los primeros años de Eliseo. En la quietud de la vida en el campo, bajo la enseñanza de Dios y de la naturaleza y gracias a la disciplina del trabajo útil, adquirió hábitos de sencillez y de obediencia a sus padres y a Dios que contribuyeron a hacerlo idóneo para el alto puesto que había de ocupar más tarde.

El llamamiento le llegó a Eliseo mientras estaba arando en el campo con los criados de su padre. Se había dedicado al trabajo que tenía más a mano. Poseía capacidad para ser dirigente entre los hombres y la mansedumbre de quien está dispuesto a servir. Dotado de un espíritu tranquilo y amable, era sin embargo enérgico y firme. Manifestaba integridad y fidelidad, así como amor y temor de Dios; y en el humilde cumplimiento del trabajo diario adquirió fuerza de propósito y nobleza de carácter, mientras crecía constantemente en gracia y conocimiento. Al cooperar con su padre en los deberes del hogar, aprendía a cooperar con Dios.

Por su fidelidad en las cosas pequeñas, Eliseo se estaba preparando para cumplir otros cometidos mayores. Día tras día, por la experiencia práctica, adquiría idoneidad para una obra más amplia y elevada. Aprendía a servir; y al aprender esto, aprendía también a dar instrucciones y a dirigir. Esto encierra una lección para todos. Nadie puede saber lo que Dios se propone lograr con su disciplina; pero todos pueden estar seguros de que la fidelidad en las cosas pequeñas es evidencia de idoneidad para llevar responsabilidades mayores. Cada acto de la vida es una revelación del carácter; y únicamente aquel que en los deberes pequeños demuestra ser "obrero que no tiene de qué avergonzarse" (2 Timoteo 2: 15) puede ser honrado por Dios con una invitación a prestar un servicio más elevado.

El que considera que no importa cómo cumple las tareas más pequeñas, demuestra que no está preparado para un puesto de más honra. Puede considerarse muy competente para encargarse de los deberes mayores; pero Dios mira más hondo que la superficie. Después de la prueba queda escrita esta sentencia contra él: "Pesado has sido en balanza, y fuiste hallado falto". Su infidelidad reacciona sobre él mismo. No obtiene la gracia, el poder, la fuerza de carácter, que se reciben por una entrega sin reservas.

Por no estar relacionados con alguna obra directamente religiosa, muchos consideran que su vida es inútil, que nada hacen para hacer progresar el reino de Dios. Si tan sólo pudiesen hacer algo grande, ¡con cuánto gusto lo emprenderían! Pero porque sólo pueden servir en cosas pequeñas, se consideran justificados para no hacer nada. En esto yerran. Un hombre puede estar sirviendo activamente a Dios mientras se dedica a los deberes comunes de cada día; mientras derriba árboles, prepara la tierra, o sigue el arado. La madre que educa a sus hijos para Cristo está tan ciertamente trabajando para Dios como el ministro en el púlpito.

Muchos sienten el anhelo de poseer algún talento especial con que hacer una obra maravillosa, mientras pierden de vista los deberes que tienen a mano, cuyo cumplimiento llenaría la vida de fragancia. Ejecuten los padres los deberes que se encuentran directamente en su camino. El éxito no depende tanto del talento como de la energía y de la buena voluntad. No es la posesión de talentos magníficos lo que nos habilita para prestar un servicio aceptable, sino el fiel cumplimiento de los deberes diarios, el espíritu alegre, el interés sincero y sin afectación por el bienestar de los demás. En la suerte más humilde puede hallarse verdadera excelencia. Las tareas más comunes, realizadas con fidelidad y amor, son hermosas a la vista de Dios.

Cuando Elías, divinamente dirigido en la búsqueda de un sucesor, pasó al lado del campo en el cual Eliseo estaba arando, echó sobre los hombros del joven el manto de la consagración. Durante el hambre, la familia de Safat se había familiarizado con la obra y la misión de Elías; y ahora el Espíritu de Dios impresionó el corazón de Eliseo acerca de lo que significaba el acto del profeta. Era para él la señal de que Dios le llamaba a ser sucesor de Elías.

"Entonces dejando él los bueyes, vino corriendo en pos de Elías, y dijo: Te ruego que me dejes besar a mi padre y a mi madre, y luego te seguiré". Elías respondió: "Ve, vuelve; ¿qué te he hecho yo?" (1 Reyes 19: 20). No dijo esto para rechazarlo, sino para probar su fe. Eliseo debía tener en cuenta el costo, decidir por sí mismo si quería aceptar o rechazar el llamamiento. Si sus deseos se aferraban a su hogar y sus ventajas, quedaba libre para permanecer allí. Pero el joven comprendió el significado del llamamiento. Sabía que provenía de Dios, y no vaciló en obedecer. Ni por todas las ventajas mundanales se habría privado de la oportunidad de llegar a ser mensajero de Dios, ni habría sacrificado el privilegio de estar asociado con su siervo. "Y se volvió, y tomó un par de bueyes y los mató, y con el arado de los bueyes coció la carne, y la dio al pueblo para que comiesen. Después se levantó y fue tras Elías, y le servía" (vers. 21). Sin vacilación, abandonó un hogar donde se le amaba, para acompañar al profeta en su vida incierta.

El profeta Elías puso su manto sobre Eliseo para indicarle que Dios lo llamaba a entrar en su servicio.

Si Eliseo hubiese preguntado a Elías qué se esperaba de él, cuál iba a ser su trabajo, se le habría contestado: Dios lo sabe; él te lo hará saber. Si confías en el Señor, él responderá a cada una de tus preguntas. Puedes acompañarme si tienes evidencias de que Dios te ha llamado. Debes saber por ti mismo que Dios me apoya, y que lo que oyes es su voz. Si puedes considerarlo todo como escorias a fin de obtener el favor de Dios, ven.

Este llamado se parecía al que recibió la respuesta dada por Cristo al joven rico que le preguntó: "¿Qué bien haré para tener la vida eterna?" Cristo contestó: "Si quieres ser perfecto, anda, vende lo que tienes, y dalo a los pobres, y tendrás tesoro en el cielo; y ven y sígueme" (Mateo 19: 16, 21).

Eliseo aceptó el llamamiento a servir, y no miró atrás, a los placeres y comodidades que dejaba. El joven rico, al oír las palabras del Salvador, "se fue triste, porque tenía muchas posesiones" (vers. 22). No estaba dispuesto a hacer el sacrificio pedido. El amor que sentía por sus bienes era mayor que su amor a Dios. Al negarse a renunciar a todo por Cristo, demostró que era indigno de servir al Maestro.

La invitación a ponerlo todo sobre el altar del servicio le llega a cada uno. No se nos pide a todos que sirvamos como sirvió Eliseo, ni somos todos invitados a vender cuanto tenemos; pero Dios nos pide que demos a su servicio el primer lugar en nuestra vida, que no dejemos transcurrir un día sin hacer algo que haga progresar su obra en la tierra. El no espera de todos la misma clase de servicio. Uno puede ser llamado al ministerio en una tierra extraña; a otro se le pedirá tal vez que dé de sus recursos para sostener la obra del

Evangelio. Dios acepta la ofrenda de cada uno. Lo que resulta necesario es la consagración de la vida y de todos sus intereses. Los que hagan esta consagración oirán el llamamiento celestial y lo obedecerán.

A cada uno de los que lleguen a participar de su gracia, el Señor indica una obra que ha de hacer en favor de los demás. Debemos levantarnos y decir: "Heme aquí; envíame a mí". Sea que uno sirva como ministro de la Palabra o como médico, o como negociante o agricultor, profesional o mecánico, la responsabilidad descansa sobre él. Su obra es revelar a otros el Evangelio de su salvación. Cada empresa a la cual se dedique debe ser un medio hacia este fin.

Lo que al principio se requería de Eliseo no era una obra grande, pues los deberes comunes seguían constituyendo su disciplina. Se dice que derramaba agua sobre las manos de Elías, su maestro. Estaba dispuesto a hacer cualquier cosa que el Señor indicase, y a cada paso aprendía lecciones de humildad y servicio. Como ayudante personal del profeta, continuó demostrándose fiel en las cosas pequeñas, mientras que con un propósito que se iba fortaleciendo con el transcurso de cada día, se dedicaba a la misión que Dios le había señalado.

La vida de Eliseo, después de que se unió a Elías, no estuvo libre de tentaciones. Tuvo él muchas pruebas; pero en toda emergencia confió en Dios. Estuvo tentado a recordar el hogar que había dejado, pero no prestó atención a esto. Habiendo puesto la mano al arado, estaba resuelto a no volver atrás, y a través de pruebas y tentaciones demostró que era fiel a su responsabilidad.

El ministerio abarca mucho más que la predicación de

la Palabra. Significa preparar a los jóvenes como Elías preparó a Eliseo; es decir, apartarlos de sus deberes comunes para asignarles en la obra de Dios responsabilidades que serán pequeñas al principio, pero que aumentarán a medida que ellos adquieran fuerza y experiencia. Hay en el ministerio hombres de fe y oración, hombres que pueden decir: "Lo que era desde el principio, lo que hemos oído, lo que hemos visto con nuestros ojos, lo que hemos contemplado y palparon nuestras manos tocante al Verbo de vida...; lo que hemos visto y oído, eso os anunciamos" (1 S. Juan 1: 1, 3). Los obreros jóvenes e inexpertos deben ser preparados por el trabajo hecho en relación con estos experimentados siervos de Dios. Así aprenderán a llevar cargas.

Los que se dedican a dar esta preparación a los obreros jóvenes prestan un servicio noble. El Señor mismo coopera con sus esfuerzos. Y los jóvenes a quienes se dirigieron las palabras de consagración y se ofrece el privilegio de asociarse con obreros fervorosos y piadosos, deben aprovechar en todo lo posible sus oportunidades. Dios los honró al elegirlos para servirle y al colocarlos donde pueden adquirir mayor idoneidad para él; deben ser humildes, fieles y obedientes y dispuestos a sacrificarse. Si se someten a la disciplina de Dios, ejecutando sus instrucciones y eligiendo a sus siervos como sus consejeros, se desarrollarán en hombres justos, de principios elevados, firmes, a quienes Dios pueda confiar responsabilidades.

Mientras se proclame el Evangelio en toda su pureza, habrá hombres que serán llamados del arado y de las ocupaciones comerciales comunes que suelen embargar la mente, y se educarán al lado de hombres de experiencia. Mientras aprendan a trabajar eficazmente, proclamarán la verdad con poder. Mediante admirables manifestaciones de la providencia divina, serán eliminadas y arrojadas al mar montañas de dificultades. El mensaje que tanto significa para los moradores de la tierra será oído y comprendido. Los hombres conocerán lo que es la verdad. La obra seguirá progresando cada vez más, hasta que toda la tierra haya sido amonestada; y entonces vendrá el fin.

Durante varios años después del llamamiento de Eliseo, él y Elías trabajaron juntos, de modo que el hombre más joven iba adquiriendo diariamente mayor preparación para su obra. Elías había sido usado por Dios para destruir males gigantescos. La idolatría que, fomentada por Acab y la pagana Jezabel, había seducido a la nación, había sido detenida en forma decidida. Habían sido muertos los profetas de

Baal. Todo el pueblo de Israel había quedado profundamente conmovido, y muchos volvían a adorar a Dios. Como sucesor de Elías, Eliseo debía esforzarse por guiar a Israel en sendas seguras mediante una instrucción paciente y cuidadosa. Su trato con Elías, el mayor profeta después de Moisés, le preparó para la obra que pronto debería hacer solo.

Una y otra vez, durante esos años de ministerio conjunto, Elías debió reprender severamente males flagrantes. Cuando el impío Acab se apoderó del viñedo de Nabot, fue la voz de Elías la que profetizó su condenación y la de toda su casa. Y cuando Ocozías, después de la muerte de su padre Acab, despreció al Dios viviente y se dirigió a Baal-zebub, dios de Ecrón, fue la voz de Elías la que se oyó una vez más en ardiente protesta.

Las escuelas de los profetas establecidas por Samuel habían caído en decadencia durante los años de apostasía que hubo en Israel. Elías restableció estas escuelas y tomó medidas para que los jóvenes pudieran educarse en forma que los indujese a magnificar y honrar la ley. En el relato se mencionan tres de esas escuelas. Una estaba en Gilgal, otra en Bet-el y la tercera en Jericó. Precisamente antes que Elías fuese arrebatado al cielo, visitó con Eliseo estos centros de educación. El profeta de Dios repitió entonces las lecciones que les había dado en visitas anteriores. Instruyó especialmente a los jóvenes acerca de su alto privilegio de mantenerse lealmente fieles al Dios del cielo. También grabó en su mente la importancia que tenía el dejar que la sencillez caracterizase todo detalle de su educación. Solamente así podrían recibir la impresión celestial y salir a trabajar en los caminos del Señor.

El fiel Elías fue arrebatado al cielo en un carro de fuego, lo cual representa a quienes serán trasladados al cielo sin sufrir la muerte.

El corazón de Elías quedó alentado al ver él lo que lograban esas escuelas. La obra de reforma no había terminado, pero en todo el reino podía verse que se cumplía la palabra del Señor: "Y yo haré que queden en Israel siete mil, cuyas rodillas no se doblaron ante Baal" (1 Reyes 19: 18).

Mientras Eliseo acompañaba al profeta en su gira de servicio de una escuela a la otra, su fe y su resolución fueron probadas una vez más. En Gilgal y también en Bet-el y en Jericó, el profeta le invitó a que se volviera atrás. Dijo Elías: "Quédate ahora aquí, porque Jehová me ha enviado a Bet-el". Pero en su tarea anterior, al guiar el arado, Eliseo había aprendido a no cejar ni a desalentarse; y ahora que había puesto la mano al arado en otro ramo del deber no iba a dejarse desviar de su propósito. No quería separarse de su maestro mientras hubiese oportunidad de adquirir mayor preparación para servir. Aunque Elías no lo sabía, la revelación de que iba a ser trasladado había sido comunicada a sus discípulos en las escuelas de los profetas, y en particular a Eliseo. Por eso el probado siervo del hombre de Dios se mantuvo a su lado. Cada vez que lo invitó a regresar, respondió: "Vive Jehová, y vive tu alma, que no te dejaré".

"Fueron, pues, ambos... Y ellos dos se pararon junto al Jordán. Tomando entonces Elías su manto, lo dobló, y golpeó las aguas, las cuales se apartaron a uno y a otro lado, y pasaron ambos por lo seco. Cuando habían pasado, Elías dijo a Eliseo: Pide lo que quieras que haga por ti, antes que yo sea quitado de ti".

Eliseo no solicitó honores mundanales ni algún puesto elevado entre los grandes de la tierra. Lo que él anhelaba era una gran medida del Espíritu que Dios había otorgado tan liberalmente al que estaba a punto de ser honrado por la traslación. Sabía que nada que no fuese el Espíritu que había descansado sobre Elías podría hacerle idóneo para ocupar en Israel el lugar al cual Dios le había llamado; de modo que pidió: "Te ruego que una doble porción de tu espíritu sea sobre mí".

En respuesta a esta petición, Elías dijo: "Cosa difícil has pedido. Si me vieres cuando fuere quitado de ti, te será hecho así; mas si no, no. Y aconteció que yendo ellos y hablando, he aquí un carro de fuego con caballos de fuego apartó a los dos; y Elías subió al cielo en un torbellino" (2 Reyes 2: 1-11).

Elías es un símbolo de los santos que vivirán en la tierra en ocasión del segundo advenimiento de Cristo, y que serán "transformados, en un momento, en un abrir y cerrar de ojos, a la final trompeta" (1 Corintios 15: 51, 52), sin pasar por la muerte. Como representante de los que serán así trasladados, Elías, cuando se acercaba el fin del ministerio de Cristo en la tierra, tuvo ocasión de estar con Moisés al lado del Salvador sobre el monte de la transfiguración. En esos seres glorificados, los discípulos vieron en miniatura una representación del reino de los redimidos. Contemplaron a Jesús revestido de la luz del cielo; oyeron la "voz desde la nube" (S. Lucas 9: 35) que le reconocía como Hijo de Dios; vieron a Moisés, representante de los que serán resucitados de los muertos en ocasión del segundo advenimiento; y también estaba Elías, como representante de los que al final de la historia de esta tierra serán transformados de seres mortales en inmortales y serán trasladados al cielo sin sufrir por la muerte.

En el desierto, en la soledad y el desaliento, Elías había dicho que estaba cansado de la vida, y había rogado que se le dejase morir. Pero en su misericordia el Señor no había hecho caso de sus palabras. Elías tenía que realizar todavía una gran obra; y cuando esta obra estuviese hecha no iba a perecer en el desaliento y la soledad. No le tocaría descender a la tumba, sino ascender con los ángeles de Dios a la presencia de su gloria.

"Viéndolo Eliseo, clamaba: ¡Padre mío. padre mío, carro de Israel y su gente de a caballo! Y nunca más le vio; y tomando sus vestidos, los rompió en dos partes. Alzó luego el manto de Elías que se le había caído, y volvió, y se paró a la orilla del Jordán. Y tomando el manto de Elías que se le había caído, golpeó las aguas, y dijo: ¿Dónde está Jehová, el Dios de Elías? Y así que hubo golpeado del mismo modo las aguas, se apartaron a uno y a otro lado, y pasó Eliseo. Viéndole los hijos de los profetas que estaban en Jericó al otro lado, dijeron: El espíritu de Elías reposó sobre Eliseo. Y vinieron a recibirle, y se postraron delante de él" (2 Reyes 2: 12-15).

Cuando en su providencia el Señor ve conveniente retirar de su obra a aquellos a quienes dio sabiduría, sabe ayudar y fortalecer a sus sucesores, con tal que ellos esperen auxilio de él y anden en sus caminos. Hasta pueden ser más sabios que sus predecesores; porque pueden sacar provecho de su experiencia y adquirir sabiduría de sus errores.

Desde entonces en adelante Eliseo ocupó el lugar de Elías. El que había sido fiel en lo poco iba a demostrarse también fiel en lo mucho.

CAPITULO 18

La Purificación de las Aguas

EN LOS tiempos patriarcales el valle del Jordán "era de riego, como el huerto de Jehová". En ese hermoso valle fue donde Lot decidió establecerse cuando "fue poniendo sus tiendas hasta Sodoma" (Génesis 13: 10, 12). Pero al ser destruidas las ciudades de la llanura, la región de en derredor se transformó en un desierto desolado, y llegó a formar parte del desierto de Judea.

Subsistió una parte del hermoso valle, con sus manantiales y arroyos vivificantes, para alegrar el corazón del hombre. En ese valle, rico en campos de cereales y vergeles de palmeras y otros frutales, las huestes de Israel habían acampado después de cruzar el Jordán y habían gozado por primera vez de los frutos de la tierra prometida. Delante de ellos tenían las murallas de la fortaleza pagana de Jericó, centro del culto de Astarté, la más vil y degradante de todas las formas cananeas de la idolatría. Pronto fueron derribadas sus murallas y muertos sus habitantes; y en ocasión de su caída se hizo en presencia de todo Israel esta solemne declaración: "Maldito delante de Jehová el hombre que se levantare y reedificare esta ciudad de Jericó. Sobre su primogénito eche cimientos de ella, y sobre su hijo menor asiente sus puertas" (Josué 6: 26).

Transcurrieron cinco siglos. El lugar seguía desolado y maldito por Dios. Aun los manantiales que habían hecho tan deseable la residencia en esa parte del valle, sufrieron los efectos de la maldición. Pero en los tiempos de la apostasía de Acab, cuando el culto de Astarté revivió por influencia de Jezabel, Jericó, antigua sede de ese culto, fue reedificada, si bien a un costo espantoso para quien lo hizo. "Hiel de Bet-el,... en Abiram su primogénito echó el cimiento, y en Segub su hijo postrero puso sus puertas; conforme a la palabra de Jehová" (1 Reyes 16: 34, versión Reina-Valera, 1909).

No lejos de Jericó, en medio de vergeles fructíferos, se hallaba una de las escuelas de los profetas; y allí se dirigió Eliseo, después de la ascensión de Elías. Mientras estaba entre ellos, los hombres de la ciudad se acercaron al profeta para decirle: "He aquí, el lugar en donde está colocada esta ciudad es bueno, como mi señor ve; mas las aguas son malas, y la tierra es estéril". El manantial que en años anteriores había sido puro y comunicaba vida, pues contribuía mucho a abastecer de agua la ciudad y la región circundante, ya no podía usarse.

En respuesta a la súplica de los hombres de Jericó, Eliseo dijo: "Traedme una vasija nueva, y poned en ella sal".

Habiendo recibido esto, salió "él a los manantiales de las aguas, echó dentro la sal, y dijo: Así ha dicho Jehová: Yo sané estas aguas, y no habrá más en ellas muerte ni enfermedad" (2 Reyes 2: 19-21).

La purificación de las aguas de Jericó se realizó, no por sabiduría humana, sino por la intervención milagrosa de Dios. Los que habían reedificado la ciudad no merecían el favor del cielo; y sin embargo, el que "hace salir su sol sobre malos y buenos, y que hace llover sobre justos e injustos" (S. Mateo 5: 45), consideró propio revelar en este caso, mediante ese acto de compasión, su buena disposición para curar a Israel de sus enfermedades espirituales.

La purificación fue permanente; "y fueron sanas las aguas hasta hoy, conforme a la palabra que habló Eliseo" (2 Reyes 2: 22). Siglo tras siglo las aguas han seguido fluyendo para hacer de esa parte del valle un bello oasis.

Muchas son las lecciones espirituales que se desprenden de este relato de la purificación de las aguas. La vasija nueva, la sal, el manantial, todas estas cosas de las cuales

nos habla son altamente simbólicas.

Al arrojar sal en el manantial amargo, Eliseo enseñó la lección espiritual que fue impartida siglos más tarde por el Salvador a sus discípulos cuando declaró: "Vosotros sois la sal de la tierra" (S. Mateo 5: 13). Al mezclarse la sal con las aguas contaminadas del manantial, las purificó y puso vida y bendición donde antes había habido maldición y muerte. Cuando Dios compara sus hijos con la sal, quiere enseñarles que su propósito al hacerlos súbditos de su gracia es que lleguen a ser agentes para salvar a otros. El fin que perseguía Dios al escoger un pueblo delante de todo el mundo no era tan sólo adoptarlo como sus hijos y sus hijas, sino para que por su medio el mundo pudiese recibir la gracia que imparte salvación. Cuando el Señor eligió a Abrahán, no fue simplemente para que fuese su amigo especial, sino que había de transmitir los privilegios especiales que el Señor deseaba otorgar a las naciones.

El mundo necesita ver evidencias de cristianismo sincero. El veneno del pecado está obrando en el corazón de la sociedad. Ciudades y pueblos están sumidos en el pecado y la corrupción moral. El mundo rebosa de enfermedades, sufrimientos e iniquidad. Cerca y lejos hay almas en pobreza y angustia, agobiadas por un sentimiento de culpabilidad, que perecen por falta de una influencia salvadora. El Evangelio de verdad les es presentado, y sin embargo perecen, debido a que el ejemplo de aquellos que debieran ser un sabor de vida es un sabor de muerte. Sus almas beben amargura, porque las fuentes están envenenadas cuando debieran ser como un pozo de agua que brotase para vida eterna.

La sal debe mezclarse con la sustancia a la cual se añade; debe compenetrarla para conservarla. Así también es por el trato personal cómo los hombres son alcanzados por el poder salvador del Evangelio. No se salvan como muchedumbres, sino individualmente. La influencia personal es un poder. Debe obrar con la influencia de Cristo, elevar donde Cristo eleva, impartir los principios correctos y detener el progreso de la corrupción del mundo. Debe difundir la gracia que únicamente Cristo puede impartir. Debe elevar y endulzar la vida y el carácter de los demás por el poder de un ejemplo puro unido con una fe y un amor fervientes.

Acerca del manantial hasta entonces contaminado que había en Jericó, el Señor declaró: "Yo sané estas aguas, y no

habrá más en ellas muerte ni enfermedad". El arroyo contaminado representa el alma que está separada de Dios. El pecado no solamente nos separa de Dios, sino que destruye en el alma humana tanto el deseo como la capacidad de conocerle. Por medio del pecado queda desordenado todo el organismo humano, la mente se pervierte, la imaginación se corrompe; las facultades del alma se degradan. Hay en el corazón ausencia de religión pura y santidad. El poder regenerador de Dios no ha obrado para transformar el carácter. El alma queda débil, y por falta de fuerza moral para vencer, se contamina y se degrada.

Para el corazón que llega a purificarse, todo cambia. La transformación del carácter es para el mundo el testimonio de que Cristo mora en el creyente. Al sujetar los pensamientos y deseos a la voluntad de Cristo, el Espíritu de Dios produce nueva vida en el hombre y el hombre interior queda renovado a la imagen de Dios. Hombres y mujeres débiles y errantes demuestran al mundo que el poder redentor de la gracia puede desarrollar el carácter deficiente en forma simétrica, para hacerle llevar abundantes frutos.

El corazón que recibe la palabra de Dios no es un estanque que se evapora ni es una cisterna rota que pierde su tesoro. Es como el arroyo de las montañas, alimentado por manantiales inagotables, cuyas aguas frescas y chispeantes saltan de roca en roca, refrigerando a los cansados, sedientos y cargados. Es como un río que fluye constantemente, y a medida que avanza se va haciendo más hondo y más ancho, hasta que sus aguas vivificantes se extienden por toda la tierra. El arroyo que prosigue su curso cantando, deja detrás de sí sus beneficios de verdor y copiosos frutos. La hierba de sus orillas es de un verde más fresco; los árboles son más frondosos y las flores más abundantes. Mientras la tierra se desnuda y se oscurece bajo el calor que la afecta durante el verano, el curso del río es una cinta de verdor en el panorama.

Así también sucede con el verdadero hijo de Dios. La religión de Cristo se revela como principio vivificante, como una energía espiritual viva y activa que lo compenetra todo. Cuando el corazón se abre a la influencia celestial de la verdad y del amor, estos principios vuelven a fluir como arroyos en el desierto, y hacen fructificar lo que antes parecía árido y sin vida.

Mientras los que han sido purificados y santificados por un conocimiento de la verdad bíblica se dediquen cordialmente a la obra de salvar almas, llegarán a ser un sabor de vida para vida. Y mientras beban diariamente de la fuente inagotable de la gracia y el conocimiento, encontrarán que su propio corazón llega a rebosar del Espíritu de su Maestro, y que por su abnegado ministerio muchos son beneficiados física, mental y espiritualmente. Los cansados quedan refrigerados, los enfermos recobran la salud, y encuentran alivio los que estaban cargados de pecado. Aun en países lejanos brotan palabras de agradecimiento de los labios de aquellos cuyos corazones fueron desviados del servicio del pecado a la justicia.

"Dad, y se os dará" (S. Lucas 6: 38); porque la Palabra de Dios es "fuente de huertos, pozo de aguas vivas, que corren del Líbano" (Cantares 4: 15).

CAPITULO 19

Este capítulo está basado en 2 Reyes 4.

Un Profeta de Paz

LA OBRA de Eliseo como profeta fue en algunos respectos muy diferente de lo que había sido la de Elías. A éste fueron confiados mensajes de condenación y juicio; su voz expresó reprensiones intrépidas e invitó al rey y al pueblo a apartarse de sus malos caminos. Eliseo tuvo una misión más pacífica; le tocó fortalecer la obra que Elías había empezado y enseñar al pueblo el camino del Señor. La Inspiración nos lo describe como hombre que tenía trato personal con el pueblo y que, rodeado por los hijos de los profetas, impartía curación y regocijo por sus milagros y su ministerio.

Eliseo era hombre de espíritu benigno y bondadoso; pero también podía ser severo, como lo demostró su conducta cuando en camino a Bet-el, se burlaron de él los jóvenes impíos que habían salido de la ciudad. Ellos habían oído hablar de la ascensión de Elías, e hicieron de este acontecimiento solemne un motivo de burlas, diciendo a Eliseo: "¡Calvo, sube! ¡calvo, sube!" Al oír sus palabras de burla el

Cuando los impíos jóvenes se burlaron de Eliseo, "salieron dos osos del monte, y despedazaron... a cuarenta y dos" de ellos.

profeta se dio vuelta, y bajo la inspiración del Todopoderoso pronunció una maldición sobre ellos. El espantoso castigo que siguió provino de Dios. "Y salieron dos osos del monte, y despedazaron de ellos a cuarenta y dos muchachos" (2 Reyes 2: 23, 24).

Si Eliseo hubiese pasado por alto las burlas, la turba habría continuado ridiculizándole, y en un tiempo de grave peligro nacional podría haber contrarrestado su misión destinada a instruir y salvar. Este único caso de terrible severidad bastó para imponer respeto durante toda su vida. Durante cincuenta años entró y salió por la puerta de Bet-el, para recorrer la tierra de ciudad en ciudad y pasar por entre muchedumbres de jóvenes ociosos, rudos y disolutos; pero nadie se burló de él ni de sus cualidades como profeta del Altísimo.

Aun la bondad debe tener sus límites. La autoridad debe mantenerse por una severidad firme, o muchos la recibirán con burla y desprecio. La así llamada ternura, los halagos y la indulgencia que manifiestan hacia los jóvenes los padres y tutores, es uno de los peores males que les puedan acontecer. En toda familia, la firmeza y la decisión son requerimientos positivos esenciales.

La reverencia, de la cual carecían los jóvenes que se burlaron de Eliseo, es una gracia que debe cultivarse con cuidado. A todo niño se le debe enseñar a manifestar verdadera reverencia hacia Dios. Nunca debe pronunciarse su nombre con liviandad o irreflexivamente. Los ángeles se velan el rostro cuando lo pronuncian. ¡Con qué reverencia debiéramos nombrarlo con nuestros labios, nosotros que somos seres caídos y pecaminosos!

Debe manifestarse reverencia hacia los representantes de Dios: los ministros, maestros y padres que son llamados a hablar y actuar en su lugar. El respeto que se les demuestre honra a Dios.

También la cortesía es una de las gracias del Espíritu, y debe ser cultivada por todos. Tiene el poder de subyugar las naturalezas que sin ella se endurecerían. Los que profesan seguir a Cristo, y son al mismo tiempo toscos, duros y descorteses, no han aprendido de Jesús. Tal vez no se pueda dudar de su sinceridad ni de su integridad; pero la sinceridad e integridad no expiarán la falta de bondad y cortesía.

El espíritu bondadoso que permitió a Eliseo ejercer una influencia poderosa sobre la vida de muchos en Israel queda revelado en la historia de sus relaciones amistosas con una familia que moraba en Sunem. Mientras viajaba de un lado a otro del reino, "aconteció también que un día pasaba Eliseo por Sunem; y había allí una mujer importante, que le invitaba insistentemente a que comiese; y cuando él pasaba por allí, venía a la casa de ella a comer". La dueña de la casa percibió que Eliseo era "varón santo de Dios", y dijo a su esposo: "Yo te ruego que hagamos un pequeño aposento de paredes, y pongamos allí cama, mesa, silla y candelero, para que cuando él viniere a nosotros, se quede en él". Eliseo acudía a menudo a este retiro, agradecido por la tranquila paz que le ofrecía. Y Dios no pasó por alto la bondad de la mujer. No había niños en su hogar; y el Señor recompensó su hospitalidad con el don de un hijo.

Transcurrieron los años, y el niño llegó a tener bastante edad para salir al campo con los segadores. Un día fue derribado por el calor "y dijo a su padre: ¡Ay, mi cabeza, mi cabeza!" El padre ordenó a uno de los criados que llevase el niño a su madre. "Y habiéndole él tomado, y traído a su madre, estuvo sentado en sus rodillas hasta el mediodía, y murió. Ella entonces subió, y lo puso sobre la cama del varón de Dios, y cerrando la puerta, se salió".

En su angustia, la sunamita resolvió ir a solicitar la ayuda de Eliseo. El profeta estaba entonces en el monte Carmelo; y la mujer partió inmediatamente acompañada de su criado. "Y cuando el varón de Dios la vio de lejos, dijo a su criado Giezi: He aquí la sunamita. Te ruego que vayas ahora corriendo a recibirla, y le digas: ¿Te va bien a ti? ¿Le va bien a tu marido, y a tu hijo?" El criado hizo como se le había ordenado, pero la afligida madre no reveló la causa de su tristeza antes de llegar adonde estaba Eliseo. Al oír de su pérdida, Eliseo ordenó a Giezi: "Ciñe tus lomos, y toma mi báculo en tu mano, y ve; si alguno te encontrare, no lo saludes, y si alguno te saludare, no le respondas; y pondrás mi báculo sobre el rostro del niño".

Pero la madre no se quedó conforme hasta que Eliseo la acompañó. Declaró: "Vive Jehová, y vive tu alma, que no te dejaré. El entonces se levantó y la siguió. Y Giezi había ido delante de ellos, y había puesto el báculo sobre el rostro del niño; pero no tenía voz ni sentido, y así se había vuelto para encontrar a Eliseo, y se lo declaró, diciendo: El niño no despierta".

Cuando llegaron a la casa, Eliseo entró al aposento donde estaba el niño muerto, "cerró la puerta tras ambos, y oró a Jehová. Después subió y se tendió sobre el niño, poniendo su boca contra la boca de él, y sus ojos sobre sus ojos, y sus manos sobre las manos suyas; así se tendió sobre él, y el cuerpo del niño entró en calor. Volviéndose luego, se paseó por la casa a una y otra parte, y después subió, y se tendió sobre él nuevamente y el niño estornudó siete veces, y abrió sus ojos".

Llamando a Giezi, Eliseo le pidió que le mandase la madre. "Y entrando ella, él le dijo: Toma tu hijo. Y así que ella entró, se echó a sus pies, y se inclinó a tierra; y después tomó a su hijo, y salió".

Así fue recompensada la fe de esta mujer. Cristo, el gran Dador de la vida le devolvió a su hijo. Así también serán recompensados sus fieles cuando, en ocasión de su venida, la muerte pierda su aguijón, y el sepulcro sea despojado de su victoria. Entonces devolverá el Señor a sus siervos los hijos que les fueron arrebatados por la muerte. "Así ha dicho Jehová: Voz fue oída en Ramá, llanto y lloro amargo; Raquel que lamenta por sus hijos, y no quiso ser consolada acerca de sus hijos, porque perecieron. Así ha dicho Jehová: Reprime del llanto tu voz, y de las lágrimas tus ojos; porque salario hay para tu trabajo,... y volverán de la tierra del enemigo. Esperanza hay también para tu porvenir, dice Jehová, y los hijos volverán a su propia tierra" (Jeremías 31: 15-17).

Con un mensaje de esperanza infinita Jesús consuela nuestro pesar por los que fallecieron: "De la mano del Seol los redimiré, los libraré de la muerte. Oh muerte, yo seré tu muerte; y seré tu destrucción, oh Seol" (Oseas 13: 14). "Y el que vivo, y estuve muerto; mas he aquí que vivo por los siglos de los siglos, ... y tengo las llaves de la muerte y del Hades" (Apocalipsis 1: 18). "Porque el Señor mismo con voz de mando, con voz de arcángel, y con trompeta de

Dios, descenderá del cielo; y los muertos en Cristo resucitarán primero. Luego nosotros los que vivimos, los que hayamos quedado, seremos arrebatados juntamente con ellos en las nubes para recibir al Señor en el aire, y así estaremos siempre con el Señor" (1 Tesalonicenses 4: 16, 17).

Como el Salvador de la humanidad, al cual simbolizaba, Eliseo combinaba en su ministerio entre los hombres la obra de curación con la de la enseñanza. Con fidelidad e incansablemente, durante todas sus largas y eficaces labores, Eliseo se esforzó por hacer progresar la importante obra educativa que realizaban las escuelas de los profetas. En la providencia de Dios, sus palabras de instrucción a los fervorosos grupos de jóvenes allí congregados eran confirmadas por las profundas instancias del Espíritu Santo, y a veces por otras inequívocas evidencias de su autoridad como siervo de Jehová.

Fue en ocasión de una de sus visitas a la escuela establecida en Gilgal cuando saneó una comida envenenada. "Había una grande hambre en la tierra. Y los hijos de los profetas estaban con él, por lo que dijo a su criado: Pon una olla grande, y haz potaje para los hijos de los profetas. Y salió uno al campo a recoger hierbas, y halló una como parra montés, y de ella llenó su falda de calabazas silvestres; y volvió, y las cortó en la olla del potaje, pues no sabía lo que era. Después sirvió para que comieran los hombres; pero sucedió que comiendo ellos de aquel guisado, gritaron diciendo: ¡Varón de Dios, hay muerte en esa olla! Y no lo pudieron comer. El entonces dijo: Traed harina. Y la esparció en la olla, y dijo: Da de comer a la gente. Y no hubo más mal en la olla".

Eliseo invitó a la mujer sunamita a entrar en su aposento, y ella se alegró mucho cuando vio a su hijo vivo, y dio gracias a Dios.

Fue también en Gilgal, mientras seguía habiendo escasez en la tierra, donde Eliseo alimentó a cien hombres con el presente que le trajo "un hombre de Baal-salisa,... panes de primicias, veinte panes de cebada, y trigo nuevo en su espiga". Había allí personas muy necesitadas de alimento. Cuando llegó la ofrenda, el profeta dijo a su siervo: "Da a la gente para que coma. Y respondió su sirviente: ¿Cómo pondré esto delante de cien hombres? Pero él volvió a decir: Da a la gente para que coma, porque así ha dicho Jehová: Comerán, y sobrará. Entonces lo puso delante de ellos, y comieron, y les sobró, conforme a la palabra de Jehová".

¡Cuánta condescendencia manifestó Cristo, mediante su mensajero, al realizar este milagro para satisfacer el hambre! Repetidas veces desde entonces, aunque no siempre en forma tan notable y perceptible, ha obrado el Señor Jesús para suplir las necesidades humanas. Si tuviésemos un discernimiento espiritual más claro, reconoceríamos con más facilidad el trato compasivo de Dios con los hijos de los hombres.

La gracia de Dios derramada sobre una porción pequeña es lo que la hace bastar para todos. La mano de Dios puede multiplicarla cien veces. Con sus recursos, puede extender una mesa en el desierto. Por el toque de su mano, puede aumentar las provisiones escasas y hacerlas bastar para todos. Fue su poder lo que multiplicó los panes y el cereal en las manos de los hijos de los profetas.

Durante el ministerio terrenal de Cristo, cuando hizo un milagro similar para alimentar las multitudes, se manifestó la misma incredulidad que habían revelado antiguamente los que estaban asociados con el profeta. Dijo el siervo de Eliseo: "¿Cómo pondré esto delante de cien hombres?" Y cuando Cristo ordenó a sus discípulos que diesen de comer a la multitud, contestaron: "No tenemos más que cinco panes y dos pescados, a no ser que vayamos nosotros a comprar alimentos para toda esta multitud" (S. Lucas 9: 13). ¿Qué significa esto para tantos?

La lección es para los hijos de Dios de toda época. Cuando el Señor da a los hombres una obra que hacer, ellos no deben detenerse a preguntar si la orden es razonable ni cuál será el resultado probable de sus esfuerzos por obedecer. La provisión que tienen en sus manos puede parecer poca para suplir la necesidad; pero en las manos del Señor resultará más que suficiente. El siervo "lo puso delante de ellos, y comieron, y les sobró, conforme a la palabra de Jehová".

Lo que mucho necesita la iglesia hoy es un sentido más pleno de la relación que sostiene Dios con aquellos a quienes compró con el don de su Hijo, y más fe en el progreso de su causa en la tierra. Nadie pierda tiempo deplorando la escasez de sus recursos visibles. Las apariencias externas pueden ser desalentadoras; pero la energía y la confianza en Dios desarrollarán recursos. El presente que se le ofrece con agradecimiento y con oración para que lo bendiga, lo multiplicará él como multiplicó la comida para los hijos de los profetas y para la cansada multitud.

CAPITULO 20

Este capítulo está basado en 2 Reyes 5.

Naamán

"NAAMAN, general del ejército del rey de Siria, era varón grande delante de su señor, y lo tenía en alta estima, porque por medio de él había dado Jehová salvación a Siria. Era este hombre valeroso en extremo, pero leproso".

Ben-adad, rey de Siria, había derrotado los ejércitos de Israel en la batalla que resultó en la muerte de Acab. Desde entonces, los sirios habían sostenido con Israel una guerra constante en las fronteras; y en una de sus incursiones se habían llevado a una niña, a la cual le tocó, en la tierra de su cautiverio, servir "a la mujer de Naamán". Aunque esclava, y muy lejos de su hogar, esa niña fue uno de los testigos de Dios, y cumplió inconscientemente el propósito para el cual Dios había escogido a Israel como su pueblo. Mientras servía en aquel hogar pagano, sintió lástima de su amo; y recordando los admirables milagros de curación realizados por intermedio de Eliseo, dijo a su señora: "Si rogase mi señor al profeta que está en Samaria, él lo sanaría de su

La niña cautiva israelita vio la tristeza de su ama, la señora de Naamán, y entonces le habló de los milagros del profeta Eliseo.

lepra". Sabía que el poder del cielo acompañaba a Eliseo, y creía que Naamán podría ser curado por dicho poder.

La conducta de la niña cautiva en aquel hogar pagano constituye un testimonio categórico del poder que tiene la primera educación recibida en el hogar. No hay cometido mayor que el que ha sido confiado a los padres en lo que se refiere al cuidado y la educación de sus hijos. Los padres echan los fundamentos mismos de los hábitos y del carácter. Su ejemplo y enseñanza son lo que decide mayormente la vida futura de sus hijos.

Felices son los padres cuya vida constituye un reflejo tan fiel de lo divino, que las promesas y las órdenes de Dios despiertan en el niño gratitud y reverencia; los padres cuya ternura, justicia y longanimidad interpretan para el niño el amor, la justicia y la longanimidad de Dios; los padres que, al enseñar al niño a amarlos, confiar en ellos y obedecerles, le enseñan a amar a su Padre celestial, a confiar en él y a obedecerle. Los padres que imparten al niño un don tal le dotan de un tesoro más precioso que las riquezas de todos los siglos, un tesoro tan perdurable como la eternidad.

No sabemos en qué ramo de actividad serán llamados a servir nuestros hijos. Pasarán tal vez su vida dentro del círculo familiar; se dedicarán quizá a las vocaciones comunes de la vida, o irán a enseñar el Evangelio en las tierras paganas. Pero todos por igual son llamados a ser misioneros para Dios, dispensadores de misericordia para el mundo. Han de obtener una educación que les ayudará a mantenerse de parte de Cristo para servirle con abnegación.

Mientras los padres de aquella niña hebrea le enseñaban acerca de Dios, no sabían cuál sería su destino. Pero fueron fieles a su cometido; y en la casa del capitán del ejército sirio, su hija testificó por el Dios a quien había aprendido a honrar.

Naamán supo de las palabras que había dicho la niña a su esposa; y después de obtener el permiso del rey se fue en busca de curación, "llevando consigo diez talentos de plata, y seis mil piezas de oro, y diez mudas de vestidos". También llevó una carta que el rey de Siria había dirigido al rey de Israel, en la cual le decía: "Yo envío a ti mi siervo Naamán, para que lo sanes de su lepra". Cuando el rey de Israel leyó la carta, "rasgó sus vestidos, y dijo: ¿Soy yo Dios, que mate y dé vida, para que éste envíe a mí a que sane un hombre de su lepra? Considerad ahora, y ved cómo busca ocasión contra mí".

Llegaron nuevas del asunto a Eliseo, quien mandó este aviso al rey: "¿Por qué has rasgado tus vestidos? Venga ahora a mí, y sabrá que hay profeta en Israel.

"Y vino Naamán con sus caballos y con su carro, y se paró a las puertas de la casa de Eliseo". Por un mensajero el profeta le comunicó: "Ve y lávate siete veces en el Jordán, y tu carne se te restaurará, y serás limpio".

Naamán había esperado que vería alguna maravillosa manifestación de poder del cielo. Dijo: "He aquí yo decía para mí: Saldrá él luego, y estando en pie invocará el nombre de Jehová su Dios, y alzará su mano y tocará el lugar, y sanará la lepra". Cuando se le dijo que se lavase en el Jordán, su orgullo quedó herido, y mortificado exclamó: "Abana y Farfar, ríos de Damasco, ¿no son mejores que todas las aguas de Israel? Si me lavare en ellos, ¿no seré también limpio? Y se volvió, y se fue enojado".

El espíritu orgulloso de Naamán se rebelaba contra la idea de hacer lo ordenado por Eliseo. Los ríos mencionados por el capitán sirio tenían en sus orillas hermosos vergeles, y mucha gente acudía a las orillas de esas corrientes agradables para adorar a sus ídolos. No habría representado para el alma de Naamán una gran humillación descender a uno de esos ríos; pero podía hallar sanidad tan sólo si seguía las indicaciones específicas del profeta. Unicamente la obediencia voluntaria podía darle el resultado deseado.

Los siervos de Naamán le rogaron que cumpliese las instrucciones de Eliseo. Le dijeron: "Si el profeta te mandara alguna gran cosa, ¿no la harías? ¿Cuánto más, diciéndote: Lávate, y serás limpio?" Se estaba probando la fe de Naamán, mientras que su orgullo luchaba por imponerse. Por fin venció la fe, y el altanero sirio dejó de lado el orgullo de su corazón, y se sometió a la voluntad revelada de Jehová. Siete veces se sumergió en el Jordán, "conforme a la palabra del varón de Dios". El Señor honró su fe; "y su carne se volvió como la carne de un niño, y quedó limpio".

Agradecido "volvió al varón de Dios, él y toda su compañía", y reconoció: "He aquí ahora conozco que no hay Dios en toda la tierra, sino en Israel".

De acuerdo con la costumbre de aquellos tiempos, Naamán pidió entonces a Eliseo que aceptase un regalo costoso. Pero el profeta rehusó. No le tocaba a él recibir pago por una bendición que Dios había concedido misericordiosamente. Dijo: "Vive Jehová, en cuya presencia estoy, que no lo aceptaré. Y le instaba que aceptara alguna cosa, pero él no quiso.

"Entonces Naamán dijo: Te ruego, pues, ¿de esta tierra

Naamán se negó al principio a obedecer la orden de Eliseo de sumergirse en el Jordán; pero finalmente lo hizo, y fue sanado.

no se dará a tu siervo la carga de un par de mulas? Porque de aquí en adelante tu siervo no sacrificará holocausto ni ofrecerá sacrificio a otros dioses, sino a Jehová. En esto perdone Jehová a tu siervo: que cuando mi señor el rey entrare en el templo de Rimón para adorar en él, y se apoyare sobre mi brazo, si yo también me inclinare en el templo de Rimón; cuando haga tal, Jehová perdone en esto a tu siervo.

"Y él le dijo: Ve en paz. Se fue, pues, y caminó como media legua de tierra".

Con el transcurso de los años, el siervo de Eliseo, Giezi, había tenido oportunidad de desarrollar el mismo espíritu de abnegación que caracterizaba la obra de su amo. Había tenido el privilegio de llegar a ser noble portaestandarte en el ejército del Señor. Durante mucho tiempo habían estado a su alcance los mejores dones del cielo; y sin embargo, apartándose de ellos, había codiciado en su lugar el vil metal de las riquezas mundanales. Y ahora los anhelos ocultos de su espíritu avariento le indujeron a ceder a la tentación abrumadora. Razonó: "He aquí mi señor estorbó a este sirio Naamán, no tomando de su mano las cosas que había traído... Correré yo tras él y tomaré de él alguna cosa". Y así fue como en secreto "siguió Giezi a Naamán".

"Y cuando vio Naamán que venía corriendo tras él, se bajó del carro para recibirle, y dijo: ¿Va todo bien?" Entonces Giezi mintió deliberadamente. Dijo: "Mi señor me envía a decirte: He aquí vinieron a mí en esta hora del monte de Efraín dos jóvenes de los hijos de los profetas; te ruego que les des un talento de plata, y dos vestidos nuevos". Gustosamente Naamán accedió a dar lo pedido, insistiendo en que Giezi recibiese dos talentos de plata en vez de uno, "y dos vestidos nuevos", y envió a sus siervos para que transportasen ese tesoro.

Al acercarse a la casa de Eliseo, Giezi despidió a los criados y ocultó la plata y las prendas de ropa. Hecho esto, "entró, y se puso delante de su señor"; y para evitar una censura pronunció una segunda mentira. En respuesta a la pregunta del profeta: "¿De dónde vienes?", Giezi contestó: "Tu siervo no ha ido a ninguna parte".

La denuncia severa que oyó entonces demostró que Eliseo lo sabía todo. Preguntó: "¿No estaba también allí mi corazón, cuando el hombre volvió de su carro a recibirte? ¿Es tiempo de tomar plata, y de tomar vestidos, olivares, viñas, ovejas, bueyes, siervos y siervas? Por tanto, la lepra de Naamán se te pegará a ti y a tu descendencia para siempre". La retribución alcanzó prestamente al culpable. Salió de la presencia de Eliseo "leproso, blanco como la nieve".

Solemnes son las lecciones que enseña lo experimentado por un hombre a quien habían sido concedidos altos y santos privilegios. La conducta de Giezi fue tal que podía resultar en piedra de tropiezo para Naamán, sobre cuyo espíritu había resplandecido una luz admirable, y se hallaba favorablemente dispuesto para servir al Dios viviente. El engaño practicado por Giezi no tenía excusa. Hasta el día de su muerte permaneció leproso, maldito de Dios y rehuido por sus semejantes.

"El testigo falso no quedará sin castigo, y el que habla mentiras no escapará" (Proverbios 19: 5). Los hombres pueden pensar que ocultarán sus malas acciones a los ojos humanos; pero Dios reveló al profeta las palabras que su siervo había dirigido a Naamán, así como cada detalle de la escena transcurrida entre los dos hombres.

La verdad es de Dios; el engaño en sus miles de formas deriva de Satanás; y quienquiera que se desvíe de la línea recta de la verdad, se entrega al poder del maligno. Los que han aprendido de Cristo seguirán el consejo del apóstol: "No participéis en las obras infructuosas de las tinieblas" (Efesios 5: 11). Tanto en sus palabras como en su vida, serán sencillos, sinceros y veraces; porque se están preparando para alternar con los santos en cuyas "bocas no fue hallada mentira" (Apocalipsis 14: 5).

Siglos después que Naamán regresara a su hogar en Siria, con el cuerpo curado y el espíritu convertido, su fe admirable fue mencionada y elogiada por el Salvador como lección objetiva para todos los que dicen servir a Dios. Declaró el Salvador: "Y muchos leprosos había en Israel en tiempo del profeta Eliseo; pero ninguno de ellos fue limpiado, sino Naamán el sirio" (S. Lucas 4: 27). Dios pasó por alto a los muchos leprosos que había en Israel, porque su incredulidad les cerraba la puerta del bien. Un noble pagano que había sido fiel a sus convicciones relativas a la justicia, y sentía su necesidad de ayuda, fue a los ojos de Dios más digno de su bendición que los afligidos de Israel, que habían despreciado los privilegios que Dios les había dado. Dios obra en favor de aquellos que aprecian sus favores y responden a la luz que les ha dado el cielo.

En todos los países hay ahora personas sinceras de corazón, sobre las cuales brilla la luz del cielo. Si perseveran con fidelidad en lo que comprenden como deber suyo, recibirán más luz, hasta que, como Naamán antiguamente, se vean constreñidas a reconocer que "no hay Dios en toda la tierra", excepto el Dios vivo, el Creador.

A toda alma sincera "que anda en tinieblas y carece de luz", se da la invitación: "Confíe en el nombre de Jehová, y apóyese en su Dios... Ni nunca oyeron, ni oídos percibieron, ni ojo ha visto a Dios fuera de ti, que hiciese por el que en él espera. Saliste al encuentro del que con alegría hacía justicia, de los que se acordaban de ti en tus caminos" (Isaías 50: 10; 64: 4, 5).

CAPITULO 21

Termina el Ministerio de Eliseo

ELISEO fue llamado al cargo profético mientras Acab reinaba todavía, y alcanzó a ver muchos cambios en el reino de Israel. Había caído un castigo tras otro sobre los israelitas durante el reinado de Hazael el sirio, quien fuera ungido como azote de la nación apóstata. Las severas medidas de reforma instituidas por Jehú habían resultado en la matanza de toda la casa de Acab. Joacaz, sucesor de Jehú, en sus guerras continuas con los sirios había perdido algunas de las ciudades situadas al este del Jordán. Durante un tiempo pareció que los sirios podrían llegar a dominar todo el reino. Pero la reforma iniciada por Elías, y continuada por Eliseo, había inducido a muchos a inquirir acerca del Señor. Se estaban abandonando los altares de Baal, y lenta pero seguramente el propósito de Dios se estaba cumpliendo en la vida de aquellos que decidían servirle de todo corazón.

A su amor hacia el errante Israel se debía que Dios per-

El ejército sirio acampó alrededor de la ciudad con la intención de capturar a Eliseo; pero no podían ver las huestes de ángeles que protegían al profeta.

mitiera a los sirios que lo azotaran. Debido a que se compadecía de aquellos cuyo poder moral era débil, suscitó a Jehú para matar a la impía Jezabel y a toda la casa de Acab. Nuevamente, y gracias a una providencia misericordiosa, fueron puestos a un lado los sacerdotes de Baal y Astarté, y derribados sus altares. En su sabiduría Dios previó que si se eliminaba la tentación, algunos abandonarían el paganismo y se volverían hacia él; y por esta razón permitió que les aconteciese una calamidad tras otra. Sus juicios fueron atemperados con misericordia; y cuando se hubo logrado su propósito, volvió la marea en favor de aquellos que habían aprendido a inquirir por él.

Mientras las influencias del bien contendían con las del mal para obtener el predominio, y Satanás hacía cuanto estaba en su poder para completar la ruina iniciada durante el reinado de Acab y Jezabel, Eliseo siguió dando su testimonio. Encontró oposición, aunque nadie podía contradecir sus palabras. Se le honraba y veneraba en todo el reino. Muchos acudían a pedirle consejo. Mientras vivía aún Jezabel, Joram, rey de Israel, solicitó ese consejo; y una vez, mientras estaba en Damasco, le visitaron mensajeros de Ben-adad, rey de Siria, quien deseaba saber si la enfermedad que padecía resultaría en su muerte. A todos daba el profeta un testimonio fiel en un tiempo cuando, por todos lados, se pervertía la verdad, y la gran mayoría del pueblo se hallaba en rebelión abierta contra el cielo.

Dios no abandonó nunca a su mensajero escogido. En una ocasión, durante una invasión siria, el rey de Siria procuró matar a Eliseo, porque éste exponía al rey de Israel los planes del enemigo. El rey sirio había comunicado a sus siervos: "En tal y tal lugar estará mi campamento". Este plan fue revelado por el Señor a Eliseo quien "envió a decir al rey de Israel: Mira que no pases por tal lugar, porque los sirios van allí. Entonces el rey de Israel envió a aquel lugar que el varón de Dios había dicho; y así lo hizo una y otra vez con el fin de cuidarse.

"Y el corazón del rey de Siria se turbó por esto; y llamando a sus siervos, les dijo: ¿No me declararéis vosotros quién de los nuestros es del rey de Israel? Entonces uno de los siervos dijo: No, rey señor mío, sino que el profeta Eliseo está en Israel, el cual declara al rey de Israel las palabras que tú hablas en tu cámara más secreta".

Resuelto a matar al profeta, el rey sirio ordenó: "Id, y mirad dónde está, para que yo envíe a prenderlo". El profeta se encontraba en Dotán; y, sabiéndolo, "envió el rey allá gente de a caballo, y carros, y un gran ejército, los cuales vinieron de noche, y sitiaron la ciudad. Y se levantó de mañana y salió el que servía al varón de Dios, y he aquí el ejército que tenía sitiada la ciudad, con gente de a caballo y carros".

Aterrorizado, el siervo comunicó las noticias a Eliseo diciendo: "¡Ah, señor mío! ¿qué haremos?"

Respondió el profeta: "No tengas miedo, porque más son los que están con nosotros que los que están con ellos". Y para que el siervo reconociese esto por su cuenta, "oró Eliseo, y dijo: Te ruego, oh Jehová, que abras sus ojos para que vea. Entonces Jehová abrió los ojos del criado, y miró; y he aquí que el monte estaba lleno de gente de a caballo, y de carros de fuego alrededor de Eliseo". Entre el siervo de Dios y las huestes de enemigos armados había un círculo protector de ángeles celestiales. Habían descendido con gran poder, no para destruir, ni para exigir homenaje, sino para rodear y servir a los débiles e indefensos siervos del Señor.

Cuando los hijos de Dios se encuentran en dificultades, y no hay medio alguno para escapar, deben confiar únicamente en el Señor.

Mientras la compañía de soldados sirios avanzaba audazmente, incapaz de ver las huestes del cielo, "oró Eliseo a Jehová, y dijo: Te ruego que hieras con ceguera a esta gente. Y los hirió con ceguera, conforme a la petición de Eliseo. Después les dijo Eliseo: No es este el camino, ni es esta la ciudad; seguidme, y yo os guiaré al hombre que buscáis. Y los guió a Samaria.

"Y cuando llegaron a Samaria, dijo Eliseo: Jehová, abre los ojos de éstos, para que vean. Y Jehová abrió sus ojos, y miraron, y se hallaban en medio de Samaria. Cuando el rey de Israel los hubo visto, dijo a Eliseo: ¿Los mataré, padre mío? El le respondió: No los mates. ¿Matarías tú a los que tomaste cautivos con tu espada y con tu arco? Pon delante de ellos pan y agua, para que coman y beban, y vuelvan a sus señores. Entonces se les preparó una gran comida; y cuando habían comido y bebido, los envió, y ellos se volvieron a su señor". (Véase 2 Reyes 6.)

Después de esto, Israel quedó libre por un tiempo de los ataques sirios. Pero más tarde, bajo la enérgica dirección de un rey resuelto, Hazael,* los ejércitos sirios rodearon a Samaria y la sitiaron. Nunca se había visto Israel en tal aprieto como durante este sitio. Los pecados de los padres eran de veras castigados en los hijos y los nietos. Los horrores del hambre prolongada impulsaban al rey de Israel a tomar medidas desesperadas, cuando Eliseo predijo la liberación para el día siguiente.

Cuando estaba por amanecer la mañana siguiente, el Señor hizo "que en el campamento de los sirios se oyese estruendo de carros, ruido de caballos, y estrépito de gran ejército"; y ellos, dominados por el miedo, "se levantaron y huyeron al anochecer, abandonando sus tiendas, sus caballos, sus asnos, y el campamento como estaba", con abundantes abastecimientos de comida. "Habían huido para salvar sus vidas", sin parar hasta haber cruzado el Jordán.

Durante la noche de la huida, cuatro leprosos que solían estar a la puerta de la ciudad, desesperados de hambre, se habían propuesto visitar el campo sirio y entregarse a la misericordia de los sitiadores, con la esperanza de despertar su simpatía y obtener comida. ¡Cuál no fue su asombro cuando, al entrar en el campamento, encontraron que "no había allí nadie"! No habiendo quien los molestase o se lo prohibiese, "entraron en una tienda y comieron y bebieron, y tomaron de allí plata y oro y vestidos, y fueron y lo escondieron; y vueltos, entraron en otra tienda, y de allí también tomaron, y fueron y lo escondieron. Luego se dijeron el uno al otro: No estamos haciendo bien. Hoy es día de buena nueva, y nosotros callamos". Volvieron prestamente a la ciudad para comunicar las gratas nuevas.

Grandes fueron los despojos; y tanto abundaron los abastecimientos que en aquel día "fue vendido un seah de flor de harina por un siclo, y dos seahs de cebada por un siclo", según lo había predicho Eliseo el día anterior. Una vez más el nombre de Dios fue ensalzado ante los paganos, "conforme a la palabra de Jehová" comunicada por su profeta en Israel. (Véase 2 Reyes 7: 5-16.)

Así continuó trabajando el varón de Dios año tras año, manteniéndose cerca del pueblo mientras le servía fielmente, y al lado del rey como sabio consejero en tiempo de crisis. Los largos años de apostasía idólatra de parte de gobernantes y pueblo habían producido su funesto resultado. Por doquiera se veía la oscura sombra de la apostasía, y sin embargo aquí y allí había quienes se habían negado firmemente a doblar la rodilla ante Baal. Mientras Eliseo continuaba su obra de reforma, muchos fueron rescatados del paganismo y aprendieron a regocijarse en el servicio del Dios verdadero. El profeta se sintió alentado por esos milagros de la gracia divina, e inspirado por un gran anhelo de alcanzar a los sinceros de corazón. Dondequiera que estaba, procuraba enseñar la justicia.

Desde un punto de vista humano, las perspectivas de regeneración espiritual de la nación eran tan desesperadas como las que tienen delante de sí hoy los siervos de Dios que trabajan en los lugares oscuros de la tierra. Pero la iglesia de Cristo es el instrumento de Dios para proclamar la verdad; él la ha dotado de poder para que realice una obra especial; y si ella es leal a Dios y obedece sus mandamientos, morará en su seno la excelencia del poder divino. Si permanece fiel, no habrá poder que la resista. Las fuerzas del enemigo no serán más capaces de vencerla que lo es el tamo para resistir el torbellino.

Aguarda a la iglesia el amanecer de un día glorioso, con tal que ella esté dispuesta a vestirse del manto de la justicia de Cristo y negarse a obedecer al mundo.

Dios invita a sus fieles, a los que creen en él, a que hablen con valor a los que no creen ni tienen esperanza. Volveos al Señor, vosotros los prisioneros de esperanza. Buscad fuerza de Dios, del Dios viviente. Manifestad una fe inquebrantable y humilde en su poder y en su buena voluntad para salvar. Cuando con fe echemos mano de su fuerza, él cambiará asombrosamente la perspectiva más desesperada y desalentadora. Lo hará para gloria de su nombre.

Mientras Eliseo pudo viajar de lugar en lugar por todo el reino de Israel, continuó interesándose activamente en el fortalecimiento de las escuelas de los profetas. Dondequiera que estuviese, Dios le acompañaba, inspirándole las palabras que debía hablar y dándole poder de realizar milagros. En cierta ocasión, los hijos de los profetas le dijeron: "He aquí, el lugar en que moramos contigo nos es estrecho. Vamos ahora al Jordán, y tomemos de allí cada uno una viga, y hagamos allí lugar en que habitemos" (2 Reyes 6: 1, 2). Eliseo fue con ellos hasta el Jordán, alentándolos con su presencia y dándoles instrucciones. Hasta realizó un milagro para ayudarles en su trabajo. "Aconteció que mientras uno derribaba un árbol, se le cayó el hacha en el agua; y gritó diciendo: ¡Ah, señor mío, era prestada! El varón de Dios preguntó: ¿Dónde cayó? Y él mostró el lugar. Entonces cortó él un palo, y lo echó allí; e hizo flotar el hierro. Y dijo: Tómalo. Y él extendió la mano, y lo tomó" (vers. 5-7).

Tan eficaz había sido su ministerio y tan amplia su influencia, que mientras estaba en su lecho de muerte, el mismo joven rey Joás**, idólatra que poco respetaba a Dios, reconoció en el profeta un padre en Israel, cuya presencia entre ellos era de más valor en tiempo de dificultad que la posesión de un ejército con caballos y carros. Dice el relato: "Estaba Eliseo enfermo de la enfermedad de que murió. Y descendió a él Joás rey de Israel, y llorando delante de él, dijo: ¡Padre mío, padre mío, carro de Israel y su gente de a caballo!" (2 Reyes 13: 14).

El profeta había desempeñado el papel de padre sabio y lleno de simpatía para con muchas almas que necesitaban ayuda. Y en este caso no rechazó al joven impío que estaba delante de él, por muy indigno que fuera del puesto de confianza que ocupaba, pues tenía gran necesidad de consejos. En su providencia, Dios ofrecía al rey una oportunidad de redimir los fracasos pasados y de colocar a su reino en posición ventajosa. El enemigo sirio, que ocupaba entonces el territorio situado al este del Jordán, debía ser repelido. Una vez más había de manifestarse el poder de Dios en favor del errante Israel.

El profeta moribundo dijo al rey: "Toma un arco y unas saetas". Joás obedeció. Entonces el profeta dijo: "Pon tu mano sobre el arco". Joás puso "su mano sobre el arco. Entonces puso Eliseo sus manos sobre las manos del rey, y dijo: Abre la ventana que da al oriente", hacia las ciudades de allende el Jordán en manos de los sirios. Habiendo abierto el rey la ventana, Eliseo le ordenó que disparase su saeta. Mientras esta hendía el aire, el profeta se sintió inspirado a decir: "Saeta de salvación de Jehová, y saeta de salvación contra Siria; porque herirás a los sirios en Afec hasta consumirlos".

El profeta probó entonces la fe del rey. Aconsejó a Joás que alzase sus saetas y le dijo: "Golpea la tierra". El rey hirió tres veces el suelo, y luego se detuvo. Eliseo exclamó angustiado: "Al dar cinco o seis golpes, hubieras derrotado

a Siria hasta no quedar ninguno; pero ahora sólo tres veces derrotarás a Siria" (vers. 15-19).

La lección es para todos los que ocupan puestos de confianza. Cuando Dios prepara el camino para la realización de cierta obra, y da seguridad de éxito, el instrumento escogido debe hacer cuanto está en su poder para obtener el resultado prometido. Se le dará éxito en proporción al entusiasmo y la perseverancia con que haga la obra. Dios puede realizar milagros para su pueblo tan sólo si éste desempeña su parte con energía incansable. Llama a su obra hombres de devoción y de valor moral, que sientan un amor ardiente por las almas y un celo inquebrantable. Los tales no hallarán ninguna tarea demasiado ardua, ninguna perspectiva demasiado desesperada; y seguirán trabajando valientemente hasta que la derrota aparente se trueque en gloriosa victoria. Ni siquiera las murallas de las cárceles ni la hoguera del mártir los desviarán de su propósito de trabajar juntamente con Dios para la edificación de su reino.

Con los consejos y el aliento que dio a Joás, terminó la obra de Eliseo. Aquel sobre quien había caído en plena medida el Espíritu que había reposado sobre Elías, se demostró fiel hasta el fin. Nunca había vacilado ni había perdido su confianza en el poder del Omnipotente. Siempre, cuando el camino que había delante de él parecía completamente cerrado, había avanzado sin embargo por fe, y Dios había honrado su confianza y le había abierto el camino.

No le tocó a Eliseo seguir a su maestro en un carro de fuego. Dios permitió que le aquejase una enfermedad prolongada. Durante las largas horas de debilidad y sufrimiento humanos, su fe se aferró a las promesas de Dios, y contemplaba constantemente en derredor suyo a los mensajeros celestiales de consuelo y paz. Así como en las alturas de Dotán se había visto rodeado por las huestes del cielo, con los carros y los jinetes de fuego de Israel, estaba ahora consciente de la presencia de los ángeles que simpatizaban con él; y esto lo sostenía. Durante toda su vida había ejercitado una fe fuerte; y mientras progresaba en el conocimiento de las providencias y la bondad misericordiosa del Señor, su fe había madurado en una confianza permanente en su Dios; y cuando la muerte lo llamó, estuvo listo para entrar a descansar de sus labores.

"Estimada es a los ojos de Jehová la muerte de sus santos" (Salmo 116: 15). "El justo en su muerte tiene esperanza" (Proverbios 14: 32). Con el salmista, Eliseo pudo decir con toda confianza: "Pero Dios redimirá mi vida del poder del Seol, porque él me tomará consigo" (Salmo 49: 15). Y con regocijo pudo testificar: "Yo sé que mi Redentor vive, y al fin se levantará sobre el polvo" (Job 19: 25). "Veré tu rostro en justicia; estaré satisfecho cuando despierte a tu semejanza" (Salmo 17: 15).

---

*Nieto quizá del Hazael que fue ungido como azote de Israel.

**No se confunda a Joás, rey de Judá (p. 216), con Joás, rey de Israel (p. 268).

John Steel

CAPITULO 22

"Nínive, Ciudad Grande en Extremo"

ENTRE las ciudades del mundo antiguo, mientras Israel estaba dividido, una de las mayores era Nínive, capital del reino asirio. Fundada en la orilla fértil del Tigris, poco después de la dispersión iniciada en la torre de Babel, había florecido a través de los siglos, hasta llegar a ser "ciudad grande en extremo, de tres días de camino" (Jonás 3: 3).

En el tiempo de su prosperidad temporal, Nínive era un centro de crímenes e impiedad. La inspiración la ha caracterizado como "ciudad sanguinaria, ... llena de mentira y de rapiña" (Nahúm 3: 1). En lenguaje figurado, el profeta Nahúm comparó a los ninivitas con un león cruel y devorador, al que preguntó: "¿Sobre quién no pasó continuamente tu maldad?" (vers. 19).

A pesar de lo impía que Nínive había llegado a ser, no estaba completamente entregada al mal. El que "vio a todos

Los marineros tomaron a Jonás y lo arrojaron al mar tempestuoso, y se lo tragó un gran pez preparado por Dios.

JOHN STEEL © PPPA

los hijos de los hombres" (Salmo 33: 13) y cuyos "ojos vieron todo lo preciado" (Job 28: 10), percibió que en aquella ciudad muchos procuraban algo mejor y superior, y que si se les concedía oportunidad de conocer al Dios viviente, renunciarían a sus malas acciones y le adorarían. De manera que en su sabiduría Dios se les reveló en forma inequívoca, para inducirlos, si era posible, a arrepentirse.

El instrumento escogido para esta obra fue el profeta Jonás, hijo de Amitai. El Señor le dijo: "Levántate y ve a Nínive, aquella gran ciudad, y pregona contra ella; porque ha subido su maldad delante de mí" (Jonás 1: 1, 2).

Mientras el profeta pensaba en las dificultades e imposibilidades aparentes de lo que se le había encargado, se sintió tentado a poner en duda la prudencia del llamamiento. Desde un punto de vista humano, parecía que nada pudiera ganarse proclamando un mensaje tal en aquella ciudad orgullosa. Se olvidó por el momento de que el Dios a quien servía era omnisciente y omnipotente. Mientras vacilaba y seguía dudando, Satanás le abrumó de desaliento. El profeta fue dominado por un gran temor, y "se levantó para huir de la presencia de Jehová a Tarsis". Fue a Jope, encontró allí una nave a punto de zarpar y "pagando su pasaje, entró en ella para irse con ellos" (vers. 3).

El encargo que había recibido imponía a Jonás una pesada responsabilidad; pero el que le había ordenado que fuese podía sostener a su siervo y concederle éxito. Si el profeta hubiese obedecido sin vacilación, se habría ahorrado muchas experiencias amargas, y habría recibido abundantes bendiciones. Sin embargo, el Señor no abandonó a Jonás en su hora de desesperación. Mediante una serie de pruebas y providencias extrañas debía revivir la confianza del profeta en Dios y en su poder infinito para salvar.

Si, cuando recibió el llamamiento, Jonás se hubiese detenido a considerarlo con calma, podría haber comprendido cuán insensato sería cualquier esfuerzo de su parte para escapar a la responsabilidad puesta sobre él. Pero no se le dejó continuar mucho tiempo en su huida insensata. "Pero Jehová hizo levantar un gran viento en el mar, y hubo en el mar una tempestad tan grande que se pensó que se partiría la nave. Y los marineros tuvieron miedo, y cada uno clamaba a su dios; y echaron al mar los enseres que había en la nave, para descargarla de ellos. Pero Jonás había bajado al interior de la nave, y se había echado a dormir" (vers. 4, 5).

Mientras los marineros solicitaban ayuda a sus dioses paganos, el patrón de la nave, sumamente angustiado, buscó a Jonás y dijo: "¿Qué tienes, dormilón? Levántate, y clama a tu Dios; quizá él tendrá compasión de nosotros, y no pereceremos" (vers. 6).

Pero las oraciones del hombre que se había apartado de la senda del deber no trajeron auxilio. Los marineros, inducidos a pensar que la extraña violencia de la tempestad era muestra de cuán airados estaban sus dioses, propusieron como último recurso que se echasen suertes "para que sepamos por causa de quién nos ha venido este mal. Y echaron suertes, y la suerte cayó sobre Jonás. Entonces le dijeron ellos: Decláranos ahora por qué nos ha venido este mal. ¿Qué oficio tienes, y de dónde vienes? ¿Cuál es tu tierra, y de qué pueblo eres?

"Y él les respondió: Soy hebreo, y temo a Jehová, Dios de los cielos, que hizo el mar y la tierra.

"Y aquellos hombres temieron sobremanera, y le dijeron: ¿Por qué has hecho esto? Porque ellos sabían que huía de la presencia de Jehová, pues él se lo había declarado.

"Y le dijeron: ¿Qué haremos contigo para que el mar se nos aquiete? Porque el mar se iba embraveciendo más y más. El les respondió: Tomadme y echadme al mar, y el mar se os aquietará; porque yo sé que por mi causa ha venido esta gran tempestad sobre vosotros.

"Y aquellos hombres trabajaron para hacer volver la nave a tierra; mas no pudieron, porque el mar se iba embraveciendo más y más contra ellos. Entonces clamaron a Jehová y dijeron: Te rogamos ahora, Jehová, que no perezcamos nosotros por la vida de este hombre, ni pongas sobre nosotros la sangre inocente; porque tú, Jehová, has hecho como has querido. Y tomaron a Jonás, y lo echaron al mar; y el mar se aquietó de su furor. Y temieron aquellos hombres a Jehová con gran temor, y ofrecieron sacrificio a Jehová, e hicieron votos.

"Pero Jehová tenía preparado un gran pez que tragase a Jonás; y estuvo Jonás en el vientre del pez tres días y tres noches.

"Entonces oró Jonás a Jehová su Dios desde el vientre del pez, y dijo:

"Invoqué en mi angustia a Jehová, y él me oyó;
desde el seno del Seol clamé,
y mi voz oíste.
Me echaste a lo profundo, en medio de los mares,
y me rodeó la corriente;
todas tus ondas y tus olas pasaron sobre mí.

Entonces dije: Desechado soy de delante de tus ojos;
mas aún veré tu santo templo.
Las aguas me rodearon hasta el alma,
rodeóme el abismo;
el alga se enredó a mi cabeza.
Descendí a los cimientos de los montes;
la tierra echó sus cerrojos sobre mí para siempre;
mas tú sacaste mi vida de la sepultura,
oh Jehová Dios mío.
Cuando mi alma desfallecía en mí,
me acordé de Jehová,
y mi oración llegó hasta ti en tu santo templo.
Los que siguen vanidades ilusorias,
su misericordia abandonan.
Mas yo con voz de alabanza te ofreceré sacrificios;
pagaré lo que prometí.
La salvación es de Jehová" (Jonás 1: 7-2: 9).

Por fin, Jonás había aprendido que "la salvación es de Jehová" (Salmo 3: 8). Al arrepentirse y al reconocer la gracia salvadora de Dios, obtuvo la liberación. Jonás fue librado de los peligros del profundo mar, y fue arrojado en tierra seca.

Una vez más se encargó al siervo de Dios que fuera a dar la advertencia a Nínive. "Vino palabra de Jehová por segunda vez a Jonás, diciendo: Levántate y ve a Nínive, aquella gran ciudad, y proclama en ella el mensaje que yo te diré". Esta vez no se detuvo a preguntar ni a dudar, sino que obedeció sin vacilar. "Se levantó Jonás, y fue a Nínive conforme a la palabra de Jehová" (Jonás 3: 1-3).

Al entrar Jonás en la ciudad, comenzó en seguida a pregonarle el mensaje: "De aquí a cuarenta días Nínive será destruida" (vers. 4). Iba de una calle a la otra, dejando oír la nota de advertencia.

El mensaje no fue dado en vano. El clamor que se elevó en las calles de la ciudad impía se transmitió de unos labios a otros, hasta que todos los habitantes hubieron oído el anuncio sorprendente. El Espíritu de Dios hizo penetrar el mensaje en todos los corazones, e indujo a multitudes a temblar por sus pecados, y a arrepentirse en profunda humillación.

"Y los hombres de Nínive creyeron a Dios, y proclamaron ayuno, y se vistieron de cilicio desde el mayor hasta el menor de ellos. Y llegó la noticia hasta el rey de Nínive, y se levantó de su silla, se despojó de su vestido, y se cubrió de cilicio y se sentó sobre ceniza. E hizo proclamar y anunciar en Nínive, por mandato del rey y de sus grandes, diciendo: Hombres y animales, bueyes y ovejas, no gusten cosa alguna; no se les dé alimento, ni beban agua; sino cúbranse de cilicio hombres y animales, y clamen a Dios fuertemente; y conviértanse cada uno de su mal camino, de la rapiña que hay en sus manos. ¿Quién sabe si se volverá y se arrepentirá Dios, y se apartará del ardor de su ira, y no pereceremos?" (vers. 5-9).

Mientras que el rey y los nobles, así como el común del pueblo, encumbrados y humildes, "se arrepintieron a la predicación de Jonás" (S. Mateo 12: 41), y se unían para elevar su clamor al Dios del cielo, él les concedió su misericordia. "Y vio Dios lo que hicieron, que se convirtieron de su mal camino; y se arrepintió del mal que había dicho que les haría, y no lo hizo" (Jonás 3: 10). Su condenación fue evitada; el Dios de Israel fue exaltado y honrado en todo el mundo pagano, y su ley fue reverenciada. Nínive no caería sino hasta muchos años más tarde, presa de las naciones circundantes, porque se olvidó de Dios y manifestó un orgullo jactancioso. (Véase el capítulo 30, "Librados de Asiria".)

Cuando Jonás conoció el propósito que Dios tenía de perdonar a la ciudad, que a pesar de su maldad había sido inducida a arrepentirse en saco y ceniza, debiera haber sido el primero en regocijarse por la asombrosa gracia de Dios; pero en vez de hacerlo permitió que su mente se espaciara en la posibilidad de que se le considerase un falso profeta. Celoso de su reputación, perdió de vista el valor infinitamente mayor de las almas de aquella miserable ciudad. Pero al notar la compasión manifestada por Dios hacia los arrepentidos ninivitas "Jonás se apesadumbró en extremo, y se enojó". Preguntó al Señor: "¿No es esto lo que yo decía estando aún en mi tierra? Por eso me apresuré a huir a Tarsis; porque sabía yo que tú eres Dios clemente y piadoso, tardo en enojarte, y de grande misericordia, y que te arrepientes del mal" (Jonás 4: 1, 2).

Una vez más cedió a su inclinación a dudar, y una vez más fue abrumado por el desaliento. Perdiendo de vista los intereses ajenos, y dominado por el sentimiento de que era preferible morir antes que ver sobrevivir la ciudad, exclamó, en su desconformidad: "Ahora pues, oh Jehová, te ruego que me quites la vida; porque mejor me es la muerte que la vida".

El Señor preguntó: "¿Haces tú bien en enojarte tanto? Y salió Jonás de la ciudad, y acampó hacia el oriente de la ciudad, y se hizo allí una enramada, y se sentó debajo de ella a la sombra, hasta ver qué acontecería en la ciudad. Y preparó Jehová Dios una calabacera, la cual creció sobre Jonás para que hiciese sombra sobre su cabeza, y le librase de su malestar; y Jonás se alegró grandemente por la calabacera" (vers. 3-6).

El Señor dio entonces a Jonás una lección objetiva. "Pero al venir el alba del día siguiente, Dios preparó un gusano, el cual hirió la calabacera, y se secó. Y aconteció que al salir el sol, preparó Dios un recio viento solano, y el sol hirió a Jonás en la cabeza, y se desmayaba, y deseaba la muerte, diciendo: Mejor sería para mí la muerte que la vida".

Nuevamente Dios habló a su profeta: "¿Tanto te enojas por la calabacera? Y él respondió: Mucho me enojo, hasta la muerte.

"Y dijo Jehová: Tuviste tú lástima de la calabacera, en la cual no trabajaste, ni tú la hiciste crecer; que en espacio de una noche nació, y en espacio de otra noche pereció. ¿Y no tendré yo piedad de Nínive, aquella gran ciudad donde hay más de ciento veinte mil personas que no saben discernir entre su mano derecha y su mano izquierda, y muchos animales?" (vers. 7-11).

Aunque confundido, humillado e incapaz de comprender el propósito que tenía Dios al perdonar a Nínive, Jonás había cumplido, sin embargo la comisión que se le diera de amonestar aquella gran ciudad; y aun cuando no se cumplió el acontecimiento predicho, el mensaje de advertencia no dejaba de haber procedido de Dios. Cumplió el propósito que Dios tenía al mandarlo. La gloria de su gracia se reveló entre los paganos. Los que habían estado "en tinieblas y sombra de muerte, aprisionados en aflicción y en hierros, ... clamaron a Jehová en su angustia" y "los libró de sus aflicciones; los sacó de las tinieblas y de la sombra de muerte, y rompió sus prisiones... Envió su palabra, y los sanó, y los libró de su ruina" (Salmo 107: 10, 13, 14, 20).

Durante su ministerio terrenal Cristo se refirió al bien hecho por la predicación de Jonás en Nínive, y comparó a los habitantes de aquel centro pagano con el pueblo que, en su época, decía pertenecer a Dios. Declaró: "Los hombres de Nínive se levantarán en el juicio con esta generación, y la condenarán; porque ellos se arrepintieron a la predicación de Jonás, y he aquí más que Jonás en este lugar" (S. Mateo 12: 40, 41). En el mundo atareado, dominado por el bullicio y las alteraciones del comercio, donde los hombres procuraban obtener todo lo que podían para sí, había venido Cristo; y sobre la confusión, con su voz, como trompeta de

Dios, se oyó decir: "¿Qué aprovechará al hombre si ganare todo el mundo, y perdiere su alma? ¿O qué recompensa dará el hombre por su alma?" (S. Marcos 8: 36, 37).

Así como la predicación de Jonás fue una señal para los ninivitas, la predicación de Cristo lo fue también para su propia generación. Pero ¡qué contraste entre las dos maneras en que fue recibida la palabra! Sin embargo, frente a la indiferencia y el escarnio, el Salvador siguió obrando hasta que cumplió su misión.

Esto constituye una lección para los mensajeros que Dios envía hoy, cuando las ciudades de las naciones necesitan tan ciertamente conocer los atributos y propósitos del verdadero Dios, como los ninivitas de antaño. Los embajadores de Cristo han de señalar a los hombres el mundo más noble, que se ha perdido mayormente de vista. Según la enseñanza de las Sagradas Escrituras, la única ciudad que subsistirá es aquella cuyo artífice y constructor es Dios. Con el ojo de la fe, el hombre puede contemplar el umbral del cielo, inundado por la gloria del Dios viviente. Mediante sus siervos el Señor Jesús invita a los hombres a luchar con ambición santificada para obtener la herencia inmortal. Les insta a hacerse tesoros junto al trono de Dios.

Con rapidez y seguridad se está acumulando una culpabilidad casi universal sobre los habitantes de las ciudades, por causa del constante aumento de la impiedad desenfrenada. La corrupción que prevalece supera la capacidad descriptiva de la pluma humana. Cada día nos comunica nuevas revelaciones de las contiendas, los cohechos y los fraudes; cada día nos trae aflictivas noticias de violencias e iniquidades, de la indiferencia hacia el sufrimiento humano, de una destrucción de vidas realmente brutal e infernal. Cada día atestigua el aumento de la locura, los homicidios y los suicidios.

Siglo tras siglo Satanás ha procurado mantener a los hombres en la ignorancia de los designios benéficos de Jehová. Procuró impedir que viesen las cosas grandes de la ley de Dios: los principios de justicia, misericordia y amor que en ella se presentan. Los hombres se jactan de su maravilloso progreso y de la iluminación que reina en nuestra época; pero Dios ve la tierra llena de iniquidad y violencia. Los hombres declaran que la ley de Dios ha sido abrogada, que la Biblia no es auténtica; y como resultado arrasa al mundo una marea de maldad como nunca ha habido desde los días de Noé y del apóstata Israel. La nobleza del alma, la amabilidad y la piedad se sacrifican para satisfacer las codicias de cosas prohibidas. Los negros anales de los crímenes cometidos por amor a la ganancia bastan para helar la sangre y llenar el alma de horror.

Nuestro Dios es un Dios de misericordia. Trata a los transgresores de su ley con longanimidad y tierna compasión. Sin embargo, en esta época nuestra, cuando hombres y mujeres tienen tanta oportunidad de familiarizarse con la ley divina según se revela en la Sagrada Escritura, el gran Príncipe del universo no puede contemplar con satisfacción las ciudades impías, donde reinan la violencia y el crimen. Se está acercando rápidamente el momento en que se acabará la tolerancia de Dios hacia aquellos que persisten en la desobediencia.

¿Debieran los hombres sorprenderse si se produce un cambio repentino inesperado en el trato del Goberante supremo con los habitantes de un mundo caído? ¿Debieran sorprenderse cuando el castigo sigue a la transgresión y al aumento de los crímenes? ¿Debieran sorprenderse de que Dios imponga destrucción y muerte a aquellos cuyas ganancias ilícitas han sido obtenidas por el engaño y el fraude? A pesar de que a medida de que han avanzado les ha sido posible saber más acerca de los requerimientos de Dios, muchos se han negado a reconocer el gobierno de Jehová, y han preferido permanecer bajo la negra bandera del iniciador de toda rebelión contra el gobierno del cielo.

La tolerancia de Dios ha sido muy grande, tan grande que cuando consideramos el continuo desprecio manifestado hacia sus santos mandamientos, nos asombramos. El Omnipotente ha ejercido un poder restrictivo sobre sus propios atributos. Pero se levantará ciertamente para castigar a los impíos, que con tanta audacia desafían las justas exigencias del Decálogo.

Dios concede a los hombres un tiempo de gracia; pero existe un punto más allá del cual se agota la paciencia divina y se manifestarán con seguridad los juicios de Dios. El Señor soporta durante mucho tiempo a los hombres y las ciudades, enviando misericordiosamente amonestaciones para salvarlos de la ira divina; pero llegará el momento en que ya no se oirán las súplicas de misericordia, y la persona rebelde que continúe rechazando la luz de la verdad quedará raída por efecto de la misericordia hacia ella misma y hacia aquellos que podrían, si no fuese así, sentir la influencia de su ejemplo.

Está muy cerca el momento en que habrá en el mundo una tristeza que ningún bálsamo humano podrá disipar. Se está retirando el Espíritu de Dios. Se siguen unos a otros en rápida sucesión los desastres por mar y tierra. ¡Con cuánta frecuencia oímos hablar de terremotos y ciclones, así como de la destrucción producida por incendios e inundaciones, con gran pérdida de vidas y propiedades! Aparentemente estas calamidades son estallidos caprichosos de las fuerzas desorganizadas y desordenadas de la naturaleza, completamente fuera del dominio humano; pero en todas ellas puede leerse el propósito de Dios. Se cuentan entre los instrumentos por medio de los cuales él procura despertar en hombres y mujeres un sentido del peligro que corren.

Los mensajeros de Dios en las grandes ciudades no deben desalentarse por la impiedad, la injusticia y la depravación que son llamados a enfrentar mientras tratan de proclamar las gratas nuevas de salvación. El Señor quiere alentar a todos los que así trabajan, con el mismo mensaje que dio al apóstol Pablo en la impía ciudad de Corinto: "No temas, sino habla, y no calles; porque yo estoy contigo, y ninguno pondrá sobre ti la mano para hacerte mal, porque yo tengo mucho pueblo en esta ciudad" (Hechos 18: 9, 10). Recuerden los que están empeñados en el ministerio de salvar las almas que a pesar de que son muchos los que no quieren escuchar los consejos que Dios da en su palabra, no se apartará todo el mundo de la luz y la verdad ni de las invitaciones de un Salvador paciente y tolerante. En toda ciudad, por muy llena que esté de violencia y de crímenes, hay muchos que con la debida enseñanza pueden aprender a seguir a Jesús. A miles puede comunicarse así la verdad salvadora, e inducirlos a recibir a Cristo como su Salvador personal.

El mensaje de Dios para los habitantes de la tierra hoy es: "Por tanto, también vosotros estad preparados; porque el Hijo del Hombre vendrá a la hora que no pensáis" (S. Mateo 24: 44). Las condiciones que prevalecen en la sociedad, y especialmente en las grandes ciudades de las naciones, proclaman con voz de trueno que la hora del juicio de Dios ha llegado, y que se acerca el fin de todas las cosas terrenales. Nos hallamos en el mismo umbral de la crisis de los siglos. En rápida sucesión se seguirán unos a otros los castigos de Dios: incendios e inundaciones, terremotos, guerras y derramamiento de sangre. No debemos quedar sorprendidos en este tiempo por acontecimientos grandes y decisivos; porque el ángel de la misericordia no puede permanecer mucho más tiempo para proteger a los impenitentes.

"Porque he aquí que Jehová sale de su lugar para castigar al morador de la tierra por su maldad contra él; y la tierra descubrirá la sangre derramada sobre ella, y no encubrirá ya más a sus muertos" (Isaías 26: 21). Se está preparando la tempestad de la ira de Dios; y sólo subsistirán los que respondan a las invitaciones de la misericordia, como lo hicieron los habitantes de Nínive bajo la predicación de Jonás, y sean santificados por la obediencia a las leyes del Gobernante divino. Sólo los justos serán escondidos con Cristo en Dios hasta que pase la desolación. Sea éste el lenguaje del alma:

"Ningún otro asilo hay,
indefenso acudo a ti,
mi necesidad me trae,
porque mi peligro vi.

Solamente en ti, Señor,
hallo paz, consuelo y luz,
vengo lleno de temor
a los pies de mi Jesús".

CAPITULO 23

El Cautiverio Asirio

LOS años finales del malvado reino de Israel se vieron señalados por tanta violencia y derramamiento de sangre que no se había conocido cosa semejante ni aun en los peores tiempos de lucha e intranquilidad bajo la casa de Acab. Durante más de dos siglos los gobernantes de las diez tribus habían estado sembrando vientos; y ahora cosechaban torbellinos. Un rey tras otro perecía asesinado para que otros ambiciosos reinasen. El Señor declaró acerca de estos usurpadores impíos: "Ellos establecieron reyes, pero no escogidos por mí; constituyeron príncipes, mas yo no lo supe" (Oseas 8: 4). Todo principio de justicia era desechado y los que debieran haberse destacado delante de las naciones de la tierra como depositarios de la gracia divina, "contra Jehová prevaricaron" (Oseas 5: 7), y unos contra otros.

Mediante las reprensiones más severas, Dios procuró despertar a la nación impenitente y hacerle comprender su inminente peligro de ser destruida por completo. Mediante

Oseas y Amós envió un mensaje tras otro a las diez tribus, para instarlas a arrepentirse plenamente y para amenazarlas con el desastre que resultaría de sus continuas transgresiones. Declaró Oseas: "Habéis arado impiedad, y segasteis iniquidad; comeréis fruto de mentira, porque confiaste en tu camino y en la multitud de tus valientes. Por tanto, en tus pueblos se levantará alboroto, y todas tus fortalezas serán destruidas... A la mañana será del todo cortado el rey de Israel" (Oseas 10: 13-15).

Acerca de Efraín* testificó el profeta: "Devoraron extraños su fuerza, y él no lo supo; y aun canas le han cubierto, y él no lo supo... Israel desechó el bien... Quebrantado en juicio", incapaz de discernir el resultado desastroso de su mala conducta, el pueblo de las diez tribus quedaría pronto condenado a andar errante "entre las naciones" (Oseas 7: 9; 8: 3; 5: 11; 9: 17).

Algunos de los caudillos de Israel tenían un agudo sentido de su pérdida de prestigio, y deseaban recuperarlo. Pero en vez de apartarse de las prácticas que habían debilitado al reino, continuaban en la iniquidad, congratulándose de que cuando llegase la ocasión podrían alcanzar el poder político que deseaban, aliándose con los paganos. "Y verá Efraín su enfermedad, y Judá su llaga; irá entonces Efraín a Asiria... Efraín fue como paloma incauta, sin entendimiento; llamarán a Egipto, acudirán a Asiria... Hicieron pacto con los asirios" (Oseas 5: 13; 7: 11; 12: 1).

Mediante el varón de Dios que se había presentado ante el altar de Bet-el, mediante Elías y Eliseo, mediante Amós y Oseas, el Señor había señalado repetidas veces a las diez tribus los males de la desobediencia. Sin embargo, y a pesar

Después de doscientos años de apostasía y de rechazar las amonestaciones divinas, Israel fue llevado cautivo por los asirios.

de las reprensiones y súplicas, Israel se había hundido más y más en la apostasía. Declaró el Señor: "Porque como novilla indómita se apartó Israel... Mi pueblo está adherido a la rebelión contra mí" (Oseas 4: 16; 11: 7).

Hubo tiempos en que los juicios del cielo cayeron en forma muy grave sobre el pueblo rebelde. Dios declaró: "Por esta causa los corté por medio de los profetas, con las palabras de mi boca los maté; y tus juicios serán como luz que sale. Porque misericordia quiero, y no sacrificio, y conocimiento de Dios más que holocaustos. Mas ellos, cual Adán, traspasaron el pacto; allí prevaricaron contra mí" (Oseas 6: 5-7).

El mensaje que les llegó finalmente fue: "Oíd palabra de Jehová, hijos de Israel... Porque olvidaste la ley de tu Dios, también yo me olvidaré de tus hijos. Conforme a su grandeza, así pecaron contra mí; también yo cambiaré su honra en afrenta... Le castigaré por su conducta, y le pagaré conforme a sus obras" (Oseas 4: 1, 6-9).

La iniquidad de Israel durante el último medio siglo antes de la cautividad asiria, fue como la de los días de Noé y como la de toda otra época cuando los hombres rechazaron a Dios y se entregaron por completo al mal hacer. La exaltación de la naturaleza sobre el Dios de la naturaleza, la adoración de las criaturas en vez del Creador, resultaron siempre en los males más groseros. Asimismo cuando el pueblo de Israel, en su culto de Baal y Astarté, rindió supremo homenaje a las fuerzas de la naturaleza, se separó de todo lo que es elevador y ennoblecedor y cayó fácilmente presa de la tentación. Una vez derribadas las defensas del alma, los extraviados adoradores no tuvieron barrera contra el pecado, y se entregaron a las malas pasiones del corazón humano.

Contra la intensa opresión, la flagrante injusticia, el lujo y el despilfarro desmedidos, los desvergonzados banquetes y borracheras, el libertinaje y las orgías de su época, los profetas alzaron la voz; pero vanas fueron sus protestas, vana su denuncia del pecado. Declaró Amós: "Ellos aborrecieron al reprensor en la puerta de la ciudad, y al que hablaba lo recto abominaron... Afligís al justo, y recibís cohecho, y en los tribunales hacéis perder su causa a los pobres" (Amós 5: 10, 12).

Tales fueron algunos de los resultados que tuvo la erección de los dos becerros de oro por Jeroboam. La primera desviación de las formas establecidas de culto introdujo formas de idolatría aun más groseras, hasta que finalmente casi todos los habitantes de la tierra se entregaron a las seductoras prácticas del culto de la naturaleza. Olvidando a su Hacedor, los hijos de Israel "llegaron hasta lo más bajo en su corrupción" (Oseas 9: 9).

Los profetas continuaron protestando contra esos males, e intercediendo para que se hiciese el bien. Oseas rogaba: "Sembrad para vosotros en justicia, segad para vosotros en misericordia; haced para vosotros barbecho; porque es el tiempo de buscar a Jehová, hasta que venga y os enseñe justicia... Tú, pues, vuélvete a tu Dios; guarda misericordia y juicio, y en tu Dios confía siempre... Vuelve, oh Israel, a Jehová tu Dios; porque por tu pecado has caído... Decidle: Quita toda iniquidad, y acepta el bien" (Oseas 10: 12; 12: 6; 14: 1, 2).

Se dieron a los transgresores muchas oportunidades de

arrepentirse. En la hora de su más profunda apostasía y mayor necesidad, Dios les dirigió un mensaje de perdón y esperanza. Declaró: "Te perdiste, oh Israel, mas en mí está tu ayuda. ¿Dónde está tu rey, para que te guarde?" (Oseas 13: 9, 10).

El profeta suplicó: "Venid y volvamos a Jehová; porque el arrebató, y nos curará; hirió, y nos vendará. Nos dará vida después de dos días; en el tercer día nos resucitará, y viviremos delante de él. Y conoceremos, y proseguiremos en conocer a Jehová; como el alba está dispuesta su salida, y vendrá a nosotros como la lluvia, como la lluvia tardía y temprana a la tierra" (Oseas 6: 1-3).

A los que habían perdido de vista el plan eterno trazado para librar a los pecadores apresados por el poder de Satanás, el Señor ofreció restauración y paz. Declaró: "Yo sanaré su rebelión, los amaré de pura gracia; porque mi ira se apartó de ellos. Yo seré a Israel como rocío; él florecerá como lirio, y extenderá sus raíces como el Líbano. Se extenderán sus ramas, y será su gloria como la del olivo, y perfumará como el Líbano. Volverán y se sentarán bajo su sombra; serán vivificados como trigo, y florecerán como la vid; su olor será como de vino del Líbano. Efraín dirá: ¿Qué más tendré ya con los ídolos? Yo lo oiré, y miraré; yo seré a él como la haya verde; de mí será hallado tu fruto.

"¿Quién es sabio para que entienda esto, y prudente para que lo sepa? Porque los caminos de Jehová son rectos, y los justos andarán por ellos; mas los rebeldes caerán en ellos" (Oseas 14: 4-9).

Se recalcó mucho lo benéfico que es buscar a Dios. El Señor mandó esta invitación: "Buscadme, y viviréis; y no busquéis a Bet-el, ni entréis en Gilgal, ni paséis a Beerseba; porque Gilgal será llevada en cautiverio, y Bet-el será deshecha...

"Buscad lo bueno, y no lo malo, para que viváis; porque así Jehová Dios de los ejércitos estará con vosotros, como decís. Aborreced el mal, y amad el bien, y estableced la justicia en juicio; quizá Jehová Dios de los ejércitos tendrá piedad del remanente de José" (Amós 5: 4, 5, 14, 15).

Un número desproporcionado de los que oyeron estas invitaciones se negaron a aprovecharse de ellas. La palabra de los mensajeros de Dios contrariaba de tal manera los malos deseos de los impenitentes, que el sacerdote idólatra de Bet-el mandó este aviso al gobernante de Israel: "Amós se ha levantado contra ti en medio de la casa de Israel; la tierra no puede sufrir todas sus palabras" (Amós 7: 10).

Mediante Oseas el Señor declaró: "Mientras curaba yo a Israel, se descubrió la iniquidad de Efraín, y las maldades de Samaria... Y la soberbia de Israel testificará contra él en su cara; y no se volvieron a Jehová su Dios, ni lo buscaron con todo esto" (Oseas 7: 1, 10).

De generación en generación, el Señor tuvo paciencia con sus hijos extraviados; y aun entonces, frente a una rebelión desafiante, anhelaba revelarse a ellos, dispuesto a salvarlos. Exclamó: "¿Qué haré a ti, Efraín? ¿Qué haré a ti, oh Judá? La piedad vuestra es como nube de la mañana, y como el rocío de la madrugada, que se desvanece" (Oseas 6: 4).

Los males que se habían extendido por la tierra llegaron a ser incurables; y se pronunció esta espantosa sentencia sobre Israel: "Efraín es dado a ídolos; déjalo... Vinieron los

días del castigo, vinieron los días de la retribución; e Israel lo conocerá" (Oseas 4: 17; 9: 7).

Las diez tribus de Israel iban a cosechar los frutos de la apostasía que había cobrado forma con la instalación de altares extraños en Bet-el y en Dan. El mensaje que Dios le dirigió fue: "Tu becerro, oh Samaria, te hizo alejarte; se encendió mi enojo contra ellos, hasta que no pudieron alcanzar purificación. Porque de Israel es también éste, y artífice lo hizo; no es Dios; por lo que será deshecho en pedazos el becerro de Samaria... Por las becerras de Bet-avén serán atemorizados los moradores de Samaria; porque su pueblo lamentará a causa del becerro, y sus sacerdotes que en él se regocijaban... Aun será él llevado a Asiria como presente al rey Jareb [Senaquerib]" (Oseas 8: 5, 6; 10: 5, 6).

"He aquí los ojos de Jehová el Señor están contra el reino pecador, y yo lo asolaré de la faz de la tierra; mas no destruiré del todo la casa de Jacob, dice Jehová. Porque he aquí yo mandaré y haré que la casa de Israel sea zarandeada entre todas las naciones, como se zarandea el grano en una criba, y no cae un granito en la tierra. A espada morirán todos los pecadores de mi pueblo, que dicen: No se acercará, ni nos alcanzará el mal...

"Las casas de marfil perecerán; y muchas casas serán arruinadas, dice Jehová... El Señor, Jehová de los ejércitos, es el que toca la tierra, y se derretirá, y llorarán todos los que en ella moran... Tus hijos y tus hijas caerán a espada, y tu tierra será repartida por suertes; y tú morirás en tierra inmunda, e Israel será llevado cautivo lejos de su tierra... Porque te he de hacer esto, prepárate para venir al encuen-

Si Israel hubiera prestado atención a los mensajes que Dios les enviaba por medio de sus profetas, habrían escapado de los juicios divinos.

tro de tu Dios, oh Israel" (Amós 9: 8-10; 3: 15; 9: 5; 7: 17; 4: 12).

Los castigos predichos fueron suspendidos por un tiempo, y durante el largo reinado de Jeroboam II los ejércitos de Israel obtuvieron importantes victorias; pero ese tiempo de prosperidad aparente no cambió el corazón de los impenitentes, así que fue finalmente decretado: "Jeroboam morirá a espada, e Israel será llevado de su tierra en cautiverio" (Amós 7: 11).

Tanto habían progresado en la impenitencia el rey y el pueblo, que la intrepidez de esa declaración no tuvo efecto en ellos. Amasías, uno de los que acaudillaban a los sacerdotes idólatras de Bet-el, agitado por las claras palabras pronunciadas por el profeta contra la nación y su rey, dijo a Amós: "Vidente, vete, huye a tierra de Judá, y come allá tu pan, y profetiza allá; y no profetices más en Bet-el, porque es santuario del rey, y capital del reino" (vers. 12, 13).

A esto respondió firmemente el profeta: "Por tanto, así ha dicho Jehová: ... Israel será llevado cautivo lejos de su tierra" (vers. 17).

Las palabras pronunciadas contra las tribus apóstatas se cumplieron literalmente; pero la destrucción del reino se produjo gradualmente. Al castigar, el Señor tuvo misericordia; y al principio, cuando "vino Pul rey de Asiria a atacar la tierra", Manahem, entonces rey de Israel, no fue llevado cautivo, sino que se le permitió permanecer en el trono como vasallo de Asiria. "Manahem dio a Pul mil talentos de plata para que le ayudara a confirmarse en el reino. E impuso Manahem este dinero sobre Israel, sobre todos los poderosos y opulentos; de cada uno cincuenta siclos de plata, para dar al rey de Asiria" (2 Reyes 15: 19, 20). Habiendo humillado las diez tribus, los asirios volvieron por un tiempo a su tierra.

Lejos de arrepentirse del mal que había ocasionado ruina en su reino, Manahem continuó en "los pecados de Jeroboam hijo de Nabat, el que hizo pecar a Israel". Pekaía y Peka, sus sucesores, también hicieron "lo malo ante los ojos de Jehová" (2 Reyes 15: 18, 24, 28). "En los días de Peka", quien reinó veinte años, Tiglat-pileser, rey de Asiria, invadió a Israel, y se llevó una multitud de cautivos de entre las tribus que vivían en Galilea y al oriente del Jordán. "Los rubenitas y gaditas y ... la media tribu de Manasés", juntamente con otros de los habitantes de "Galaad, Galilea, y toda la tierra de Neftalí" (1 Crónicas 5: 26; 2 Reyes 15: 29) fueron dispersados entre los paganos, en tierras muy distantes de Palestina.

El reino del norte no se recobró nunca de este golpe terrible. Un residuo débil hizo subsistir la forma de gobierno, pero éste ya no tenía poder. Un solo gobernante, Oseas, iba a seguir a Peka. Pronto el reino iba a ser destruido para siempre. Pero en aquel tiempo de tristeza y angustia Dios manifestó misericordia, y dio al pueblo otra oportunidad de apartarse de la idolatría. En el tercer año del reinado de Oseas, el buen rey Ezequías comenzó a reinar en Judá, y con toda celeridad instituyó reformas importantes en el servicio del templo de Jerusalén. Hizo arreglos para que se celebrara la pascua, y a esta fiesta fueron invitadas no sólo las tribus de Judá y Benjamín, sobre las cuales Ezequías había sido ungido rey, sino también todas las tribus del norte. Se dio una proclamación "por todo Israel, desde Beerseba hasta Dan, para que viniesen a celebrar la pascua a Jehová Dios de Israel, en Jerusalén; porque en mucho tiempo no la habían celebrado al modo que está escrito.

"Fueron, pues, correos con cartas de mano del rey y de sus príncipes por todo Israel y Judá" con esta apremiante invitación: "Hijos de Israel, volveos a Jehová el Dios de Abraham, de Isaac y de Israel, y él se volverá al remanente que ha quedado de la mano de los reyes de Asiria... No endurezcáis, pues, ahora vuestra cerviz como vuestros padres; someteos a Jehová, y venid a su santuario, el cual él ha santificado para siempre; y servid a Jehová vuestro Dios, y el ardor de su ira se apartará de vosotros. Porque si os volviereis a Jehová, vuestros hermanos y vuestros hijos hallarán misericordia delante de los que los tienen cautivos, y volverán a esta tierra; porque Jehová vuestro Dios es clemente y misericordioso, y no apartará de vosotros su rostro, si vosotros os volviereis a él" (2 Crónicas 30: 5-9).

"De ciudad en ciudad por la tierra de Efraín y Manasés, hasta Zabulón", proclamaron el mensaje los correos enviados por Ezequías. Israel debiera haber reconocido en esta invitación un llamamiento a arrepentirse y a volverse a Dios. Pero el residuo de las diez tribus que moraba todavía en el territorio del una vez floreciente reino del norte, trató a los mensajeros reales de Judá con indiferencia y hasta con desprecio. "Se reían y burlaban de ellos". Hubo sin embargo algunos que respondieron gustosamente. "Algunos hombres de Aser, de Manasés y de Zabulón se humillaron, y vinieron a Jerusalén ... para celebrar la fiesta solemne de los panes sin levadura" (2 Crónicas 30: 10-13).

Como dos años más tarde, Samaria fue cercada por las

Los mensajeros enviados por Ezequías y sus príncipes invitaron a Israel y a Judá a arrepentirse y a asistir a la pascua.

John Steel

huestes de Asiria bajo Salmanasar; y en el sitio que siguió, multitudes perecieron miserablemente de hambre y enfermedad así como por la espada. Cayeron la ciudad y la nación, y el quebrantado remanente de las diez tribus fue llevado cautivo y disperso por las provincias del reino asirio.

La destrucción que sufrió el reino del norte fue un castigo directo del cielo. Los asirios fueron tan sólo los instrumentos que Dios usó para ejecutar su propósito. Por medio de Isaías, quien empezó a profetizar poco antes de la caída de Samaria, el Señor se refirió a las huestes asirias como "vara y báculo de mi furor, en su mano he puesto mi ira" (Isaías 10: 5).

Muy grave había sido el pecado de los hijos de Israel "contra Jehová su Dios", e hicieron "cosas muy malas... Mas ellos no obedecieron, antes ... desecharon sus estatutos, y el pacto que él había hecho con sus padres, y los testimonios que él había prescrito a ellos". Debido a que habían dejado "todos los mandamientos de Jehová su Dios, y se hicieron imágenes fundidas de dos becerros, y también imágenes de Asera, y adoraron a todo el ejército de los cielos, y sirvieron a Baal", y se habían negado constantemente a arrepentirse, el Señor "los afligió, y los entregó en manos de saqueadores, hasta echarlos de su presencia", en armonía con las claras advertencias que les había enviado por "todos los profetas sus siervos".

"E Israel fue llevado cautivo de su tierra a Asiria, ... "por cuanto no habían atendido a la voz de Jehová su Dios, sino que habían quebrantado su pacto; y todas las cosas que Moisés siervo de Jehová había mandado" (2 Reyes 17: 7, 11, 14-16, 20, 23; 18: 12).

En los terribles castigos que cayeron sobre las diez tribus, el Señor tenía un propósito sabio y misericordioso. Lo que ya no podía lograr por medio de ellas en la tierra de sus padres, procuraría hacerlo esparciéndolas entre los paganos. Su plan para salvar a todos los que quisieran obtener perdón mediante el Salvador de la familia humana, debía cumplirse todavía; y en las aflicciones impuestas a Israel, estaba preparando el terreno para que su gloria se revelase a las naciones de la tierra. No todos los que fueron llevados cauvos eran impenitentes. Había entre ellos algunos que habían permanecido fieles a Dios, y otros que se habían humillado delante de él. Mediante éstos, los "hijos del Dios viviente" (Oseas 1: 10), iba a comunicar a multitudes del reino asirio un conocimiento de los atributos de su carácter y de la benevolencia de su ley.

*El profeta Oseas se refirió a menudo a Efraín como símbolo de la nación apóstata, porque esa tribu encabezaba la apostasía en Israel.

CAPITULO 24

"Destruido por Falta de Conocimiento"

EL FAVOR de Dios para con los hijos de Israel había dependido siempre de que obedeciesen. Al pie del Sinaí habían hecho con él un pacto como su "especial tesoro sobre todos los pueblos". Solemnemente habían prometido seguir por la senda de la obediencia. Habían dicho: "Todo lo que Jehová ha dicho, haremos" (Exodo 19: 5, 8). Y cuando, algunos días más tarde, la ley de Dios fue pronunciada desde el monte y por medio de Moisés se dieron instrucciones adicionales en forma de estatutos y juicios, los israelitas volvieron a prometer a una voz: "Haremos todas las palabras que Jehová ha dicho". Cuando se ratificó el pacto, el pueblo volvió a declarar unánimemente: "Haremos todas las cosas que Jehová ha dicho, y obedeceremos" (Exodo 24: 3, 7). Dios había escogido a Israel como su pueblo, y éste le había escogido a él como su Rey.

Al acercarse el fin de las peregrinaciones por el desierto, se repitieron las condiciones del pacto. En Baal-peor, en los límites de la tierra prometida, donde muchos cayeron víctimas de la tentación sutil, los que permanecieron fieles renovaron sus votos de lealtad. Moisés los puso en guardia contra las tentaciones que los asaltarían en el futuro; y los exhortó fervorosamente a que permaneciesen separados de las naciones circundantes y adorasen sólo a Dios.

Moisés había instruido así a Israel: "Ahora, pues, oh Israel, oye los estatutos y decretos que yo os enseño, para que los ejecutéis, y viváis, y entréis y poseáis la tierra que Jehová el Dios de vuestros padres os da. No añadiréis a la palabra que yo os mando, ni disminuiréis de ella, para que guardéis los mandamientos de Jehová vuestro Dios que yo os ordeno... Guardadlos, pues, y ponedlos por obra; porque esta es vuestra sabiduría y vuestra inteligencia ante los ojos de los pueblos, los cuales oirán todos estos estatutos, y dirán: Ciertamente pueblo sabio y entendido, nación grande es ésta" (Deuteronomio 4: 1-6).

Se les había encargado especialmente a los israelitas que no olvidasen los mandamientos de Dios, en cuya obediencia hallarían fortaleza y bendición. He aquí las palabras que el Señor les dirigió por Moisés: "Guárdate, y guarda tu alma con diligencia, para que no te olvides de las cosas que tus ojos han visto, ni se aparten de tu corazón todos los días de tu vida; antes bien, las enseñarás a tus hijos, y a los hijos de tus hijos" (vers. 9). Las escenas pavorosas relacionadas con la promulgación de la ley en el Sinaí no debían olvidarse jamás. Habían sido claras y decididas las advertencias dadas a Israel contra las costumbres idólatras que prevalecían entre las naciones vecinas. El consejo que se le había dado había sido: "Guardad, pues, mucho vuestras almas, ... para que no os corrompáis y hagáis para vosotros escultura, imagen de figura alguna... No sea que alces tus ojos al cielo, y viendo el sol y la luna y las estrellas, y todo el ejército del cielo, seas impulsado, y te inclines a ellos y les sirvas; porque Jehová tu Dios los ha concedido a todos los pueblos debajo de todos los cielos... Guardaos, no os olvidéis del pacto de Jehová vuestro Dios, que él estableció con vosotros, y no os hagáis escultura o imagen de ninguna cosa que Jehová tu Dios te ha prohibido" (vers. 15, 16, 19, 23).

Moisés explicó los males que resultarían de apartarse de los estatutos de Jehová. Invocando como testigos los cielos y la tierra, declaró que si, después de haber morado largo tiempo en la tierra prometida, el pueblo llegara a introducir formas corruptas de culto y a inclinarse ante imágenes esculpidas, y si rehusara volver al culto del verdadero Dios, la ira del Señor se despertaría y ellos serían llevados cautivos y dispersados entre los paganos. Les advirtió: "Pronto pereceréis totalmente de la tierra hacia la cual pasáis el Jordán para tomar posesión de ella; no estaréis en ella largos días sin que seáis destruidos. Y Jehová os esparcirá entre los pueblos, y quedaréis pocos en número entre las naciones a las cuales os llevará Jehová. Y serviréis allí a dioses hechos de manos de hombres, de madera y piedra, que no ven, ni oyen, ni comen, ni huelen" (vers. 26-28).

Esta profecía, que se cumplió en parte en tiempo de los jueces, halló un cumplimiento más completo y literal en el cautiverio de Israel en Asiria y de Judá en Babilonia.

La apostasía de Israel se había desarrollado gradualmente. De generación en generación, Satanás había hecho repetidas tentativas para inducir a la nación escogida a que olvidase "los mandamientos, estatutos y decretos" (Deuteronomio 6: 1) que había prometido guardar para siempre. Sabía él que si tan sólo podía inducir a Israel a olvidarse de Dios, y a andar "en pos de dioses ajenos" para servirlos y postrarse ante ellos, "de cierto" perecería (Deuteronomio 8: 19).

Sin embargo, el enemigo de la iglesia de Dios en la tierra no había tenido plenamente en cuenta la naturaleza compasiva de Aquel que "de ningún modo tendrá por inocente al malvado", y sin embargo se gloría en ser "misericordioso y piadoso; tardo para la ira, y grande en misericordia y verdad; que guarda misericordia a millares, que perdona la iniquidad, la rebelión y el pecado" (Exodo 34: 6, 7). A pesar de los esfuerzos hechos por Satanás para estorbar el propósito de Dios en favor de Israel, el Señor se reveló misericordiosamente aun en algunas de las horas más sombrías de su historia, cuando parecía que las fuerzas del mal estaban por ganar la victoria. Recordó a Israel las cosas destinadas a contribuir al bienestar de la nación. Declaró por medio de Oseas: "Le escribí las grandezas de mi ley, y fueron tenidas por cosa extraña... Yo con todo eso enseñaba a andar al mismo Efraín, tomándole de los brazos; y no conoció que yo le cuidaba" (Oseas 8: 12; 11: 3). El Señor los había tratado con ternura, instruyéndolos por sus profetas y dándoles renglón sobre renglón, precepto sobre precepto.

Si Israel hubiese escuchado los mensajes de los profetas, se le habría ahorrado la humillación que siguió. Pero el Señor se vio obligado a dejarlo ir en cautiverio porque persistió en apartarse de su ley. El mensaje que le mandó por por medio de Oseas fue éste: "Mi pueblo fue destruido, porque le faltó conocimiento. Por cuanto desechaste el conocimiento, yo te echaré ... porque olvidaste la ley de tu Dios" (Oseas 4: 6).

En toda época, la transgresión de la ley de Dios fue seguida por el mismo resultado. En los días de Noé, cuando se violó todo principio del bien hacer, y la iniquidad se volvió tan arraigada y difundida que Dios no pudo soportarla más, se promulgó el decreto: "Raeré de sobre la faz de la tierra a los hombres que he creado" (Génesis 6: 7). En los tiempos de Abrahán, el pueblo de Sodoma desafió abiertamente a Dios y a su ley; y se manifestó la misma perversidad, la misma corrupción y la misma sensualidad desenfrenada que habían distinguido al mundo antediluviano. Los habitantes de Sodoma sobrepasaron los límites de la tolerancia divina, y contra ellos se encendió el fuego de la venganza.

El tiempo que precedió al cautiverio de las diez tribus de Israel se destacó por una desobediencia y una perversidad similares. No se tenía en cuenta para nada la ley de Dios, y esto abrió las compuertas de la iniquidad sobre Israel. Oseas declaró: "Jehová contiende con los moradores de la tierra; porque no hay verdad, ni misericordia, ni conocimiento de Dios en la tierra. Perjurar, mentir, matar, hurtar y adulterar prevalecen, y homicidio tras homicidio se suceden" (Oseas 4: 1, 2).

Las profecías de juicio que dieran Amós y Oseas iban acompañadas de predicciones referentes a una gloria futura. A las diez tribus, durante mucho tiempo rebeldes e impenitentes, no se les prometió una restauración completa de su poder anterior en Palestina. Hasta el fin del tiempo habrían de andar "errantes entre las naciones". Pero mediante Oseas fue dada una profecía que les ofreció el privilegio de tener parte en la restauración final que habrá de experimentar el pueblo de Dios al fin de la historia de esta tierra, cuando Cristo aparezca como Rey de reyes y Señor de señores. Declaró el profeta: "Muchos días estarán los hijos de Israel sin rey, sin príncipe, sin sacrificio, sin estatua, sin efod y sin terafines. Después —agregó el profeta— volverán los hijos de Israel, y buscarán a Jehová su Dios, y a David su rey; y temerán a Jehová y a su bondad en el fin de los días" (Oseas 3: 4, 5).

En un lenguaje simbólico Oseas presentó a las diez tribus el plan que Dios tenía para volver a otorgar a toda alma penitente que se uniese con su iglesia en la tierra, las bendiciones concedidas a Israel en los tiempos cuando éste le era leal en la tierra prometida. Refiriéndose a Israel como a

quien deseaba manifestar misericordia, el Señor declaró: "Pero he aquí que yo la atraeré y la llevaré al desierto, y hablaré a su corazón. Y le daré sus viñas desde allí, y el valle de Acor por puerta de esperanza; y allí cantará como en los tiempos de su juventud, y como en el día de su subida de la tierra de Egipto. En aquel tiempo, dice Jehová, me llamarás Ishi [mi marido], y nunca más me llamarás Baali [mi señor]. Porque quitaré de su boca los nombres de los baales, y nunca más se mencionarán sus nombres" (Oseas 2: 14-17).

En los últimos días de la historia de esta tierra debe renovarse el pacto de Dios con su pueblo que guarda sus mandamientos. "En aquel tiempo haré para ti pacto con las bestias del campo, con las aves del cielo y con las serpientes de la tierra; y quitaré de la tierra arco y espada y guerra, y te haré dormir segura. Y te desposaré conmigo para siempre; te desposaré conmigo en justicia, juicio, benignidad y misericordia. Y te desposaré conmigo en fidelidad, y conocerás a Jehová.

"En aquel tiempo responderé, dice Jehová, yo responderé a los cielos, y ellos responderán a la tierra; y la tierra responderá al trigo, al vino y al aceite, y ellos responderán a Jezreel. Y la sembraré para mí en la tierra, y tendré misericordia de Lo-ruhama; y diré a Lo-ammi: Tú eres pueblo mío, y él dirá: Dios mío" (vers. 18-23).

"Acontecerá en aquel tiempo, que los que hayan quedado de Israel y los que hayan quedado de la casa de Jacob, ... se apoyarán con verdad en Jehová, el Santo de Israel" (Isaías 10: 20). De "toda nación, tribu, lengua y pueblo" saldrán algunos que responderán gozosamente al mensaje:

"Temed a Dios, y dadle gloria, porque la hora de su juicio ha llegado". Se apartarán de todo ídolo que los una a la tierra, y adorarán "a aquel que hizo el cielo y la tierra, el mar y las fuentes de las aguas". Se librarán de todo enredo, y se destacarán ante el mundo como monumentos de la misericordia de Dios. Obedientes a los requerimientos divinos, serán reconocidos por los ángeles y por los hombres como quienes guardaron "los mandamientos de Dios y la fe de Jesús" (Apocalipsis 14: 6, 7, 12).

"He aquí vienen días, dice Jehová, en que el que ara alcanzará al segador, y el pisador de las uvas al que lleve la simiente; y los montes destilarán mosto, y todos los collados se derretirán. Y traeré del cautiverio a mi pueblo Israel, y edificarán ellos las ciudades asoladas, y las habitarán; plantarán viñas, y beberán el vino de ellas, y harán huertos, y comerán el fruto de ellos. Pues los plantaré sobre su tierra, y nunca más serán arrancados de su tierra que yo les di, ha dicho Jehová Dios tuyo" (Amós 9: 13-15).

CAPITULO 25

El Llamamiento de Isaías

EL LARGO reinado de Uzías [también llamado Azarías] en la tierra de Judá y de Benjamín fue caracterizado por una prosperidad mayor que la conocida bajo cualquier otro gobernante desde la muerte de Salomón, casi dos siglos antes. Durante muchos años el rey gobernó con discreción. Gracias a la bendición del cielo, sus ejércitos recobraron parte del territorio que se había perdido en años anteriores. Se reedificaron y fortificaron ciudades, y quedó muy fortalecida la posición de la nación entre los pueblos circundantes. El comercio revivió y afluyeron a Jerusalén las riquezas de las naciones. La fama de Uzías "se extendió lejos, porque fue ayudado maravillosamente, hasta hacerse poderoso" (2 Crónicas 26: 15).

Sin embargo, esta prosperidad exterior no fue acompañada por el correspondiente reavivamiento del poder espiritual. Los servicios del templo continuaban como en años

Mientras el profeta Isaías adoraba en el templo, contempló una visión gloriosa y fue preparado para cumplir la voluntad de Dios.

anteriores y las multitudes se congregaban para adorar al Dios viviente; pero el orgullo y el formalismo reemplazaban gradualmente la humildad y la sinceridad. Acerca de Uzías mismo hallamos escrito: "Cuando ya era fuerte, su corazón se enalteció para su ruina; porque se rebeló contra Jehová su Dios".

El pecado que tuvo resultados tan desastrosos para Uzías fue un acto de presunción. Violando una clara orden de Jehová, de que ninguno sino los descendientes de Aarón debía oficiar como sacerdote, el rey entró en el santuario "para quemar incienso en el altar". El sumo sacerdote Azarías y sus compañeros protestaron y le suplicaron que se desviara de su propósito. Le dijeron: "has prevaricado, y no te será para gloria" (vers. 16, 18).

Uzías se llenó de ira porque se le reprendía así a él, que era el rey. Pero no se le permitió profanar el santuario contra la protesta unida de los que ejercían autoridad. Mientras estaba allí de pie, en airada rebelión, se vio repentinamente herido por el juicio divino. Apareció la lepra en su frente. Huyó espantado, para nunca volver a los atrios del templo. Hasta el día de su muerte, algunos años más tarde, permaneció leproso, como vivo ejemplo de cuán insensato es apartarse de un claro: "Así dice Jehová". No pudo presentar su alto cargo ni su larga vida de servicio como excusa por el pecado de presunción con que manchó los años finales de su reinado y atrajo sobre sí el juicio del cielo.

Dios no hace acepción de personas. "Mas la persona que hiciere algo con soberbia, así el natural como el extranjero, ultraja a Jehová; esa persona será cortada de en medio de su pueblo" (Números 15: 30).

El castigo que cayó sobre Uzías pareció ejercer una influencia refrenadora sobre su hijo. Este, Jotam, llevó pesadas responsabilidades durante los últimos años del reinado de su padre, y le sucedió en el trono después de la muerte de Uzías. Acerca de Jotam quedó escrito: "Y él hizo lo recto ante los ojos de Jehová; hizo conforme a todas las cosas que había hecho su padre Uzías. Con todo eso, los lugares altos no fueron quitados, porque el pueblo sacrificaba aún, y quemaba incienso en los lugares altos" (2 Reyes 15: 34, 35).

Se acercaba el fin del reinado de Uzías y Jotam estaba ya llevando muchas de las cargas del Estado, cuando Isaías, hombre muy joven del linaje real, fue llamado a la misión profética. Los tiempos en los cuales iba a tocarle trabajar estarían cargados de peligros especiales para el pueblo de Dios. El profeta presenciaría la invasión de Judá por los ejércitos combinados de Israel del norte y de Siria; vería las huestes asirias acampadas frente a las principales ciudades del reino. Durante su vida, iba a caer Samaria y las diez tribus de Israel serían dispersadas entre las naciones. Judá iba a ser invadido una y otra vez por los ejércitos asirios, y Jerusalén sufriría un sitio que sin la intervención milagrosa de Dios habría resultado en su caída. Ya estaba amenazada por graves peligros la paz del reino del sur. La protección divina se estaba retirando y las fuerzas asirias estaban por desplegarse en la tierra de Judá.

Pero los peligros de afuera, por abrumadores que parecieran, no eran tan graves como los de adentro. Era la perversidad de su pueblo lo que imponía al siervo de Dios la mayor perplejidad y la más profunda depresión. Por su apostasía y rebelión, los que debieran haberse destacado como portaluces entre las naciones estaban atrayendo sobre sí los juicios de Dios. Muchos de los males que estaban acelerando la presta destrucción del reino del norte, y que habían sido denunciados poco antes en términos inequívocos por Oseas y Amós, estaban corrompiendo rápidamente el reino de Judá.

La perspectiva era particularmente desalentadora en lo que se refería a las condiciones sociales del pueblo. Había hombres que, en su deseo de ganancias, iban añadiendo una casa a otra, y un campo a otro (Isaías 5: 8). La justicia se pervertía; y no se manifestaba compasión alguna hacia los pobres. Acerca de estos males Dios declaró: "El despojo del pobre está en vuestras casas ... Majáis mi pueblo y moléis las caras de los pobres" (Isaías 3: 14, 15). Hasta los magistrados, cuyo deber era proteger a los indefensos, hacían oídos sordos a los clamores de los pobres y menesterosos, de las viudas y los huérfanos (Isaías 10: 1, 2).

La opresión y la obtención de riquezas iban acompañadas de orgullo y apego a la ostentación, escandalosas borracheras y un espíritu de orgía. En los tiempos de Isaías, la idolatría ya no provocaba sorpresa (Isaías 2: 8, 9, 11, 12; 3: 16, 18-23; 5: 11, 12, 22; 10: 1, 2). Las prácticas inicuas habían llegado a prevalecer de tal manera entre todas las clases, que los pocos que permanecían fieles a Dios estaban a menudo a punto de ceder al desaliento y la desesperación. Parecía que el propósito de Dios para Israel estuviese por fracasar, y que la nación rebelde hubiese de sufrir una suerte similar a la de Sodoma y Gomorra.

Frente a tales condiciones, no es sorprendente que cuando Isaías fue llamado, durante el último año del reinado de Uzías, para que comunicase a Judá los mensajes de amonestación y reprensión que Dios le mandaba, quiso rehuir la responsabilidad. Sabía muy bien que encontraría una resistencia obstinada. Al comprender su propia incapacidad para hacer frente a la situación y al pensar en la terquedad e incredulidad del pueblo por el cual tendría que trabajar, su tarea le parecía desesperada. ¿Debía renunciar descorazonado a su misión y abandonar a Judá en su idolatría? ¿Habrían de gobernar la tierra los dioses de Nínive, en desafío del Rey de los cielos?

Pensamientos como éstos embargaban a Isaías mientras se hallaba bajo el pórtico del templo. De repente la puerta y el velo interior del templo parecieron alzarse o retraerse, y se le permitió mirar al interior, al lugar santísimo, donde el profeta no podía siquiera asentar los pies. Se le presentó una visión de Jehová sentado en un trono elevado, mientras que el séquito de su gloria llenaba el templo. A ambos lados del trono, con el rostro velado en adoración, se cernían los serafines que servían en la presencia de su Hacedor y unían sus voces en la solemne invocación: "Santo, santo, santo, Jehová de los ejércitos; toda la tierra está llena de su gloria" (Isaías 6: 3), hasta que el sonido parecía estremecer las columnas y la puerta de cedro y llenar la casa con su tributo de alabanza.

Mientras Isaías contemplaba esta revelación de la gloria y majestad de su Señor, se quedó abrumado por un sentido de la pureza y la santidad de Dios. ¡Cuán agudo contraste notaba entre la incomparable perfección de su Creador y la conducta pecaminosa de aquellos que, juntamente con él mismo, se habían contado durante mucho tiempo entre el pueblo escogido de Israel y Judá! "¡Ay de mí! —exclamó— que soy muerto; porque siendo hombre inmundo de labios, y habitando en medio de pueblo que tiene labios inmundos, han visto mis ojos al Rey, Jehová de los ejércitos" (vers. 5). Estando, por así decirlo, en plena luz de la divina presencia en el santuario interior, comprendió que si se le abandonaba a su propia imperfección y deficiencia, se vería por completo incapaz de cumplir la misión a la cual había sido llamado. Pero un serafín fue enviado para aliviarlo de su angustia, y hacerlo idóneo para su gran misión. Un carbón vivo del altar tocó sus labios y oyó las palabras: "He aquí que esto tocó tus labios, y es quitada tu culpa, y limpio tu pecado". Entonces oyó que la voz de Dios decía: "¿A quién enviaré, y quién irá por nosotros?" E Isaías respondió: "Heme aquí, envíame a mí" (vers. 7, 8).

El visitante celestial ordenó al mensajero que aguardaba: "Anda, y di a este pueblo: Oíd bien, y no entendáis; ved por cierto, mas no comprendáis. Engruesa el corazón de este pueblo, y agrava sus oídos, y ciega sus ojos, para que no vea con sus ojos, ni oiga con sus oídos, ni su corazón entienda, ni se convierta, y haya para él sanidad" (vers. 9, 10).

Era muy claro el deber del profeta; debía elevar la voz en protesta contra los males que prevalecían. Pero temía emprender la obra sin que se le asegurase cierta esperanza. Preguntó: "¿Hasta cuándo, Señor?" (vers. 11). ¿No habrá ninguno entre tu pueblo escogido que haya de comprender, arrepentirse y ser sanado?

La preocupación de su alma en favor del errante Judá no había de ser vana. Su misión no iba a ser completamente infructuosa. Sin embargo, los males que se habían estado multiplicando durante muchas generaciones no podían eliminarse en sus días. Durante toda su vida, habría de ser un maestro paciente y valeroso, un profeta de esperanza tanto como de condenación. Cuando estuviese cumplido finalmente el propósito divino, aparecerían los frutos completos de sus esfuerzos y de las labores realizadas por todos los mensajeros fieles a Dios. Un residuo se salvaría. A fin de que esto sucediera, los mensajes de amonestación y súplica debían ser entregados a la nación rebelde. Declaró el Señor: "Hasta que las ciudades estén asoladas y sin morador, y no haya hombre en las casas, y la tierra esté hecha un desierto; hasta que Jehová haya echado lejos a los hombres, y multiplicado los lugares abandonados en medio de la tierra" (vers. 11, 12).

Los grandes castigos que estaban por caer sobre los impenitentes: guerra, destierro, opresión, pérdida de poder y prestigio entre las naciones, acontecerían para que pudiese inducirse al arrepentimiento a aquellos que reconociesen en esos castigos la mano de un Dios ofendido. Las diez tribus del reino del norte iban a quedar pronto dispersadas entre las naciones, y sus ciudades serían dejadas asoladas; los destructores ejércitos de las naciones hostiles iban a arrasar la tierra vez tras vez; al fin la misma Jerusalén caería y Judá sería llevado cautivo; y sin embargo la tierra prometida no quedaría abandonada para siempre. El visitante celestial aseguró a Isaías: "Y si quedare aún en ella la décima parte, ésta volverá a ser destruida; pero como el roble y la encina, que al ser cortados aún queda el tronco, así será el tronco, la simiente santa" (vers. 13).

Esta promesa del cumplimiento final que había de tener

el propósito de Dios infundió valor al corazón de Isaías. ¿Qué importaba que las potencias terrenales se alistasen contra Judá? ¿Qué importaba que el mensajero del Señor hubiese de encontrar oposición y resistencia? Isaías había visto al Rey, a Jehová de los ejércitos; había oído el canto de los serafines: "Toda la tierra está llena de su gloria" (vers. 3). Había recibido la promesa de que los mensajes de Jehová al apóstata Judá irían acompañados con el poder convincente del Espíritu Santo; y el profeta quedó fortalecido para la obra que le esperaba. Durante el cumplimiento de su larga y ardua misión recordó siempre esa visión. Por sesenta años o más, estuvo delante de los hijos de Judá como profeta de esperanza, prediciendo con un valor que iba siempre en aumento el futuro triunfo de la iglesia.

CAPITULO 26

“He Ahí a Vuestro Dios”

EN LOS tiempos de Isaías la comprensión espiritual de la humanidad se hallaba oscurecida por un concepto erróneo acerca de Dios. Durante mucho tiempo Satanás había procurado inducir a los hombres a considerar a su Creador como autor del pecado, el sufrimiento y la muerte. Los que habían sido así engañados se imaginaban que Dios era duro y exigente. Le veían como al acecho para denunciar y condenar, nunca dispuesto a recibir al pecador mientras hubiese una excusa legal para no ayudarle. La ley de amor que rige el cielo había sido calumniada por el gran engañador y presentada como una restricción a la felicidad humana, un yugo pesado del cual debían escapar gustosos. Declaraba que era imposible obedecer sus preceptos, y que los castigos por la transgresión se imponían arbitrariamente.

Los israelitas no tenían excusa por olvidarse del verdadero carácter de Jehová. Con frecuencia se les había revelado como "Dios misericordioso y clemente, lento para la ira, y grande en misericordia y verdad" (Salmo 86: 15). Había testificado: "Cuando Israel era muchacho, yo lo amé, y de Egipto llamé a mi hijo" (Oseas 11: 1).

El Señor había tratado a Israel con ternura al librarlo de la servidumbre egipcia y mientras viajaba hacia la tierra prometida. "En toda angustia de ellos él fue angustiado, y el ángel de su faz los salvó; en su amor y en su clemencia los redimió, y los trajo, y los levantó todos los días de la antigüedad" (Isaías 63: 9).

"Mi presencia irá contigo" (Exodo 33: 14), fue la promesa hecha durante el viaje a través del desierto. Y fue acompañada por una maravillosa revelación del carácter de Jehová, que permitió a Moisés proclamar a todo Israel la bondad de Dios e instruirlo en forma más completa acerca de los atributos de su Rey invisible. "Y pasando Jehová por delante de él, proclamó: ¡Jehová! ¡Jehová! fuerte, misericordioso y piadoso; tardo para la ira, y grande en misericordia y verdad; que guarda misericordia a millares, que perdona la iniquidad, la rebelión y el pecado, y que de ningún modo tendrá por inocente al malvado" (Exodo 34: 6, 7).

En este conocimiento de la longanimidad de Jehová y de su amor y misericordia infinitos había basado Moisés su admirable intercesión por la vida de Israel cuando, en los límites de la tierra prometida, ese pueblo se había negado a avanzar en obediencia a la orden de Dios. En el apogeo de su rebelión, el Señor había declarado: "Yo los heriré de mortandad y los destruiré"; y había propuesto hacer de los descendientes de Moisés una "gente más grande y más fuerte que ellos" (Números 14: 12). Pero el profeta invocó las maravillosas providencias y promesas de Dios en favor de la nación escogida. Y luego, como el argumento más poderoso, insistió en el amor de Dios hacia el hombre caído (vers. 17-19).

Misericordiosamente, el Señor contestó: "Yo lo he perdonado conforme a tu dicho". Y luego impartió a Moisés, en forma de profecía, un conocimiento de su propósito concerniente al triunfo final de Israel. Declaró: "Mas tan ciertamente como vivo yo, y mi gloria llena toda la tierra" (vers. 20, 21). La gloria de Dios, su carácter, su misericordiosa bondad y tierno amor, lo que Moisés había invocado en favor de Israel, se revelaría a toda la humanidad. Y la promesa de Jehová fue hecha doblemente segura al ser confirmada por un juramento. Con tanta certidumbre como que Dios vive y reina, su gloria iba a ser declarada "entre las naciones" y "en todos los pueblos sus maravillas" (Salmo 96: 3).

Acerca del futuro cumplimiento de esta profecía, Isaías había oído a los resplandecientes serafines cantar delante del trono: "Toda la tierra está llena de su gloria" (Isaías 6: 3). Y el profeta mismo, confiado en la seguridad de estas palabras, declaró audazmente más tarde acerca de aquellos que se postraban ante imágenes de madera y de piedra: "Verán la gloria de Jehová, la hermosura del Dios nuestro" (Isaías 35: 2).

Hoy esta profecía se está cumpliendo rápidamente. Las actividades misioneras de la iglesia de Dios en la tierra están produciendo ricos frutos, y pronto el mensaje del Evangelio habrá sido proclamado a todas las naciones. "Para alabanza de la gloria de su gracia", hombres y mujeres de toda tribu, lengua y pueblo son transformados y hechos "aceptos en el Amado", "para mostrar en los siglos venideros las abundantes riquezas de su gracia en su bondad para con nosotros en Cristo Jesús" (Efesios 1: 6; 2: 7). "Bendito Jehová Dios, el Dios de Israel, el único que hace maravillas. Bendito su nombre glorioso para siempre, y toda la tierra sea llena de su gloria" (Salmo 72: 18, 19).

En la visión que recibió Isaías en el atrio del templo, se le presentó claramente el carácter del Dios de Israel. Se le había aparecido en gran majestad "el Alto y Sublime, el que habita la eternidad, y cuyo nombre es el Santo"; sin embargo se le hizo comprender la naturaleza compasiva de su Señor. El que mora "en la altura y la santidad" mora también "con el quebrantado y humilde de espíritu, para hacer vivir el espíritu de los humildes, y para vivificar el corazón de los quebrantados" (Isaías 57: 15). El ángel enviado a tocar los labios de Isaías le había traído este mensaje: "Es quitada tu culpa, y limpio tu pecado" (Isaías 6: 7).

Al contemplar a su Dios, el profeta, como Saulo de Tarso frente a Damasco, recibió no sólo una visión de su propia indignidad, sino que penetró en su corazón humillado la seguridad de un perdón completo y gratuito, y se levantó transformado. Había visto a su Señor. Había obtenido una vislumbre de la hermosura del carácter divino. Podía atestiguar la transformación que se realizó en él por la contemplación del amor infinito. Se sintió inspirado desde entonces por el deseo ardiente de ver al errante Israel libertado de la carga y penalidad del pecado. Preguntó el profeta: "¿Por qué querréis ser castigados aún?... Venid luego, dice

Jehová, y estemos a cuenta: si vuestros pecados fueren como la grana, como la nieve serán emblanquecidos; si fueren rojos como el carmesí, vendrán a ser como blanca lana... Lavaos y limpiaos; quitad la iniquidad de vuestras obras de delante de mis ojos; dejad de hacer lo malo; aprended a hacer el bien" (Isaías 1: 5, 18, 16, 17).

El Señor a quien aseveraban servir, pero cuyo carácter no habían comprendido, les fue presentado como el gran Médico de la enfermedad espiritual. ¿Qué importaba que toda la cabeza estuviese enferma y desmayase el corazón? ¿Qué importaba que desde la planta del pie hasta la coronilla no hubiese lugar sano, sino heridas, magulladuras y llagas putrefactas? (vers. 6). El que se había desviado siguiendo los impulsos de su corazón podía sanar si se volvía al Señor. Dios declaraba: "He visto sus caminos; pero le sanaré, y le pastorearé, y le daré consuelo... Paz, paz al que está lejos y al cercano, dijo Jehová; y lo sanaré" (Isaías 57: 18, 19).

El profeta ensalzaba a Dios como Creador de todo. Su mensaje a las ciudades de Judá era: "¡Ved aquí al Dios vuestro!" (Isaías 40: 9). "Así dice Jehová Dios, Creador de los cielos, y el que los despliega; el que extiende la tierra y sus productos... Yo Jehová, que lo hago todo, ... que formo la luz y creo las tinieblas... Yo hice la tierra, y creé sobre ella al hombre. Yo, mis manos, extendieron los cielos, y a todo su ejército mandé" (Isaías 42: 5; 44: 24; 45: 7, 12). "¿A qué, pues, me haréis semejante o me compararéis? dice el Santo. Levantad en alto vuestros ojos, y mirad quién creó estas cosas; él saca y cuenta su ejército; a todas llama por sus nombres; ninguna faltará; tal es la grandeza de su fuerza, y el poder de su dominio" (Isaías 40: 25, 26).

A aquellos que temían que no serían recibidos si volvían a Dios, el profeta declaró: "¿Por qué dices, oh Jacob, y hablas tú, Israel: Mi camino está escondido de Jehová, y de mi Dios pasó mi juicio? ¿No has sabido, no has oído que el Dios eterno es Jehová, el cual creó los confines de la tierra? No desfallece, ni se fatiga con cansancio, y su entendimiento no hay quien lo alcance. El da esfuerzo al cansado, y multiplica las fuerzas al que no tiene ningunas. Los muchachos se fatigan y se cansan, los jóvenes flaquean y caen; pero los que esperan a Jehová tendrán nuevas fuerzas; levantarán alas como las águilas; correrán, y no se cansarán; caminarán, y no se fatigarán" (vers. 27-31).

El corazón lleno de amor infinito se conduele de aquellos que se sienten imposibilitados para librarse de las trampas de Satanás; y les ofrece misericordiosamente fortalecerlos a fin de que puedan vivir para él. Les dice: "No temas, porque yo estoy contigo; no desmayes, porque yo soy tu Dios que te esfuerzo; siempre te ayudaré, siempre te sustentaré con la diestra de mi justicia... Porque yo Jehová soy tu Dios, quien te sostiene de tu mano derecha, y te dice: No temas, yo te ayudo. No temas, gusano de Jacob, oh vosotros los pocos de Israel; yo soy tu socorro, dice Jehová; el Santo de Israel es tu Redentor" (Isaías 41: 10, 13, 14).

Todos los habitantes de Judá eran personas sin méritos, y sin embargo Dios no quería renunciar a ellos. Por su medio, el nombre de él debía ser ensalzado entre los paganos. Muchos que desconocían por completo sus atributos habían de contemplar todavía la gloria del carácter divino. Con el propósito de presentar claramente sus designios misericordiosos, seguía enviando a sus siervos los profetas con el mensaje: "Volveos ahora de vuestro mal camino" (Jeremías 25: 5). "Por amor de mi nombre diferiré mi ira, y para alabanza mía la reprimiré para no destruirte... Por mí, por amor de mí mismo lo haré, para que no sea amancillado mi nombre, y mi honra no la daré a otro" (Isaías 48: 9, 11).

El llamamiento al arrepentimiento se proclamó con inequívoca claridad, y todos fueron invitados a volver. El profeta rogaba: "Buscad a Jehová mientras puede ser hallado, llamadle en tanto que está cercano. Deje el impío su camino, y el hombre inicuo sus pensamientos, y vuélvase a Jehová, el cual tendrá de él misericordia, y al Dios nuestro, el cual será amplio en perdonar" (Isaías 55: 6, 7).

¿Escogiste tú, lector, tu propio camino? ¿Te has extraviado lejos de Dios? ¿Has procurado alimentarte con los frutos de la transgresión, tan sólo para hallar que se tornan cenizas en tus labios? Y ahora, frustrados los planes que hiciste para tu vida, muertas tus esperanzas, ¿te hallas sentado solo y desconsolado? Esa voz que desde hace mucho ha estado hablando a tu corazón y a la cual no quisiste escuchar, te llega distinta y clara: "Levantaos y andad, porque no es este el lugar de reposo, pues está contaminado, corrompido grandemente" (Miqueas 2: 10). Vuelve a la casa de tu Padre. El te invita diciendo: "Vuélvete a mí, porque yo te redimí... Venid a mí; oíd, y vivirá vuestra alma; y haré con vosotros pacto eterno, las misericordias firmes a David" (Isaías 44: 22; 55: 3).

No escuches al enemigo cuando te sugiere que te mantengas alejado de Cristo hasta que hayas mejorado, hasta que seas bastante bueno para allegarte a Dios. Si aguardas hasta entonces, no te acercarás nunca a él. Cuando Satanás te señale tus vestiduras inmundas, repite la promesa del Salvador: "Al que a mí viene, no le echo fuera" (S. Juan 6: 37). Di al enemigo que la sangre de Cristo te limpia de todo pecado. Haz tuya la oración de David: "Purifícame con hisopo, y seré limpio; lávame, y seré más blanco que la nieve" (Salmo 51: 7).

Las exhortaciones dirigidas por el profeta a Judá para que contemplase al Dios viviente y aceptase sus ofrecimientos misericordiosos, no fueron vanas. Hubo algunos que lo escucharon con fervor, y se apartaron de sus ídolos para adorar a Jehová. Aprendieron a ver amor, misericordia y tierna compasión en su Hacedor. Y en los días sombríos que iban a presentarse en la historia de Judá, cuando sólo quedaría un residuo en la tierra, las palabras del profeta iban a continuar dando fruto en una reforma decidida. Declaró Isaías: "En aquel día mirará el hombre a su Hacedor, y sus ojos contemplarán al Santo de Israel. Y no mirará a los altares que hicieron sus manos, ni mirará a lo que hicieron sus dedos, ni a los símbolos de Asera, ni a las imágenes del sol" (Isaías 17: 7, 8).

Muchos iban a contemplar al que es del todo amable, el principal entre diez mil. Esta fue la misericordiosa promesa que se les dirigió: "Tus ojos verán al Rey en su hermosura" (Isaías 33: 17). Sus pecados iban a ser perdonados, y pondrían su confianza sólo en Dios. En aquel alegre día en que fuesen redimidos de la idolatría, exclamarían: "Porque ciertamente allí será Jehová para con nosotros fuerte, lugar de ríos, de arroyos muy anchos... Porque Jehová es nuestro juez, Jehová es nuestro legislador, Jehová es nuestro Rey; él mismo nos salvará" (vers. 21, 22).

Los mensajes dados por Isaías a aquellos que decidieran apartarse de sus malos caminos, estaban impregnados de consuelo y aliento. Oigamos las palabras que les dirigió el Señor por medio de su profeta:

> "Acuérdate de estas cosas, oh Jacob, e Israel,
> porque mi siervo eres.
> Yo te formé, siervo mío eres tú; Israel, no me olvides.
> Yo deshice como una nube tus rebeliones,
> y como niebla tus pecados;
> vuélvete a mí, porque yo te redimí"
> (Isaías 44: 21, 22).

> "En aquel día dirás: Cantaré a ti, oh Jehová;
> pues aunque te enojaste contra mí,
> tu indignación se apartó, y me has consolado.
> He aquí Dios es salvación mía;
> me aseguraré y no temeré;
> porque mi fortaleza y mi canción es JAH Jehová,
> quien ha sido salvación para mí...
> Cantad salmos a Jehová; porque ha hecho cosas magníficas;
> sea sabido esto por toda la tierra.
> Regocíjate y canta, oh moradora de Sión;
> porque grande es en medio de ti el Santo de Israel"
> (Isaías 12).

CAPITULO 27

Acaz

LA ASCENSION de Acaz al trono puso a Isaías y a sus compañeros frente a condiciones más espantosas que cualesquiera que hubiesen existido hasta entonces en el reino de Judá. Muchos que habían resistido anteriormente a la influencia seductora de las prácticas idólatras, se dejaban persuadir ahora a tomar parte en el culto de las divinidades paganas. Había en Israel príncipes que faltaban a su cometido; se levantaban falsos profetas para dar mensajes que extraviaban; hasta algunos de los sacerdotes estaban enseñando por precio. Sin embargo, los caudillos de la apostasía conservaban las formas del culto divino, y aseveraban contarse entre el pueblo de Dios.

El profeta Miqueas, quien dio su testimonio durante aquellos tiempos angustiosos, declaró que los pecadores de Sión blasfemaban al aseverar que se apoyaban "en Jehová", y que, mientras edificaban "a Sión con sangre, y a Jerusalén con injusticia", se jactaban así: "¿No está Jehová entre nosotros? No vendrá mal sobre nosotros" (Miqueas 3: 10,

El paganismo pareció triunfar al acercarse el fin del reinado del impío rey Acaz, pues el templo de Jerusalén fue cerrado por decreto real.

11). Contra estos males alzó la voz el profeta Isaías en estas severas reprensiones: "Príncipes de Sodoma, oíd la palabra de Jehová; escuchad la ley de nuestro Dios, pueblo de Gomorra. ¿Para qué me sirve, dice Jehová, la multitud de vuestros sacrificios?... ¿Quién demanda esto de vuestras manos, cuando venís a presentaros delante de mí para hollar mis atrios?" (Isaías 1: 10-12).

La Inspiración declara: "El sacrificio de los impíos es abominación; ¡cuánto más ofreciéndolo con maldad!" (Proverbios 21: 27). El Dios del cielo es "muy limpio ... de ojos para ver el mal", y no puede "ver el agravio" (Habacuc 1: 13). Si se aparta del transgresor no es porque no esté dispuesto a perdonarlo; es porque el pecador se niega a valerse de las abundantes bendiciones de la gracia; y por tal motivo Dios no puede librarlo del pecado. "He aquí que no se ha acortado la mano de Jehová para salvar, ni se ha agravado su oído para oír; pero vuestras iniquidades han hecho división entre vosotros y vuestro Dios, y vuestros pecados han hecho ocultar de vosotros su rostro para no oír" (Isaías 59: 1, 2).

Salomón había escrito: "¡Ay de ti, tierra, cuando tu rey es muchacho!" (Eclesiastés 10: 16). Así sucedía en la tierra de Judá. Por sus continuas transgresiones, los gobernantes habían llegado a ser como niños. Isaías señaló a la atención del pueblo la debilidad de su posición entre las naciones de la tierra; y le demostró que ella era resultado de la impiedad manifestada por los dirigentes. Dijo: "Porque he aquí que el Señor Jehová de los ejércitos quita de Jerusalén y de Judá al sustentador y al fuerte, todo sustento de pan y todo socorro de agua; el valiente y el hombre de guerra, el juez y el profeta, el adivino y el anciano; el capitán de cincuenta y el hombre de respeto, el consejero, el artífice excelente y el hábil orador. Y les pondré jóvenes por príncipes, y muchachos serán sus señores... Pues arruinada está Jerusalén, y Judá ha caído; porque la lengua de ellos y sus obras han sido contra Jehová" (Isaías 3: 1-4, 8).

El profeta continuó: "Los que te guían te engañan, y tuercen el curso de tus caminos" (vers. 12). Tal fue, literalmente, el caso durante el reinado de Acaz; porque acerca de él se escribió: "Antes anduvo en los caminos de los reyes de Israel, y además hizo imágenes fundidas a los baales. Quemó también incienso en el valle de los hijos de Hinom" (2 Crónicas 28: 2, 3). "Y aun hizo pasar por fuego a su hijo, según las prácticas abominables de las naciones que Jehová echó de delante de los hijos de Israel" (2 Reyes 16: 3).

Se trataba verdaderamente de un tiempo de gran peligro para la nación escogida. Faltaban tan sólo unos años para que las diez tribus del reino de Israel quedasen esparcidas entre las naciones paganas. Y la perspectiva era sombría también en el reino de Judá. Las fuerzas que obraban para el bien disminuían rápidamente y se multiplicaban las fuerzas favorables al mal. El profeta Miqueas, al considerar la situación, se sintió constreñido a exclamar: "Faltó el misericordioso de la tierra, y ninguno hay recto entre los hombres... El mejor de ellos es como el espino; el más recto, como zarzal" (Miqueas 7: 2, 4). Isaías declaró: "Si Jehová de los ejércitos no nos hubiese dejado un resto pequeño, como Sodoma fuéramos, y semejantes a Gomorra" (Isaías 1: 9).

En toda época, por amor a los que permanecieron fieles, y también a causa de su infinito amor por los que yerran,

Dios fue longánime con los rebeldes, y los instó a abandonar su conducta impía para retornar a él. Mediante los hombres a quienes designara, enseñó a los transgresores el camino de la justicia "renglón tras renglón, línea sobre línea, un poquito allí, otro poquito allá" (Isaías 28: 10).

Y así sucedió durante el reinado de Acaz. Se envió al errante Israel una invitación tras otra para que volviese a ser leal a Jehová. Tiernas eran las súplicas que le dirigían los profetas; y mientras estaban exhortando fervorosamente al pueblo a que se arrepintiese y se reformase, sus palabras dieron fruto para gloria de Dios.

Por medio de Miqueas fue hecha esta súplica admirable: "Oíd ahora lo que dice Jehová: Levántate, contiende contra los montes, y oigan los collados tu voz. Oíd, montes, y fuertes cimientos de la tierra, el pleito de Jehová; porque Jehová tiene pleito con su pueblo, y altercará con Israel.

"Pueblo mío, ¿qué te he hecho, o en qué te he molestado? Responde contra mí. Porque yo te hice subir de la tierra de Egipto, y de la casa de servidumbre te redimí; y envié delante de ti a Moisés, a Aarón y a María.

"Pueblo mío, acuérdate ahora qué aconsejó Balac rey de Moab, y qué le respondió Balaam, hijo de Beor, desde Sitim hasta Gilgal, para que conozcas las justicias de Jehová" (Miqueas 6: 1-5).

El Dios a quien servimos es longánime; "porque nunca decayeron sus misericordias" (Lamentaciones 3: 22). Durante todo el tiempo de gracia, su Espíritu suplica a los hombres para que acepten el don de la vida. "Vivo yo, dice Jehová el Señor, que no quiero la muerte del impío, sino que se vuelva el impío de su camino, y que viva. Volveos,

volveos de vuestros malos caminos; ¿por qué moriréis?" (Ezequiel 33: 11). Es el propósito especial de Satanás inducir a los hombres a pecar, y dejarlos luego, sin defensa ni esperanza, pero con temor de ir en busca de perdón. Mas Dios los invita así: "Echen mano esos enemigos de mi fortaleza, y hagan paz conmigo. ¡Sí, que hagan paz conmigo!" (Isaías 27: 5, VM). En Cristo han sido tomadas todas las medidas, y se ofrece todo aliento.

Durante la apostasía de Judá e Israel, muchos preguntaban: "¿Con qué me presentaré ante Jehová, y adoraré al Dios Altísimo? ¿Me presentaré ante él con holocaustos, con becerros de un año? ¿Se agradará Jehová de millares de carneros, o de diez mil arroyos de aceite?" La respuesta es clara y positiva: "Oh hombre, él te ha declarado lo que es bueno, y qué pide Jehová de ti: solamente hacer justicia, y amar misericordia, y humillarte ante tu Dios" (Miqueas 6: 6-8).

Al insistir en el valor de la piedad práctica, el profeta estaba tan sólo repitiendo el consejo dado a Israel siglos antes. Por medio de Moisés, mientras estaban los israelitas a punto de entrar en la tierra prometida, el Señor les había dicho: "Ahora, pues, Israel, ¿qué pide Jehová tu Dios de ti, sino que temas a Jehová tu Dios, que andes en todos sus caminos, y que lo ames, y sirvas a Jehová tu Dios con todo tu corazón y con toda tu alma; que guardes los mandamientos de Jehová y sus estatutos, que yo te prescribo hoy, para que tengas prosperidad?" (Deuteronomio 10: 12, 13). De siglo en siglo estos consejos fueron repetidos por los siervos de Jehová a los que estaban en peligro de caer en hábitos de formalismo, y de olvidarse de practicar la misericordia.

Cuando Cristo mismo, durante su ministerio terrenal, fue interrogado así por un doctor de la ley: "Maestro, ¿cuál es el gran mandamiento en la ley?", le contestó: "Amarás al Señor tu Dios con todo tu corazón, y con toda tu alma, y con toda tu mente. Este es el primero y grande mandamiento. Y el segundo es semejante: Amarás a tu prójimo como a ti mismo. De estos dos mandamientos depende toda la ley y los profetas" (S. Mateo 22: 36-40).

Estas claras expresiones de los profetas y del Maestro mismo deben ser recibidas como voz del cielo para toda alma. No debemos desperdiciar oportunidad alguna de cumplir actos de misericordia, de tierna prevención y cortesía cristiana en favor de los cargados y oprimidos. Si nos es imposible hacer más, podemos dirigir palabras de aliento y esperanza a los que no conocen a Dios y a quienes podemos alcanzar con más facilidad mediante la simpatía y el amor.

Ricas y abundantes son las promesas hechas a los que se mantienen alerta para ver las oportunidades de infundir gozo y bendición en la vida ajena. "Y si dieres tu pan al hambriento, y saciares al alma afligida, en las tinieblas nacerá tu luz, y tu oscuridad será como el mediodía. Jehová te pastoreará siempre, y en las sequías saciará tu alma, y dará vigor a tus huesos; y serás como huerto de riego, y como manantial de aguas, cuyas aguas nunca faltan" (Isaías 58: 10, 11).

La conducta idólatra de Acaz, frente a las súplicas fervientes de los profetas, no podía tener sino un resultado. "La ira de Jehová ha venido sobre Judá y Jerusalén, y los ha entregado a turbación, a execración y a escarnio" (2 Crónicas 29: 8). El reino sufrió una decadencia acelerada, y pronto su misma existencia quedó amenazada por ejércitos invasores. "Rezín rey de Siria y Peka hijo de Remalías, rey de Israel, subieron a Jerusalén para hacer guerra y sitiar a Acaz" (2 Reyes 16: 5).

Si Acaz y los hombres principales de su reino hubiesen sido fieles siervos del Altísimo, no se habrían amedrentado frente a una alianza tan antinatural como la que se había formado contra ellos. Pero las repetidas transgresiones los habían privado de fuerza. Dominados por el espanto sin nombre que sentían al pensar en los juicios retributivos de un Dios ofendido, "se le estremeció el corazón, y el corazón de su pueblo, como se estremecen los árboles del monte a causa del viento" (Isaías 7: 2). En esta crisis, llegó la palabra del Señor a Isaías para ordenarle que se presentase ante el temploroso rey y le dijese:

"Guarda, y repósate; no temas, ni se turbe tu corazón... Ha acordado maligno consejo contra ti el sirio, con Efraín y con el hijo de Remalías, diciendo: Vamos contra Judá y ate-

rroricémosla, y repartámosla entre nosotros, y pongamos en medio de ella ... rey... Jehová el Señor dice así: No subsistirá, ni será". El profeta declaró que el reino de Israel y el de Siria acabarían pronto, y concluyó: "Si vosotros no creyereis, de cierto no permaneceréis" (vers. 4-7, 9).

Habría convenido al reino de Judá que Acaz recibiese este mensaje como proveniente del cielo. Pero prefiriendo apoyarse en el brazo de la carne, procuró la ayuda de los paganos. Desesperado, avisó así a Tiglat-pileser, rey de Asiria: "Yo soy tu siervo y tu hijo; sube, y defiéndeme de mano del rey de Siria, y de mano del rey de Israel, que se han levantado contra mí" (2 Reyes 16: 7). La petición iba acompañada por un rico presente sacado de los tesoros del rey y del templo.

La ayuda pedida fue enviada, y el rey Acaz obtuvo alivio momentáneo, pero ¡cuánto costó a Judá! El tributo ofrecido despertó la codicia de Asiria, y esa nación traicionera no tardó en amenazar con invadir y despojar a Judá. Acaz y sus desgraciados súbditos se vieron entonces acosados por el temor de caer completamente en las manos de los crueles asirios.

A causa de las continuas transgresiones, "Jehová había humillado a Judá". En ese tiempo de castigo, en vez de arrepentirse, Acaz rebelóse "gravemente contra Jehová... Porque ofreció sacrificios a los dioses de Damasco..., y dijo: Pues que los dioses de los reyes de Siria les ayudan, yo también ofreceré sacrificios a ellos para que me ayuden" (2 Crónicas 28: 19, 22, 23).

Hacia el fin de su reinado, el rey apóstata hizo cerrar las puertas del templo. Se interrumpieron los servicios sagrados. Ya no ardían los candeleros delante del altar. Ya no se ofrecían sacrificios por los pecados del pueblo. Ya no ascendía el suave sahumerio del incienso a la hora de los sacrificios de la mañana y de la tarde. Abandonando los atrios de la casa de Dios y cerrando sus puertas, los habitantes de la ciudad impía construyeron audazmente altares para el culto de las divinidades paganas en las esquinas de las calles de Jerusalén. El paganismo parecía triunfante; y a punto de prevalecer las potestades de las tinieblas.

Pero moraban en Judá algunos que se habían mantenido fieles a Jehová, negándose firmemente a practicar la idolatría. A los tales consideraban con esperanza Isaías, Miqueas y sus asociados, mientras miraban la ruina labrada durante los últimos años de Acaz. Su santuario estaba cerrado, pero a los fieles se les dio esta seguridad: "Dios está con nosotros... A Jehová de los ejércitos, a él santificad; sea él vuestro temor, y él sea vuestro miedo. Entonces él será por santuario" (Isaías 8: 10, 13, 14).

CAPITULO 28

Ezequías

EN AGUDO contraste con el gobierno temerario de Acaz se destacó la reforma realizada durante el próspero reinado de su hijo, Ezequías, quien subió al trono resuelto a hacer cuanto estuviese en su poder para salvar a Judá de la suerte que iba cayendo sobre el reino del norte. Los mensajes de los profetas no aprobaban las medidas a medias. Unicamente por medio de una reforma decidida podían evitarse los castigos con que el pueblo estaba amenazado.

En esa crisis, Ezequías demostró ser el hombre oportuno. Apenas hubo ascendido al trono, empezó a hacer planes y a ejecutarlos. Primero dedicó su atención a restaurar los servicios del templo, durante tanto tiempo descuidados; y para esta obra solicitó fervorosamente la cooperación de un grupo de sacerdotes y levitas que habían permanecido fieles a su sagrada vocación. Confiando en su apoyo leal, les habló francamente de su deseo de iniciar inmediatamente reformas abarcantes. Confesó: "Nuestros padres se han rebelado, y han hecho lo malo ante los ojos de Jehová nuestro

Dios; porque le dejaron, y apartaron sus rostros del tabernáculo de Jehová... Ahora, pues, yo he determinado hacer pacto con Jehová el Dios de Israel, para que aparte de nosotros el ardor de su ira" (2 Crónicas 29: 6, 10).

En pocas y bien escogidas palabras el rey reseñó la situación que estaban enfrentando: el templo cerrado y la cesación de todos los servicios que se realizaban antes en sus dependencias, la flagrante idolatría que se practicaba en las calles de la ciudad y por todo el reino, la apostasía de las multitudes que podrían haber quedado fieles a Dios si los dirigentes de Judá les hubiesen dado un buen ejemplo, así como la decadencia del reino y la pérdida de prestigio en la estima de las naciones circundantes. El reino del norte se estaba desmoronando rápidamente; muchos perecían por la espada; una multitud había sido ya llevada cautiva; pronto Israel iba a caer completamente en manos de los asirios y sufrir una ruina completa; y esta suerte alcanzaría seguramente a Judá también, a menos que Dios obrase poderosamente por medio de sus representantes escogidos.

Ezequías solicitó directamente a los sacerdotes que se uniesen con él para realizar las reformas necesarias. Los exhortó: "Hijos míos, no os engañéis ahora, porque Jehová os ha escogido a vosotros para que estéis delante de él y le sirváis, y seáis sus ministros, y le queméis incienso... Santificaos ahora, y santificad la casa de Jehová el Dios de vuestros padres" (vers. 11, 5).

Era un tiempo en el cual había que obrar prestamente. Los sacerdotes comenzaron en seguida. Solicitaron la cooperación de otros miembros de sus filas que no habían estado presentes durante esa conferencia e iniciaron de todo corazón la obra de limpiar y santificar el templo. Debido a los años de profanación y negligencia, esto fue acompañado de muchas dificultades; pero los sacerdotes y los levitas trabajaron incansablemente, y en un tiempo notablemente corto pudieron comunicar que su tarea había terminado. Las puertas del templo habían sido reparadas y estaban abiertas; los vasos sagrados habían sido reunidos y puestos en sus lugares; y todo estaba listo para restablecer los servicios del santuario.

En el primer servicio que se celebró, los gobernantes de la ciudad se unieron al rey Ezequías y a los sacerdotes y levitas para pedir perdón por los pecados de la nación. Se pusieron sobre el altar ofrendas por el pecado, "para reconciliar a todo Israel... Y cuando acabaron de ofrecer, se inclinó el rey, y todos los que con él estaban, y adoraron". Nuevamente repercutieron en los atrios del templo las palabras de alabanza y oración. Se cantaban con gozo los himnos de David y de Asaf, mientras los adoradores reconocían que se los estaba librando de la servidumbre del pecado y la apostasía. "Y se alegró Ezequías con todo el pueblo, de que Dios hubiese preparado el pueblo; porque la cosa fue hecha rápidamente" (vers. 24, 29, 36).

Dios había preparado en verdad el corazón de los hombres principales de Judá para que encabezaran un decidido movimiento de reforma, a fin de detener la marea de la apostasía. Por medio de sus profetas, había enviado a su pueblo escogido mensaje tras mensaje de súplica ferviente, mensajes que habían sido despreciados y rechazados por las diez tribus del reino de Israel, ahora entregadas al enemigo. Pero en Judá quedaba un buen remanente, y a este residuo continuaron dirigiendo sus súplicas los profetas. Oigamos a Isaías instarlo: "Volved a aquel contra quien se rebelaron profundamente los hijos de Israel" (Isaías 31: 6). Escuchemos a Miqueas declarar con confianza: "Mas yo a Jehová miraré, esperaré al Dios de mi salvación; el Dios mío me oirá. Tú, enemiga mía, no te alegres de mí, porque aunque caí, me levantaré; aunque more en tinieblas, Jehová será mi luz. La ira de Jehová soportaré, porque pequé contra él, hasta que juzgue mi causa y haga mi justicia; él me sacará a luz; veré su justicia" (Miqueas 7: 7-9).

Estos mensajes y otros parecidos revelaban cuán dispuesto estaba Dios a perdonar y aceptar a aquellos que se tornasen a él con firme propósito en el corazón, y habían infundido esperanza a muchas almas desfallecientes durante los años de oscuridad mientras las puertas del templo permanecían cerradas; y al iniciar los caudillos una reforma, una multitud del pueblo, cansada del dominio del pecado, se manifestaba lista para responder.

Los que entraron en los atrios del templo en busca de perdón y para renovar sus votos de lealtad a Jehová fueron admirablemente alentados por las lecturas proféticas de las Escrituras. Las solemnes amonestaciones contra la idolatría dirigidas por Moisés a oídos de todo Israel, fueron acompañadas por profecías referentes a cuán dispuesto estaba Dios a oír y perdonar a los que en tiempo de apostasía le buscasen de todo corazón. Moisés había dicho: "Si ... te volvieres a Jehová tu Dios, y oyeres su voz; porque Dios misericordioso es Jehová tu Dios; no te dejará, ni te destruirá, ni se olvidará del pacto que les juró a tus padres" (Deuteronomio 4: 30, 31).

Y en la oración profética que elevara al dedicar el templo, cuyos servicios Ezequías y sus asociados estaban restableciendo, Salomón se había expresado así: "Si tu pueblo Israel fuere derrotado delante de sus enemigos por haber pecado contra ti, y se volvieren a ti y confesaren tu nombre, y oraren y te rogaren y suplicaren en esta casa, tú oirás en los cielos, y perdonarás el pecado de tu pueblo Israel" (1 Reyes 8: 33, 34). Esta oración había recibido el sello de la aprobación divina, pues al concluir descendió fuego del cielo para consumir el holocausto y los sacrificios, y la gloria del Señor llenó el templo (2 Crónicas 7: 1). Y de noche el Señor apareció a Salomón para decirle que su oración había sido oída, y que su misericordia se manifestaría hacia los que le adoraran allí. Fue hecha esta misericordiosa promesa: "Si se humillare mi pueblo, sobre el cual mi nombre es invocado, y oraren, y buscaren mi rostro, y se convirtieren de sus malos caminos; entonces yo oiré desde los cielos, y perdonaré sus pecados, y sanaré su tierra" (2 Crónicas 7: 14).

Estas promesas hallaron abundante cumplimiento durante la reforma realizada bajo la dirección de Ezequías.

El buen comienzo hecho con la purificación del templo fue seguido por un movimiento más amplio, en el cual participó Israel tanto como Judá. En su celo para que los servicios del templo resultasen una bendición verdadera para el pueblo, Ezequías resolvió resucitar la antigua costumbre de reunir a los israelitas para celebrar la fiesta de la pascua.

Durante muchos años la pascua no había sido observada como fiesta nacional. La división del reino, al finalizar el reinado de Salomón, había hecho difícil esa celebración. Pero los terribles castigos que estaban cayendo sobre las diez tribus despertaban en los corazones de algunos un deseo de cosas mejores; y se notaba el efecto que tenían los mensajes conmovedores de los profetas. La invitación a asistir a la pascua en Jerusalén fue proclamada lejos y cerca por los correos reales, "de ciudad en ciudad por la tierra de Efraín y Manasés, hasta Zabulón". Por lo general, los transmisores de la misericordiosa invitación fueron rechazados. Los impenitentes se apartaban con liviandad; pero algunos, deseosos de buscar a Dios y de obtener un conocimiento más claro de su voluntad, "se humillaron, y vinieron a Jerusalén" (2 Crónicas 30: 10, 11).

En la tierra de Judá, la respuesta fue muy general; porque allí se sentía "la mano de Dios para darles un solo corazón para cumplir el mensaje del rey y de los príncipes" (vers. 12), cuya orden estaba de acuerdo con la voluntad de Dios según se revelaba por medio de sus profetas.

La ocasión fue del mayor beneficio para las multitudes congregadas. Las calles profanadas de la ciudad fueron limpiadas de los altares idólatras puestos allí durante el reinado de Acaz. En el día señalado se observó la pascua; y el pueblo dedicó la semana a hacer ofrendas pacíficas y a aprender lo que Dios quería que hiciese. Diariamente recibía enseñanza de los levitas que "tenían buena inteligencia en el servicio de Jehová". Y los que habían preparado su corazón para buscar a Dios hallaban perdón. Una gran alegría se posesionó de la multitud que adoraba; "y glorificaban a Jehová todos los días los levitas y los sacerdotes, cantando con instrumentos resonantes" (vers. 22, 21), pues todos eran unánimes en su deseo de alabar a Aquel que les había manifestado tanta misericordia.

John Steel

Los siete días generalmente señalados para la pascua parecieron transcurrir con demasiada rapidez, y los adoradores resolvieron dedicar otros siete días para aprender más acerca del camino del Señor. Los sacerdotes que les enseñaban continuaron su obra de instrucción basada en el libro de la ley; y diariamente el pueblo se congregaba en el templo para ofrecer su tributo de alabanza y agradecimiento; de manera que al acercarse el fin de la gran celebración, era evidente que Dios había obrado maravillosamente para convertir al apóstata Judá y para detener la marea de la idolatría que amenazaba con arrasarlo todo. Las solemnes advertencias de los profetas no habían sido pronunciadas en vano. "Hubo entonces gran regocijo en Jerusalén; porque desde los días de Salomón hijo de David rey de Israel, no había habido cosa semejante en Jerusalén" (vers. 26).

Había llegado el momento en que los adoradores debían regresar a sus hogares. "Después los sacerdotes y levitas, puestos en pie, bendijeron al pueblo; y la voz de ellos fue oída, y su oración llegó a la habitación de su santuario, al cielo" (vers. 27). Dios había aceptado a aquellos que, con corazón contrito, habían confesado su pecado, y con propósito resuelto habían procurado su perdón y ayuda.

Quedaba todavía por hacer una obra importante, en la cual debían tomar parte activa los que volvían a sus hogares; una obra cuyo cumplimiento daría evidencia de la reforma realizada. El relato dice: "Hechas todas estas cosas, todos los de Israel que habían estado allí salieron por las ciudades de Judá, y quebraron las estatuas y destruyeron las imágenes de Asera, y derribaron los lugares altos y los altares por todo Judá y Benjamín, y también en Efraín y

Durante el reavivamiento impulsado por Ezequías, el pueblo destruyó las imágenes y derribó los árboles dedicados al falso culto.

Manasés, hasta acabarlo todo. Después se volvieron todos los hijos de Israel a sus ciudades, cada uno a su posesión" (2 Crónicas 31: 1).

Ezequías y sus asociados instituyeron varias reformas para fortalecer los intereses espirituales y temporales del reino. "En todo Judá", el rey "ejecutó lo bueno, recto y verdadero delante de Jehová su Dios. En todo cuanto emprendió..., lo hizo de todo corazón, y fue prosperado". "En Jehová Dios de Israel puso su esperanza; ... y no se apartó de él, sino que guardó los mandamientos que Jehová prescribió a Moisés. Y Jehová estaba con él; y adondequiera que salía, prosperaba" (2 Crónicas 31: 20, 21; 2 Reyes 18: 5-7).

El reinado de Ezequías se caracterizó por una serie de providencias notables que revelaron a las naciones circundantes que el Dios de Israel estaba con su pueblo. El éxito de los asirios al tomar Samaria y dispersar entre las naciones el residuo de las diez tribus durante la primera parte de aquel reinado, inducía a muchos a poner en duda el poder del Dios de los hebreos. Envalentonados por sus éxitos, los ninivitas despreciaban desde hacía mucho el mensaje de Jonás, y en su oposición desafiaban los propósitos del cielo. Pocos años después de que cayera Samaria, los ejércitos victoriosos volvieron a aparecer en Palestina, esta vez para dirigir sus fuerzas contra las ciudades amuralladas de Judá, y tuvieron cierta medida de éxito; pero se retiraron por una temporada debido a dificultades que se levantaron en otras partes de su reino. Algunos años más tarde, hacia el final del reinado de Ezequías, iba a demostrarse ante las naciones del mundo si los dioses de los paganos habían de prevalecer finalmente.

CAPITULO 29

Los Embajadores de Babilonia

EN MEDIO de su próspero reinado, el rey Ezequías se vio repentinamente aquejado de una enfermedad fatal. "Enfermó de muerte", y no había remedio para su caso en el poder humano. Parecía perdido el último vestigio de esperanza cuando el profeta Isaías se presentó ante él con el mensaje: "Jehová dice así: Ordena tu casa, porque morirás, y no vivirás" (Isaías 38: 1).

La perspectiva parecía sombría en absoluto; y sin embargo podía el rey orar todavía a Aquel que había sido hasta entonces su "amparo y fortaleza", su "pronto auxilio en las tribulaciones" (Salmo 46: 1). Así que "él volvió su rostro a la pared, y oró a Jehová y dijo: Te ruego, oh Jehová, te ruego que hagas memoria de que he andado delante de ti en verdad y con íntegro corazón, y que he hecho las cosas que te agradan. Y lloró Ezequías con gran lloro" (2 Reyes 20: 2, 3).

Desde los tiempos de David, no había reinado rey alguno que hubiese obrado tan poderosamente para la edificación del reino de Dios en un tiempo de apostasía y desaliento. El moribundo rey había servido fielmente a su Dios, y había fortalecido la confianza del pueblo en Jehová como su Gobernante supremo. Y, como David, podía ahora rogar así:

"Llegue mi oración a tu presencia;
inclina tu oído a mi clamor.
Porque mi alma está hastiada de males,
y mi vida cercana al Seol" (Salmo 88: 2, 3).

"Porque tú, oh Señor Jehová, eres mi esperanza,
seguridad mía desde mi juventud.
En ti he sido sustentado...
No me deseches en el tiempo de la vejez...
Oh Dios, no te alejes de mí;
Dios mío, acude pronto en mi socorro...
Oh Dios, no me desampares,
hasta que anuncie tu poder a la posteridad,
y tu potencia a todos los que han de venir"
(Salmo 71: 5, 6, 9, 12, 18).

Aquel cuyas "misericordias ... nunca" decaen (Lamentaciones 3: 22), escuchó la oración de su siervo. "Y antes que Isaías saliese hasta la mitad del patio, vino palabra de Jehová a Isaías, diciendo: Vuelve, y di a Ezequías, príncipe de mi pueblo: Así dice Jehová, el Dios de David tu padre: Yo he oído tu oración, y he visto tus lágrimas; he aquí que yo te sano; al tercer día subirás a la casa de Jehová. Y añadiré a tus días quince años, y te libraré a ti y a esta ciudad de mano del rey de Asiria; y ampararé esta ciudad por amor a mí mismo, y por amor a David mi siervo" (2 Reyes 20: 4-6).

El profeta volvió gozosamente con palabras de promesa y de esperanza. Ordenó que se pusiese una masa de higos sobre la parte enferma, y comunicó al rey el mensaje referente a la misericordia de Dios y su cuidado protector.

Como Moisés en la tierra de Madián, como Gedeón en presencia del mensajero celestial, como Eliseo antes de la ascensión de su maestro, Ezequías rogó que se le concediese alguna señal de que el mensaje provenía del cielo. Preguntó al profeta: "¿Qué señal tendré de que Jehová me sanará, y que subiré a la casa de Jehová al tercer día?"

El profeta contestó: "Esta señal tendrás de Jehová, de que hará Jehová esto que ha dicho: ¿Avanzará la sombra diez grados, o retrocederá diez grados? Y Ezequías respondió: Fácil cosa es que la sombra decline diez grados; pero no que la sombra vuelva atrás diez grados".

Unicamente por intervención divina podía la sombra del cuadrante retroceder diez grados; y un suceso tal sería para Ezequías indicio de que el Señor había oído su oración. Por consiguiente, "el profeta Isaías clamó a Jehová; e hizo volver la sombra por los grados que había descendido en el reloj de Acaz, diez grados atrás" (vers. 8-11).

Habiendo recobrado su fuerza, el rey de Judá reconoció en las palabras de un himno la misericordia de Jehová y prometió dedicar los años restantes de su vida a servir voluntariamente al Rey de reyes. Su reconocimiento agradecido de la forma compasiva en que Dios le había tratado resulta inspirador para todos los que deseen dedicar sus años a la gloria de su Hacedor:

"Yo dije: A la mitad de mis días
iré a las puertas del Seol;
privado soy del resto de mis años.
Dije: No veré a JAH, a JAH en la tierra de los
vivientes;
ya no veré más hombre con los moradores del mundo.
Mi morada ha sido movida y traspasada de mí,
como tienda de pastor.
Como tejedor corté mi vida;
me cortará con la enfermedad;
me consumirás entre el día y la noche.
Contaba yo hasta la mañana.
Como un león molió todos mis huesos;
de la mañana a la noche me acabarás.
Como la grulla y como la golondrina me quejaba;
gemía como la paloma; alzaba en alto mis ojos.
Jehová, violencia padezco; fortaléceme.

¿Qué diré? El que me lo dijo,
él mismo lo ha hecho.
Andaré humildemente todos mis años,
a causa de aquella amargura de mi alma.
Oh Señor, por todas estas cosas los hombres vivirán,
y en todas ellas está la vida de mi espíritu;
pues tú me restablecerás, y harás que viva.
He aquí, amargura grande me sobrevino en la paz,
mas a ti agradó librar mi vida del hoyo de corrupción;
porque echaste tras tus espaldas todos mis pecados.

Porque el Seol no te exaltará,
ni te alabará la muerte;
ni los que descienden al sepulcro esperarán tu verdad.
El que vive, el que vive, éste te dará alabanza, como yo hoy;
el padre hará notoria tu verdad a los hijos.

Jehová me salvará;
por tanto cantaremos nuestros cánticos
en la casa de Jehová todos los días de nuestra vida"
(Isaías 38: 10-20).

En los valles fértiles del Tigris y del Eufrates moraba una raza antigua que, aunque se hallaba entonces sujeta a Asiria, estaba destinada a gobernar al mundo. Entre ese pueblo había hombres sabios que dedicaban mucha atención al estudio de la astronomía; y cuando notaron que la sombra del cuadrante había retrocedido diez grados, se maravillaron en gran manera. Su rey, Merodac-baladán, al saber que ese milagro se había realizado como señal para el rey de Judá de que el Dios del cielo le concedía una prolongación de vida, envió embajadores a Ezequías para felicitarlo por su restablecimiento, y para aprender, si era posible, algo más acerca del Dios que podía realizar un prodigio tan grande.

La visita de esos mensajeros de un gobernante lejano dio a Ezequías oportunidad de ensalzar al Dios viviente. ¡Cuán fácil le habría resultado hablarles de Dios, sustentador de todo lo creado, mediante cuyo favor se le había prolongado la vida cuando había desaparecido toda otra esperanza!

¡Qué portentosas transformaciones podrían haberse realizado si esos investigadores de la verdad provenientes de las llanuras de Caldea se hubiesen visto inducidos a reconocer la soberanía suprema del Dios viviente!

Pero el orgullo y la vanidad se posesionaron del corazón de Ezequías, y ensalzándose a sí mismo expuso ante ojos codiciosos los tesoros con que Dios había enriquecido a su pueblo. El rey "les mostró la casa de su tesoro, plata y oro, especias, ungüentos preciosos, toda su casa de armas, y todo lo que se hallaba en sus tesoros; no hubo cosa en su casa y en todos sus dominios, que Ezequías no les mostrase" (Isaías 39: 2). No hizo esto para glorificar a Dios, sino para ensalzarse a la vista de los príncipes extranjeros. No se detuvo a considerar que estos hombres eran representantes de una nación poderosa que no temía ni amaba a Dios, y que era imprudente hacerlos sus confidentes con referencia a las riquezas temporales de la nación.

La visita de los embajadores a Ezequías estaba destinada a probar su gratitud y devoción. El relato dice: "Mas en lo referente a los mensajeros de los príncipes de Babilonia, que enviaron a él para saber del prodigio que había acontecido en el país, Dios lo dejó, para probarle, para hacer conocer todo lo que estaba en su corazón" (2 Crónicas 32: 31). Si Ezequías hubiese aprovechado la oportunidad que se le concedía para atestiguar el poder, la bondad y la compasión del Dios de Israel, el informe de los embajadores habría sido como una luz a través de las tinieblas. Pero él se engrandeció a sí mismo más que a Jehová de los ejércitos. "Ezequías no correspondió al bien que le había sido hecho, sino que se enalteció su corazón, y vino la ira contra él, y

Ezequías dio a los embajadores una bienvenida real y, con orgullo, les mostró todos los tesoros de su reino.

contra Judá y Jerusalén" (vers. 25).

¡Cuán desastrosos iban a ser los resultados! Se le reveló a Isaías que al regresar los embajadores llevaban informes relativos a las riquezas que habían visto, y que el rey de Babilonia y sus consejeros harían planes para enriquecer su propio país con los tesoros de Jerusalén. Ezequías había pecado gravemente; "y vino la ira contra él, y contra Judá y Jerusalén" (vers. 25).

"Entonces el profeta Isaías vino al rey Ezequías, y le dijo: ¿Qué dicen estos hombres, y de dónde han venido a ti? Y Ezequías respondió: De tierra muy lejana han venido a mí, de Babilonia. Dijo entonces: ¿Qué han visto en tu casa? Y dijo Ezequías: Todo lo que hay en mi casa han visto, y ninguna cosa hay en mis tesoros que no les haya mostrado.

"Entonces dijo Isaías a Ezequías: Oye palabra de Jehová de los ejércitos: He aquí vienen días en que será llevado a Babilonia todo lo que hay en tu casa, y lo que tus padres han atesorado hasta hoy; ninguna cosa quedará, dice Jehová. De tus hijos que saldrán de ti, y que habrás engendrado, tomarán, y serán eunucos en el palacio del rey de Babilonia.

"Y dijo Ezequías a Isaías: La palabra de Jehová que has hablado es buena" (Isaías 39: 3-8).

Lleno de remordimiento, "Ezequías, después de haberse enaltecido su corazón, se humilló, él y los moradores de Jerusalén; y no vino sobre ellos la ira de Jehová en los días de Ezequías" (2 Crónicas 32: 26). Pero la mala semilla había sido sembrada, y con el tiempo iba a brotar y producir una cosecha de desolación y desgracia. Durante los años que le quedaban por vivir, el rey de Judá iba a disfrutar mucha prosperidad debido a su propósito firme de redimir lo pasado y honrar el nombre del Dios a quien servía. Sin embargo, su fe iba a ser probada severamente; e iba a aprender que únicamente si ponía toda su confianza en Jehová podía esperar triunfar sobre las potestades de las tinieblas que estaban maquinando su ruina y la destrucción completa de su pueblo.

El relato de cómo Ezequías no fue fiel a su cometido en ocasión de la visita de los embajadores contiene una lección importante para todos. Necesitamos hablar mucho más de los capítulos preciosos de nuestra experiencia, de la misericordia y bondad de Dios, de las profundidades incomparables del amor del Salvador. Cuando la mente y el corazón rebosen de amor hacia Dios no resultará difícil impartir lo que encierra la vida espiritual. Entonces grandes pensamientos, nobles aspiraciones, claras percepciones de la verdad, propósitos abnegados y anhelos de piedad y santidad hallarán expresión en palabras que revelen el carácter de lo atesorado en el corazón.

Aquellos con quienes nos asociamos día tras día necesitan nuestra ayuda, nuestra dirección. Pueden hallarse en tal condición mental que una palabra pronunciada en sazón será como un clavo puesto en lugar seguro. Puede ser que mañana algunas de esas almas se hallen donde no se las pueda alcanzar. ¿Qué influencia ejercemos sobre esos compañeros de viaje?

Cada día de la vida está cargado de responsabilidades que debemos llevar. Cada día, nuestras palabras y nuestros actos hacen impresiones sobre aquellos con quienes tratamos. ¡Cuán grande es la necesidad de que observemos cuidadosamente nuestros pasos y ejerzamos cautela en nuestras palabras! Un movimiento imprudente, un paso temerario, pueden levantar olas de gran tentación que arrastrarán tal vez a un alma. No podemos retirar los pensamientos que hemos implantado en las mentes humanas. Si han sido malos, pueden iniciar toda una cadena de circunstancias, una marea del mal, que no podremos detener.

Por otro lado, si nuestro ejemplo ayuda a otros a desarrollarse de acuerdo con los buenos principios, les comunicamos poder para hacer el bien. A su vez, ejercerán la misma influencia benéfica sobre otros. Así centenares y millares recibirán ayuda de nuestra influencia inconsciente. El que sigue verdaderamente a Cristo fortalece los buenos propósitos de todos aquellos con quienes trata. Revela el poder de la gracia de Dios y la perfección de su carácter ante un mundo incrédulo que ama el pecado.

CAPITULO 30

Librados de Asiria

EN UN tiempo de grave peligro nacional, cuando las huestes de Asiria estaban invadiendo la tierra de Judá, y parecía que nada podía ya salvar a Jerusalén de la destrucción completa, Ezequías reunió las fuerzas de su reino para resistir a sus opresores paganos con valor inquebrantable y confiando en el poder de Jehová para librarlos. Exhortó así a los hombres de Judá: "Esforzaos y animaos; no temáis, ni tengáis miedo del rey de Asiria, ni de toda la multitud que con él viene; porque más hay con nosotros que con él. Con él está el brazo de carne, mas con nosotros está Jehová nuestro Dios para ayudarnos y pelear nuestras batallas" (2 Crónicas 32: 7, 8).

Ezequías no carecía de motivos para poder hablar con certidumbre del resultado. El asirio jactancioso, aunque por un tiempo Dios lo usara como bastón de su furor (Isaías 10: 5), para castigar a las naciones, no había de prevalecer siempre. El mensaje enviado por el Señor mediante Isaías algunos años antes a los que moraban en Sión había sido:

"No temas de Asiria... De aquí a muy poco tiempo ... levantará Jehová de los ejércitos azote contra él como la matanza de Madián en la peña de Oreb, y alzará su vara sobre el mar como hizo por la vía de Egipto. Acontecerá en aquel tiempo que su carga será quitada de tu hombro, y su yugo de tu cerviz, y el yugo se pudrirá a causa de la unción" (Isaías 10: 24-27).

En otro mensaje profético, dado "en el año que murió el rey Acaz", el profeta había declarado: "Jehová de los ejércitos juró diciendo: Ciertamente se hará de la manera que lo he pensado, y será confirmado como lo he determinado; que quebrantaré al asirio en mi tierra, y en mis montes lo hollaré; y su yugo será apartado de ellos, y su carga será quitada de su hombro. Este es el consejo que está acordado sobre toda la tierra, y ésta, la mano extendida sobre todas las naciones. Porque Jehová de los ejércitos lo ha determinado, ¿y quién lo impedirá? Y su mano extendida, ¿quién la hará retroceder?" (Isaías 14: 28, 24-27).

El poder del opresor iba a ser quebrantado. Sin embargo, durante los primeros años de su reinado, Ezequías había continuado pagando tributo a Asiria de acuerdo con el tratado hecho con Acaz. Mientras tanto el rey "tuvo consejo con sus príncipes y con sus hombres valientes", y había hecho todo lo posible para la defensa de su reino. Se había asegurado un abundante abastecimiento de agua dentro de los muros de Jerusalén, para cuando escaseara en las afueras. "Después con ánimo resuelto edificó Ezequías todos los muros caídos, e hizo alzar las torres, y otro muro por fuera; fortificó además a Milo en la ciudad de David, y también hizo muchas espadas y escudos. Y puso capitanes de guerra sobre el pueblo" (2 Crónicas 32: 3, 5, 6). No había descuidado nada de lo que pudiese hacerse como preparativo para un asedio.

En el tiempo en que Ezequías subió al trono de Judá, los asirios se habían llevado ya cautivos a muchos hijos de Israel del reino del norte; y a los pocos años de haber iniciado su reinado, mientras todavía se estaba fortaleciendo la defensa de Jerusalén, los asirios sitiaron y tomaron a Samaria, y dispersaron las diez tribus entre las muchas provincias del reino asirio. El límite de Judá e Israel quedaba sólo a pocos kilómetros. Jerusalén estaba a menos de cincuenta millas [ochenta kilómetros] y los ricos despojos que se podrían sacar del templo eran para el enemigo una tentación a regresar.

Pero el rey de Judá había resuelto hacer su parte en los preparativos para resistirle; y habiendo realizado todo lo que permitían el ingenio y la energía del hombre, reunió sus fuerzas y las exhortó a tener buen ánimo. "Grande es en medio de ti el Santo de Israel" (Isaías 12: 6), había sido el mensaje del profeta Isaías para Judá; y el rey declaraba ahora con fe inquebrantable: "Con nosotros está Jehová nuestro Dios para ayudarnos y pelear nuestras batallas".

No hay nada que inspire tan rápidamente fe como el ejercicio de ella. El rey de Judá se había preparado para la tormenta que se avecinaba; y ahora, confiando en que la profecía pronunciada contra los asirios se iba a cumplir, fortaleció su alma en Dios. "Y el pueblo tuvo confianza en las palabras de Ezequías" (2 Crónicas 32: 8). ¿Qué importaba que los ejércitos de Asiria, que acababan de conquistar las mayores naciones de la tierra y de triunfar sobre Samaria en Israel, volviesen ahora sus fuerzas contra Judá? ¿Qué importaba que se jactasen: "Como halló mi mano los reinos de los ídolos, siendo sus imágenes más que las de Jerusalén y Samaria; como hice a Samaria y a sus ídolos, ¿no haré también así a Jerusalén y a sus ídolos?" (Isaías 10: 10, 11). Judá no tenía motivos de temer, porque confiaba en Jehová.

Llegó finalmente la crisis que se esperaba desde hacía mucho. Las fuerzas de Asiria, avanzando de un triunfo a otro, se hicieron presentes en Judea. Confiados en la victoria, los caudillos dividieron sus fuerzas en dos ejércitos, uno de los cuales habría de encontrarse con el ejército egipcio hacia el sur, mientras que el otro iba a sitiar a Jerusalén.

Dios era ahora la única esperanza de Judá. Este se veía privado de toda ayuda que pudiera prestarle Egipto, y no había otra nación cercana para extenderle una mano amistosa.

Los oficiales asirios, seguros de la fuerza de sus tropas disciplinadas, dispusieron celebrar con los príncipes de Judá una conferencia durante la cual exigieron insolentemente la entrega de la ciudad. Esta exigencia fue acompañada por blasfemias y vilipendios contra el Dios de los hebreos. A causa de la debilidad y la apostasía de Israel y de Judá, el nombre de Dios ya no era temido entre las naciones, sino que había llegado a ser motivo de continuo oprobio (Isaías 52: 5).

Dijo Rabsaces, uno de los principales oficiales de Senaquerib: "Decid ahora a Ezequías: Así dice el gran rey de Asiria: ¿Qué confianza es ésta en que te apoyas? Dices (pero son palabras vacías): Consejo tengo y fuerzas para la

Rabsaces, uno de los principales oficiales del ejército de Asiria, se burló de los habitantes de Jerusalén porque creían que Dios los salvaría.

guerra. Mas ¿en qué confías, que te has rebelado contra mí?" (2 Reyes 18: 19, 20).

Los oficiales estaban entrevistándose fuera de las puertas de la ciudad, pero a oídos de los centinelas que estaban sobre la muralla; y mientras los representantes del rey asirio comunicaban en alta voz sus propuestas a los principales de Judá, se les pidió que hablasen en lengua asiria y no en el idioma de los judíos, a fin de que los que estaban sobre la muralla no se enterasen de lo tratado en la conferencia. Rabsaces, despreciando esta sugestión, alzó aún más la voz y continuó hablando en lengua judaica diciendo:

"Oíd las palabras del gran rey, el rey de Asiria. El rey dice así: No os engañe Ezequías, porque no os podrá librar. Ni os haga Ezequías confiar en Jehová, diciendo: Ciertamente Jehová nos librará; no será entregada esta ciudad en manos del rey de Asiria.

"No escuchéis a Ezequías, porque así dice el rey de Asiria: Haced conmigo paz, y salid a mí; y coma cada uno de su viña, y cada uno de su higuera, y beba cada cual las aguas de su pozo, hasta que yo venga y os lleve a una tierra como la vuestra, tierra de grano y de vino, tierra de pan y de viñas.

"Mirad que no os engañe Ezequías diciendo: Jehová nos librará. ¿Acaso libraron los dioses de las naciones cada uno su tierra de la mano del rey de Asiria? ¿Dónde está el dios de Hamat y de Arfad? ¿Dónde está el dios de Sefarvaim? ¿Libraron a Samaria de mi mano? ¿Qué dios hay entre los dioses de estas tierras que haya librado su tierra de mi mano, para que Jehová libre de mi mano a Jerusalén?" (Isaías 36: 13-20).

Al oír estos desafíos, los hijos de Judá "no le respondieron palabra". La conferencia terminó. Los representantes judíos volvieron a Ezequías, "rasgados sus vestidos, y le contaron las palabras de Rabsaces" (vers. 21, 22). Al conocer el reto blasfemo, el rey "rasgó sus vestidos y se cubrió de cilicio, y entró en la casa de Jehová" (2 Reyes 19: 1).

Se mandó un mensajero a Isaías para informarle del resultado de la conferencia. El mensaje enviado por el rey fue éste: "Este día es día de angustia, de reprensión y de blasfemia... Quizá oirá Jehová tu Dios todas las palabras de Rabsaces, a quien el rey de los asirios su señor ha enviado para blasfemar al Dios viviente, y para vituperar con palabras, las cuales Jehová tu Dios ha oído; por tanto, eleva oración por el remanente que aún queda" (vers. 3, 4).

"Mas el rey Ezequías y el profeta Isaías hijo de Amoz oraron por esto, y clamaron al cielo" (2 Crónicas 32: 20).

Dios contestó las oraciones de sus siervos. A Isaías se le comunicó este mensaje para Ezequías: "Así ha dicho Jehová: No temas por las palabras que has oído, con las cuales me han blasfemado los siervos del rey de Asiria. He aquí pondré yo en él un espíritu, y oirá rumor, y volverá a su tierra; y haré que en su tierra caiga a espada" (2 Reyes 19: 6, 7).

Después de separarse de los príncipes de Judá, los representantes asirios se comunicaron directamente con su rey, que estaba con la división de su ejército que custodiaba el camino hacia Egipto. Cuando oyó el informe, Senaquerib escribió "cartas en que blasfemaba contra Jehová el Dios de Israel, y hablaba contra él, diciendo: Como los dioses de las naciones de los países no pudieron librar a su pueblo de mis

manos, tampoco el Dios de Ezequías librará al suyo de mis manos" (2 Crónicas 32: 17).

La jactanciosa amenaza iba acompañada por este mensaje: "No te engañe tu Dios en quien tú confías, para decir: Jerusalén no será entregada en mano del rey de Asiria. He aquí tú has oído lo que han hecho los reyes de Asiria a todas las tierras, destruyéndolas; ¿y escaparás tú? ¿Acaso libraron sus dioses a las naciones que mis padres destruyeron, esto es, Gozán, Harán, Resef, y los hijos de Edén que estaban en Telasar? ¿Dónde está el rey de Hamat, el rey de Arfad, y el rey de la ciudad de Sefarvaim, de Hena y de Iva?" (2 Reyes 19: 10-13).

Cuando el rey de Judá recibió la carta desafiante, la llevó al templo, y extendiéndola "delante de Jehová" (vers. 14), oró con fe enérgica pidiendo ayuda al cielo para que las naciones de la tierra supiesen que todavía vivía y reinaba el Dios de los hebreos. Estaba en juego el honor de Jehová; y sólo él podía librarlos.

Ezequías intercedió: "Jehová Dios de Israel, que moras entre los querubines, sólo tú eres Dios de todos los reinos de la tierra; tú hiciste el cielo y la tierra. Inclina, oh Jehová, tu oído, y oye; abre, oh Jehová, tus ojos, y mira; y oye las palabras de Senaquerib, que ha enviado a blasfemar al Dios viviente. Es verdad, oh Jehová, que los reyes de Asiria han destruido las naciones y sus tierras; y que echaron al fuego a sus dioses, por cuanto ellos no eran dioses, sino obra de manos de hombres, madera o piedra, y por eso los destruyeron. Ahora, pues, oh Jehová Dios nuestro, sálvanos, te ruego, de su mano, para que sepan todos los reinos de la tierra que sólo tú, Jehová, eres Dios" (vers. 15-19).

Cuando el rey Ezequías recibió las cartas blasfemas de Senaquerib, las extendió delante del Señor y le suplicó en busca de liberación.

"Oh pastor de Israel, escucha;
tú que pastoreas como a ovejas a José,
que estás entre querubines, resplandece.
Despierta tu poder delante de Efraín,
 de Benjamín y de Manasés,
y ven a salvarnos.
Oh Dios, restáuranos;
haz resplandecer tu rostro,
 y seremos salvos.

Jehová, Dios de los ejércitos,
¿hasta cuándo mostrarás tu indignación
 contra la oración de tu pueblo?
Les diste a comer pan de lágrimas,
y a beber lágrimas en gran abundancia.
Nos pusiste por escarnio a nuestros vecinos,
y nuestros enemigos se burlan entre sí.
Oh Dios de los ejércitos, restáuranos;
haz resplandecer tu rostro, y seremos salvos.

Hiciste venir una vid de Egipto;
echaste las naciones, y la plantaste.
Limpiaste sitio delante de ella,
e hiciste arraigar sus raíces, y llenó la tierra.
Los montes fueron cubiertos de su sombra,
y con sus sarmientos los cedros de Dios.
Extendió sus vástagos hasta el mar,
y hasta el río sus renuevos.
¿Por qué aportillaste sus vallados,
y la vendimian todos los que pasan por el camino?
La destroza el puerco montés,

y la bestia del campo la devora.
Oh Dios de los ejércitos, vuelve ahora;
mira desde el cielo, y considera, y visita esta viña,
la planta que plantó tu diestra,
y el renuevo que para ti afirmaste...

Vida nos darás, e invocaremos tu nombre.
¡Oh Jehová, Dios de los ejércitos, restáuranos!
Has resplandecer tu rostro, y seremos salvos"
(Salmo 80).

La súplica de Ezequías en favor de Judá y del honor de su Gobernante supremo, armonizaba con el propósito de Dios. Salomón, en la oración que elevó al dedicar el templo había rogado al Señor que sostuviese la causa "de su pueblo Israel, cada cosa en su tiempo; a fin de que todos los pueblos de la tierra sepan que Jehová es Dios, y que no hay otro" (1 Reyes 8: 59, 60). Y el Señor iba a manifestar especialmente su favor cuando, en tiempos de guerra o de opresión por algún ejército, los príncipes de Israel entrasen en la casa de oración para rogar que se los librase (1 Reyes 8: 33, 34).

No se dejó a Ezequías sin esperanza. Isaías le mandó palabra diciendo: "Así ha dicho Jehová, Dios de Israel: Lo que me pediste acerca de Senaquerib rey de Asiria, he oído. Esta es la palabra que Jehová ha pronunciado acerca de él:

"La virgen hija de Sión te menosprecia, te escarnece; detrás de ti mueve su cabeza la hija de Jerusalén.

"¿A quién has vituperado y blasfemado? ¿y contra quién has alzado la voz, y levantado en alto tus ojos? Contra el Santo de Israel. Por mano de tus mensajeros has vituperado a Jehová, y has dicho: Con la multitud de mis carros he subido a las alturas de los montes, a lo más inaccesible del Líbano; cortaré sus altos cedros, sus cipreses más escogidos; me alojaré en sus más remotos lugares, en el bosque de sus feraces campos. Yo he cavado y bebido las aguas extrañas, he secado con las plantas de mis pies todos los ríos de Egipto.

"¿Nunca has oído que desde tiempos antiguos yo lo hice, y que desde los días de la antigüedad lo tengo ideado? Y ahora lo he hecho venir, y tú serás para hacer desolaciones, para reducir las ciudades fortificadas a montones de escombros. Sus moradores fueron de corto poder; fueron acobardados y confundidos; vinieron a ser como la hierba del campo, y como hortaliza verde, como heno de los terrados, marchitado antes de su madurez.

"He conocido tu situación, tu salida y tu entrada, y tu furor contra mí. Por cuanto te has airado contra mí, por cuanto tu arrogancia ha subido a mis oídos, yo pondré mi garfio en tu nariz, y mi freno en tus labios, y te haré volver por el camino por donde viniste" (2 Reyes 19: 20-28).

La tierra de Judá había sido asolada por el ejército ocupante; pero Dios había prometido atender milagrosamente las necesidades del pueblo. Ezequías recibió este mensaje: "Y esto te daré por señal, oh Ezequías: Este año comeréis lo que nacerá de suyo, y el segundo año lo que nacerá de suyo; y el tercer año sembraréis, y segaréis, y plantaréis viñas, y comeréis el fruto de ellas. Y lo que hubiere escapado, lo que hubiere quedado de la casa de Judá, volverá a echar raíces abajo, y llevará fruto arriba. Porque saldrá de Jerusalén remanente, y del monte de Sión los que se salven. El celo de

Jehová de los ejércitos hará esto.

"Por tanto, así dice Jehová acerca del rey de Asiria: No entrará en esta ciudad, ni echará saeta en ella; ni vendrá delante de ella con escudo, ni levantará contra ella baluarte. Por el mismo camino que vino, volverá, y no entrará en esta ciudad, dice Jehová. Porque yo ampararé esta ciudad para salvarla, por amor a mí mismo, y por amor a David mi siervo" (vers. 29-34).

Esa misma noche se produjo la liberación. "Salió el ángel de Jehová, y mató en el campamento de los asirios a ciento ochenta y cinco mil" (vers. 35). El ángel mató a "todo valiente y esforzado, y a los jefes y capitanes en el campamento del rey de Asiria" (2 Crónicas 32: 21).

Pronto llegaron a Senaquerib, que estaba todavía guardando el camino de Judea a Egipto, las noticias referentes a ese terrible castigo del ejército que había sido enviado a tomar Jerusalén. Sobrecogido de temor, el rey asirio apresuró su partida, y "se volvió, por tanto, avergonzado a su tierra". Pero no iba a reinar mucho más tiempo. De acuerdo con la

M.G.P.—24

profecía que había sido pronunciada acerca de su fin repentino, fue asesinado por los de su propia casa, "y reinó en su lugar Esar-hadón su hijo" (Isaías 37: 38).

El Dios de los hebreos había prevalecido contra el orgulloso asirio. El honor de Jehová había quedado vindicado en ojos de las naciones circundantes. En Jerusalén el corazón del pueblo se llenó de santo gozo. Sus fervorosas súplicas por liberación habían sido acompañadas de la confesión de sus pecados y de muchas lágrimas. En su gran necesidad, habían confiado plenamente en el poder de Dios para salvarlos, y él no los había abandonado. Repercutieron entonces en los atrios del templo cantos de solemne alabanza.

> "Dios es conocido en Judá;
> en Israel es grande su nombre.
> En Salem está su tabernáculo,
> y su habitación en Sión.
> Allí quebró las saetas del arco,
> el escudo, la espada y las armas de guerra.
>
> Glorioso eres tú, poderoso más que los montes de caza.
> Los fuertes de corazón fueron despojados, durmieron su sueño;
> no hizo uso de sus manos ninguno de los varones fuertes.
> A tu reprensión, oh Dios de Jacob,
> el carro y el caballo fueron entorpecidos.
>
> Tú, temible eres tú;
> ¿y quién podrá estar en pie delante de ti cuando se encienda tu ira?

Desde los cielos hiciste oír juicio;
la tierra tuvo temor y quedó suspensa
cuando te levantaste, oh Dios, para juzgar,
para salvar a todos los mansos de la tierra.

Ciertamente la ira del hombre te alabará;
tú reprimirás el resto de las iras.
Prometed, y pagad a Jehová vuestro Dios;
todos los que están alrededor de él, traigan ofrendas
al Temible.
Cortará él el espíritu de los príncipes;
temible es a los reyes de la tierra" (Salmo 76).

El engrandecimiento y la caída del imperio asirio abundan en lecciones para las naciones modernas de esta tierra. La Inspiración ha comparado la gloria de Asiria en el apogeo de su prosperidad con un noble árbol del huerto de Dios, que superara todos los árboles de los alrededores.

"He aquí era el asirio cedro en el Líbano, de hermosas ramas, de frondoso ramaje y de grande altura, y su copa estaba entre densas ramas... A su sombra habitaban muchas naciones. Se hizo, pues, hermoso en su grandeza con la extensión de sus ramas; porque su raíz estaba junto a muchas aguas. Los cedros no lo cubrieron en el huerto de Dios; las hayas no fueron semejantes a sus ramas, ni los castaños fueron semejantes a su ramaje; ningún árbol en el huerto de Dios fue semejante a él en su hermosura... Y todos los árboles del Edén, que estaban en el huerto de Dios, tuvieron de él envidia" (Ezequiel 31: 3-9).

Pero los gobernantes de Asiria, en vez de emplear sus

bendiciones extraordinarias para beneficio de la humanidad, llegaron a ser el azote de muchas tierras. Despiadados, sin consideración para Dios ni para sus semejantes, se dedicaron con terquedad a obligar a todas las naciones a reconocer la supremacía de los dioses de Nínive, a los cuales ensalzaban por sobre el Altísimo. Dios les había enviado a Jonás con un mensaje de amonestación, y durante un tiempo se humillaron delante de Jehová de los ejércitos, y procuraron su perdón. Pero pronto volvieron a adorar los ídolos y a tratar de conquistar el mundo.

El profeta Nahúm, dirigiéndose a los malhechores de Nínive, exclamó: "¡Ay de ti, ciudad sanguinaria, toda llena de mentira y de rapiña, sin apartarte del pillaje! Chasquido de látigo, y fragor de ruedas, caballo atropellador, y carro que salta; jinete enhiesto, y resplandor de espada, y resplandor de lanza; y multitud de muertos... Heme aquí contra ti, dice Jehová de los ejércitos" (Nahúm 3: 1-5).

Con infalible exactitud el Infinito sigue llevando cuenta con las naciones. Mientras ofrece su misericordia y llama al arrepentimiento, esta cuenta permanece abierta; pero cuando las cifras llegan a cierta cantidad que Dios ha fijado, el ministerio de su ira comienza. La cuenta se cierra. Cesa la paciencia divina. La misericordia ya no intercede en favor de aquellas naciones.

"Jehová es tardo para la ira y grande en poder, y no tendrá por inocente al culpable. Jehová marcha en la tempestad y el torbellino, y las nubes son el polvo de sus pies. El amenaza al mar, y lo hace secar, y agosta todos los ríos; Basán fue destruido, y el Carmelo, y la flor del Líbano fue destruida. Los montes tiemblan delante de él, y los collados se derriten; la tierra se conmueve a su presencia, y el mundo, y todos los que en él habitan. ¿Quién permanecerá delante de su ira? ¿y quién quedará en pie en el ardor de su enojo? Su ira se derrama como fuego, y por él se hienden las peñas" (Nahúm 1: 3-6).

Así fue como Nínive, "la ciudad alegre que estaba confiada, la que decía en su corazón: Yo, y no más", llegó a ser desolación, "vacía, agotada y desolada está, ... la guarida de los leones, y de la majada de los cachorros de los leones, donde se recogía el león y la leona, y los cachorros del león, y no había quien los espantase" (Sofonías 2: 15; Nahúm 2: 10, 11).

Mirando hacia el momento en que el orgullo de Asiria sería humillado, Sofonías profetizó así acerca de Nínive:

"Rebaños de ganado harán en ella majada, todas las bestias del campo; el pelícano también y el erizo dormirán en sus dinteles; su voz cantará en las ventanas; habrá desolación en las puertas, porque su enmaderamiento de cedro será descubierto" (Sofonías 2: 14).

Grande fue la gloria del reino asirio; y grande fue su caída. El profeta Ezequiel, llevando más adelante la figura de un noble cedro, predijo claramente la caída de Asiria por causa de su orgullo y de su crueldad. Declaró:

"Por tanto, así dijo Jehová el Señor: Ya que por ... haber levantado su cumbre entre densas ramas, su corazón se elevó con su altura, yo lo entregaré en manos del poderoso de las naciones, que de cierto le tratará según su maldad. Yo lo he desechado. Y lo destruirán extranjeros, los poderosos de las naciones, y lo derribarán; sus ramas caerán sobre los montes y por todos los valles, y por todos los arroyos de la tierra será quebrado su ramaje; y se irán de su sombra todos los pueblos de la tierra, y lo dejarán. Sobre su ruina habitarán todas las aves del cielo, y sobre sus ramas estarán todas las bestias del campo, *para que no se exalten en su altura todos los árboles que crecen junto a las aguas...**

"Así ha dicho Jehová el Señor: El día que descendió al Seol, hice hacer luto, ... y todos los árboles del campo se desmayaron. Del estruendo de su caída hice temblar a las naciones" (Ezequiel 31: 10-16).

El orgullo de Asiria y su caída habrían de servir como lección objetiva hasta el fin del tiempo. Acerca de las naciones de la tierra que hoy se levantan con arrogancia y orgullo contra él, Dios pregunta: "¿A quién te has comparado así en gloria y en grandeza entre los árboles del Edén? Pues derribado serás con los árboles del Edén en lo profundo de la tierra" (vers. 18).

"Jehová es bueno, fortaleza en el día de la angustia; y conoce a los que en él confían. Mas con inundación impetuosa consumirá" a todos aquellos que procuran exaltarse a mayor altura que el Altísimo (Nahúm 1: 7, 8).

"La soberbia de Asiria será derribada, y se perderá el cetro de Egipto" (Zacarías 10: 11). Esto se aplica no sólo a las naciones que se levantaron contra Dios en los tiempos antiguos, sino también a las naciones de hoy que no cumplen el propósito divino. En el día de las recompensas finales, cuando el justo Juez de toda la tierra haya de "zarandear a las naciones" (Isaías 30: 28), y se deje entrar en la ciudad de Dios a los que guardaron la verdad, las bóvedas del cielo repercutirán con los cantos triunfantes de los redimidos. Declara el profeta: "Vosotros tendréis cántico como de noche en que se celebra pascua, y alegría de corazón, como el que va con flauta para venir al monte de Jehová, al Fuerte de Israel. Y Jehová hará oír su potente voz... Porque Asiria que hirió con vara, con la voz de Jehová será quebrantada. Y cada golpe de la vara justiciera que asiente Jehová sobre él, será con panderos y con arpas" (vers. 29-32).

---

*La cursiva es nuestra. *Los editores.*

CAPITULO 31

Esperanza para los Paganos

DURANTE todo su ministerio Isaías testificó claramente acerca del propósito de Dios en favor de los paganos. Otros profetas habían mencionado el plan divino, pero no siempre se había comprendido su lenguaje. A Isaías le tocó presentar claramente a Judá la verdad de que entre el Israel de Dios iban a contarse muchos que no eran descendientes de Abrahán según la carne. Esta enseñanza no armonizaba con la teología de su época; y sin embargo proclamó intrépidamente los mensajes que Dios le daba, e infundió esperanza a muchos corazones que anhelaban las bendiciones espirituales prometidas a la simiente de Abrahán.

En su carta a los creyentes de Roma, el apóstol de los gentiles llama la atención a esta característica de la enseñanza de Isaías. Declara Pablo: "E Isaías dice resueltamente: Fui hallado de los que no me buscaban; me manifesté a los que no preguntaban por mí" (Romanos 10: 20).

La esperanza de la venida del Mesías ardió en los corazones de hombres como Abel, Enoc, Abrahán, Moisés, David, Isaías, Jeremías y Daniel.

Con frecuencia los israelitas parecían no poder o no querer comprender el propósito de Dios en favor de los paganos. Sin embargo, este propósito era lo que había hecho de ellos un pueblo apartado, y los había establecido como nación independiente entre los pueblos de la tierra. Abrahán, su padre, a quien se diera por primera vez la promesa del pacto, había sido llamado a salir de su parentela hacia regiones lejanas, para que pudiese comunicar la luz a los paganos. Aunque la promesa que le fuera hecha incluía una posteridad tan numerosa como la arena del mar, no eran motivos egoístas los que iban a impulsarle como fundador de una gran nación en la tierra de Canaán. El pacto que Dios hizo con él abarcaba todas las naciones de la tierra. Jehová declaró: "Te bendeciré, y engrandeceré tu nombre, y serás bendición. Bendeciré a los que te bendijeren, y a los que te maldijeren maldeciré; y serán benditas en ti todas las familias de la tierra" (Génesis 12: 2, 3).

Al renovarse el pacto poco después del nacimiento de Isaac, el propósito de Dios en favor de la humanidad se expresó nuevamente con claridad. El Señor aseguró acerca del hijo prometido, que serían "benditas en él todas la naciones de la tierra" (Génesis 18: 18). Y más tarde el visitante celestial volvió a declarar: "En tu simiente serán benditas todas las naciones de la tierra" (Génesis 22: 18).

Las condiciones de este pacto que abarcaba a todos eran familiares para los hijos de Abrahán y para los hijos de sus hijos. A fin de que los israelitas pudiesen ser una bendición para las naciones, y para que el nombre de Dios se conociese "en toda la tierra" (Exodo 9: 16), fueron librados de la servidumbre egipcia. Si obedecían sus mandamientos se colocarían muy adelante de los otros pueblos en cuanto a sabiduría y entendimiento; pero esta supremacía se alcanzaría y se conservaría sólo para que por su medio se cumpliese el propósito de Dios para "todas las naciones de la tierra".

Las maravillosas providencias relacionadas con la liberación de Israel cuando escapó al yugo egipcio y ocupó la tierra prometida, indujeron a muchos paganos a reconocer al Dios de Israel como el Gobernante supremo. La promesa había sido: "Y sabrán los egipcios que yo soy Jehová, cuando extienda mi mano sobre Egipto, y saque a los hijos de Israel de en medio de ellos" (Exodo 7: 5)...

Las huestes de Israel comprobaron, mientras avanzaban, que las había precedido el conocimiento de las obras poderosas del Dios de los hebreos, y que algunos de entre los paganos iban aprendiendo que sólo él era el verdadero Dios. En la impía Jericó, éste fue el testimonio de una mujer pagana: "Jehová vuestro Dios es Dios arriba en los cielos y abajo en la tierra" (Josué 2: 11). El conocimiento de Jehová que había llegado a ella, resultó ser su salvación. "Por la fe Rahab la ramera no pereció juntamente con los desobedientes" (Hebreos 11: 31). Y su conversión no fue un caso aislado de la misericordia de Dios hacia los idólatras que reconocían su autoridad divina... Un pueblo numeroso, el de los gabaonitas, renunció a su paganismo, y uniéndose con Israel participó en las bendiciones del pacto.

Dios no reconoce distinción por causa de nacionalidad, raza o casta. El es el Hacedor de toda la humanidad. Por la creación, todos los hombres pertenecen a una sola familia; y todos constituyen una por la redención. Cristo vino para derribar el muro de separación, para abrir todos los departamentos de los atrios del templo, a fin de que toda alma tuviese libre acceso a Dios. Su amor es tan amplio, tan profundo y completo, que lo compenetra todo. Arrebata de la influencia satánica a aquellos que fueron engañados por sus seducciones, y los coloca al alcance del trono de Dios... En Cristo no hay judío, ni griego, ni esclavo ni libre.

En los años que siguieron a la ocupación de la tierra prometida, los benéficos designios de Jehová para salvar a los paganos se perdieron casi completamente de vista, y fue necesario que Dios presentase nuevamente su plan. Inspiró al salmista a cantar: "Se acordarán, y se volverán a Jehová todos los confines de la tierra, y todas las familias de las naciones adorarán delante de ti". " Vendrán príncipes de Egipto; Etiopía se apresurará a extender sus manos hacia Dios". "Entonces las naciones temerán el nombre de Jehová, y todos los reyes de la tierra tu gloria... Se escribirá esto para la generación venidera; y el pueblo que está por nacer alabará a JAH, porque miró desde lo alto de su santuario; Jehová miró desde los cielos ... para oír el gemido de los presos, para soltar a los sentenciados a muerte; para que publique en Sión el nombre de Jehová, y su alabanza en Jerusalén, cuando los pueblos y los reinos se congreguen en uno para servir a Jehová" (Salmos 22: 27; 68: 31; 102: 15, 18-22).

Si Israel hubiese sido fiel a su cometido, todas las naciones de la tierra habrían compartido sus bendiciones. Pero el corazón de aquellos a quienes había sido confiado el conocimiento de la verdad salvadora no se conmovió por las necesidades de quienes les rodeaban. Cuando quedó olvidado el propósito de Dios, los paganos llegaron a ser considerados como si estuvieran fuera del alcance de su misericordia. Se los privó de la luz de la verdad, y prevalecieron las tinieblas. Un velo de ignorancia cubrió a las naciones; poco se sabía del amor de Dios y florecían el error y la superstición.

Tal era la perspectiva que enfrentaba Isaías cuando fue llamado a la misión profética; sin embargo no se desalentó, pues repercutía en sus oídos el coro triunfal de los ángeles en derredor del trono de Dios: "Toda la tierra está llena de su gloria" (Isaías 6: 3). Y su fe fue fortalecida por visiones de las gloriosas conquistas que realizará la iglesia de Dios, cuando "la tierra será llena del conocimiento de Jehová, como las aguas cubren el mar" (Isaías 11: 9). "La cubierta con que están cubiertos todos los pueblos, y el velo que envuelve a todas las naciones" (Isaías 25: 7), serían finalmente destruidos. El Espíritu de Dios iba a derramarse sobre toda carne. Los que tuviesen hambre y sed de justicia debían contarse entre el Israel de Dios. Dijo el profeta: "Y brotarán entre hierba, como sauces junto a las riberas de las aguas. Este dirá: Yo soy de Jehová; el otro se llamará del nombre de Jacob, y otro escribirá con su mano: A Jehová, y se apellidará con el nombre de Israel" (Isaías 44: 4, 5).

Fue revelado al profeta el designio benéfico que Dios tenía al dispersar al impenitente pueblo de Judá entre las naciones de la tierra. El Señor declaró: "Por tanto, mi pueblc sabrá mi nombre por esta causa en aquel día; porque yo mismo ... hablo" (Isaías 52: 6). Y no sólo debían aprender ellos mismos la lección de obediencia y confianza, sino que en los lugares donde fueran desterrados debían impartir también a otros un conocimiento del Dios viviente. De entre los hijos de los extranjeros muchos habían de aprender a amarle como su Creador y su Redentor; comenzarían a observar su santo día de reposo como monumento recordativo de su poder creador; y cuando él desnudara "su santo brazo ante los ojos de todas las naciones", para librar a su pueblo del cautiverio, "todos los confines de la tierra" verían la salvación de Dios (Isaías 52: 10). Muchos de estos conversos del paganismo desearían unirse por completo con los israelitas y acompañarlos en su viaje de regreso a Judea. Ninguno de los tales habría de decir: "Me apartará totalmente Jehová de su pueblo" (Isaías 56: 3), pues el mensaje de Dios por medio de su profeta a aquellos que se entregasen a él y observasen su ley era que se contarían desde entonces entre los israelitas espirituales, o sea su iglesia en la tierra.

"Y a los hijos de los extranjeros que sigan a Jehová para servirle, y que amen el nombre de Jehová para ser sus siervos; a todos los que guarden el día de reposo* para no profanarlo, y abracen mi pacto, yo los llevaré a mi santo monte, y los recrearé en mi casa de oración; sus holocaustos y sus sacrificios serán aceptos sobre mi altar; porque mi casa será llamada casa de oración para todos los pueblos. Dice Jehová el Señor, el que reúne a los dispersos de Israel: Aún juntaré sobre él a sus congregados" (vers. 6-8).

Se permitió al profeta que proyectase la mirada a través de los siglos hasta el tiempo del advenimiento del Mesías prometido. Al principio vio sólo "tribulación y tinieblas, oscuridad y angustia" (Isaías 8: 22). Muchos que estaban anhelando recibir la luz de la verdad eran extraviados por falsos maestros que los sugestionaban con los intrincados razonamientos de la filosofía y el espiritismo; otros ponían su confianza en una forma de piedad, pero no practicaban la verdadera santidad en su vida. La perspectiva parecía de-

*"Aquí equivale a *sábado*". Nota de la versión Reina-Valera 1960.

sesperada; pero pronto la escena cambió, y se desplegó una visión maravillosa ante los ojos del profeta. Vio al Sol de justicia que se levantaba con salvación en sus alas, y, extasiado de admiración, exclamó: "Mas no habrá siempre oscuridad para la que está ahora en angustia, tal como la aflicción que le vino en el tiempo que livianamente tocaron la primera vez a la tierra de Zabulón y a la tierra de Neftalí; pues al fin llenará de gloria el camino del mar, de aquel lado del Jordán, en Galilea de los gentiles. El pueblo que andaba en tinieblas vio gran luz; los que moraban en tierra de sombra de muerte, luz resplandeció sobre ellos" (Isaías 9: 1, 2).

Esta gloriosa Luz del mundo [Cristo] iba a ofrecer salvación a toda nación, tribu, lengua y pueblo. Acerca de la obra que le esperaba, el profeta oyó que el Padre eterno declaraba: "Poco es para mí que tú seas mi siervo para levantar las tribus de Jacob, y para que restaures el remanente de Israel; también te dí por luz de las naciones, para que seas mi salvación hasta lo postrero de la tierra... En tiempo aceptable te oí, y en el día de salvación te ayudé; y te guardaré, y te daré por pacto al pueblo, para que restaures la tierra, para que heredes asoladas heredades; para que digas a los presos: Salid; y a los que están en tinieblas: Mostraos... He aquí éstos vendrán de lejos; y he aquí éstos del norte y del occidente, y éstos de la tierra de Sinim" (Isaías 49: 6, 8, 9, 12).

Mirando aun más adelante a través de los siglos, el profeta contempló el cumplimiento literal de esas gloriosas promesas. Vio que los transmisores de las gratas nuevas de salvación iban hasta los fines de la tierra, a toda tribu y pueblo. Oyó al Señor decir acerca de la iglesia evangélica:

"He aquí que yo extiendo sobre ella paz como un río, y la gloria de las naciones como torrente que se desborda" (Isaías 66: 12), y oyó la orden: "Ensancha el sitio de tu tienda, y las cortinas de tus habitaciones sean extendidas; no seas escasa; alarga tus cuerdas, y refuerza tus estacas. Porque te extenderás a la mano derecha y a la mano izquierda; y tu descendencia heredará naciones" (Isaías 54: 2, 3).

Jehová declaró al profeta que enviaría a sus testigos "a las naciones, a Tarsis, a Fut y Lud..., a Tubal y a Javán, a las costas lejanas" (Isaías 66: 19).

"¡Cuán hermosos son sobre los montes
los pies del que trae alegres nuevas,
del que anuncia la paz,
del que trae nuevas del bien,
del que publica salvación,
del que dice a Sión: ¡Tu Dios reina!" (Isaías 52: 7).

El profeta oyó la voz de Dios llamar a su iglesia a la obra que le señalaba, a fin de que quedase preparado el establecimiento de su reino eterno. El mensaje era inequívocamente claro:

"Levántate, resplandece; porque ha venido tu luz,
y la gloria de Jehová ha nacido sobre ti.

Porque he aquí que tinieblas cubrirán la tierra,
y oscuridad las naciones;
mas sobre ti amancerá Jehová,
y sobre ti será vista su gloria.
Y andarán las naciones a tu luz,
y los reyes al resplandor de tu nacimiento.

Alza tus ojos alrededor y mira,
todos éstos se han juntado, vinieron a ti;
tus hijos vendrán de lejos,
y tus hijas serán llevadas en brazos...

Y extranjeros edificarán tus muros,
y sus reyes te servirán;
porque en mi ira te castigué,
mas en mi buena voluntad tendré de ti misericordia.
Tus puertas estarán de continuo abiertas;
no se cerrarán de día ni de noche,
para que a ti sean traídas las riquezas de las naciones,
y conducidos a ti sus reyes".

"Mirad a mí, y sed salvos, todos los términos de la tierra,
porque yo soy Dios, y no hay más"
(Isaías 60: 1-4, 10, 11; 45: 22).

Estas profecías de un despertamiento espiritual en un tiempo de densas tinieblas hallan hoy su cumplimiento en los puestos de avanzada de las estaciones misioneras que se están estableciendo en las regiones entenebrecidas de la tierra. Los grupos de misioneros en las tierras paganas han sido comparados por el profeta con señales puestas en alto para guiar a los que buscan la luz de la verdad.

Dice Isaías: "Acontecerá en aquel tiempo que la raíz de Isaí, la cual estará puesta por pendón a los pueblos, será buscada por las gentes; y su habitación será gloriosa. Asimismo acontecerá en aquel tiempo, que Jehová alzará otra vez su mano para recobrar el remanente de su pueblo... Y levantará pendón a las naciones, y juntará los desterrados de Israel, y reunirá los esparcidos de Judá de los cuatro confines de la tierra" (Isaías 11: 10-12).

El día de liberación se acerca. "Porque los ojos de Jehová contemplan toda la tierra, para mostrar su poder a favor de los que tienen corazón perfecto para con él" (2 Crónicas 16: 9). Entre todas las naciones, tribus y lenguas, él ve a hombres que oran por luz y conocimiento. Sus almas no están satisfechas, pues han estado alimentándose durante mucho tiempo con cenizas (Isaías 44: 20). El enemigo de toda justicia las ha extraviado, y andan a tientas como ciegos. Pero tienen un corazón sincero, y desean conocer un camino mejor. Aunque sumidas en las profundidades del paganismo, y sin conocimiento de la ley de Dios escrita ni de su Hijo Jesús, han revelado de múltiples maneras que su espíritu y su carácter sienten el efecto de un poder divino.

A veces los que no tienen otro conocimiento de Dios que el recibido por operación de la gracia divina, han manifestado bondad hacia sus siervos, protegiéndolos con peligro de su propia vida. El Espíritu Santo está implantando la gracia de Cristo en el corazón de muchos nobles buscadores de la verdad, y despierta sus simpatías en forma que contraría su naturaleza y su educación anterior. La "luz verdadera, que alumbra a todo hombre, venía a este mundo" (S. Juan 1: 9), resplandece en su alma; y esta luz, si la siguen, guiará sus pies hacia el reino de Dios. El profeta Miqueas dijo: "Aunque more en tinieblas, Jehová será mi luz... Hasta que juzgue mi causa y haga mi justicia; él me sacará a luz; veré su justicia" (Miqueas 7: 8, 9).

El plan de salvación trazado por el cielo es suficientemente amplió para abarcar todo el mundo. Dios anhela impartir el aliento de vida a la humanidad postrada. Y no permitirá que se quede chasqueado nadie que anhele sinceramente algo superior y más noble que cuanto puede ofrecer el mundo. Envía constantemente sus ángeles a aquellos que, si bien están rodeados por las circunstancias más desalentadoras, oran con fe para que algún poder superior a sí mismos se apodere de ellos y les imparta liberación y paz. De varias maneras Dios se les revelará, y los hará objeto de providencias que establecerán su confianza en Aquel que se dio a sí mismo en rescate por todos, "a fin de que pongan en Dios su confianza, y no se olviden de las obras de Dios; que guarden sus mandamientos" (Salmo 78: 7).

"¿Será quitado el botín al valiente? ¿Será rescatado el cautivo de un tirano? Pero así dice Jehová: Ciertamente el cautivo será rescatado del valiente, y el botín será arrebatado al tirano" (Isaías 49: 24, 25). "Serán vueltos atrás y en extremo confundidos los que confían en ídolos, y dicen a las imágenes de fundición: Vosotros sois nuestros dioses" (Isaías 42: 17).

"Bienaventurado aquel cuyo ayudador es el Dios de Jacob, cuya esperanza está en Jehová su Dios" (Salmo 146: 5). "Volveos a la fortaleza, oh prisioneros de esperanza" (Zacarías 9: 12). Para todos los de corazón sincero que viven en tierras paganas, para los que son "rectos" a la vista del cielo, la luz "resplandeció en las tinieblas" (Salmo 112: 4). Dios ha declarado: "Y guiaré a los ciegos por camino que no sabían, les haré andar por sendas que no habían conocido; delante de ellos cambiaré las tinieblas en luz, y lo escabroso en llanura. Estas cosas les haré, y no los desampararé" (Isaías 42: 16).

CAPITULO 32

Manasés y Josías

EL REINO de Judá, que prosperó durante los tiempos de Ezequías, volvió a decaer durante el largo reinado del impío Manasés, cuando se hizo revivir el paganismo, y muchos del pueblo fueron arrastrados a la idolatría. "Manasés, pues, hizo extraviarse a Judá y a los moradores de Jerusalén, para hacer más mal que las naciones que Jehová destruyó" (2 Crónicas 33: 9). La gloriosa luz de generaciones anteriores fue seguida por las tinieblas de la superstición y del error. Brotaron y florecieron males graves: la tiranía, la opresión y el odio a todo lo bueno. La justicia fue pervertida; prevaleció la violencia.

Sin embargo, no faltaron en esos tiempos malos los testigos de Dios y de lo recto. Los trances penosos de los que Judá se había salvado durante el reinado de Ezequías habían desarrollado en muchos una firmeza de carácter que sirvió ahora de baluarte contra la iniquidad prevaleciente. El testimonio que ellos daban en favor de la verdad y la justicia despertó la ira de Manasés y de quienes compartían su autoridad y procuraban afirmarse en el mal hacer acallando

La tiranía y la opresión durante el largo e impío reinado de Manasés, casi silenciaron a los fieles testigos del verdadero Dios.

toda voz que los desaprobaba. "Fuera de esto, derramó Manasés mucha sangre inocente en gran manera, hasta llenar a Jerusalén de extremo a extremo" (2 Reyes 21: 16).

Uno de los primeros en caer fue Isaías, quien durante más de medio siglo se había destacado delante de Judá como mensajero designado por Jehová. "Otros experimentaron vituperios y azotes, y a más de esto prisiones y cárceles. Fueron apedreados, aserrados, puestos a prueba, muertos a filo de espada; anduvieron de acá para allá cubiertos de pieles de ovejas y de cabras, pobres, angustiados, maltratados; de los cuales el mundo no era digno; errando por los desiertos, por los montes, por las cuevas y por las cavernas de la tierra" (Hebreos 11: 36-38).

Algunos de los que sufrieron persecución durante el reinado de Manasés habían recibido la orden de dar mensajes especiales de reprensión y de juicio. El rey de Judá, declararon los profetas, "ha hecho más mal que todo lo que hicieron los amorreos que fueron antes de él" (1 Reyes 21: 11). Debido a esa impiedad, su reino se acercaba a una crisis; pronto los habitantes de la tierra iban a ser llevados cautivos a Babilonia, como "presa y despojo de todos sus adversarios" (2 Reyes 21: 11, 14). Pero el Señor no iba a abandonar por completo a los que en una tierra extraña le reconociesen como su Gobernante. Sufrirían tal vez gran tribulación, pero él los libraría en el tiempo y de la manera que había señalado. Los que pusieran su confianza completamente en él hallarían un refugio seguro.

Los profetas continuaron dando sus amonestaciones y exhortaciones fielmente; hablaron intrépidamente a Manasés y a su pueblo; pero los mensajes fueron despreciados; y el apóstata Judá no quiso escucharlos. Como muestra de lo que sucedería al pueblo si continuaba en su impenitencia, el Señor permitió que su rey fuese tomado cautivo por una banda de soldados asirios, quienes habiéndolo "atado con cadenas lo llevaron a Babilonia", su capital provisoria. Esta aflicción hizo volver en sí al rey; "oró a Jehová su Dios, humillado grandemente en la presencia del Dios de sus padres. Y habiendo orado a él, fue atendido; pues Dios oyó su oración y lo restauró a Jerusalén, a su reino. Entonces reconoció Manasés que Jehová era Dios" (2 Crónicas 33: 10-13). Pero este arrepentimiento, por notable que fuese, fue demasiado tardío para salvar al reino de las influencias corruptoras de los años ... [de] idolatría. Muchos habían tropezado y caído, para no volver a levantarse.

Entre aquellos cuya vida había sido amoldada sin remedio por la apostasía fatal de Manasés, se contaba su propio hijo, quien subió al trono a la edad de veintidós años. Acerca del rey Amón leemos: "Anduvo en todos los caminos en que su padre anduvo, y sirvió a los ídolos a los cuales había servido su padre, y los adoró; y dejó a Jehová el Dios de sus padres" (2 Reyes 21: 21, 22); y "nunca se humilló delante de Jehová, como se humilló Manasés su padre; antes bien aumentó el pecado". No se permitió que el perverso rey reinase mucho tiempo. En medio de su impiedad temeraria, tan sólo dos años después que ascendió al trono, fue muerto ... por sus propios siervos, y "el pueblo de la tierra puso por rey en su lugar a Josías su hijo" (2 Crónicas 33: 23-25).

Con la ascensión de Josías al trono, desde el cual iba a gobernar treinta y un años, los que habían conservado la pureza de su fe empezaron a esperar que se detuviera el descenso del reino; porque el nuevo rey, aunque tenía sólo ocho años, temía a Dios, y desde el mismo principio "hizo lo recto ante los ojos de Jehová, y anduvo en todo el camino de David su padre, sin apartarse a derecha ni a izquierda" (2 Reyes 22: 2). Hijo de un rey impío, asediado por tentaciones a seguir las pisadas de su padre, y rodeado de pocos consejeros que le alentasen en el buen camino, Josías fue sin embargo fiel al Dios de Israel. Advertido por los errores de las generaciones anteriores, decidió hacer lo recto en vez de rebajarse al nivel de pecado y degradación al cual habían caído su padre y su abuelo. "Sin apartarse a derecha ni a izquierda", como quien debía ocupar un puesto de confianza, resolvió obedecer las instrucciones que habían sido dadas para dirigir a los gobernantes de Israel; y su obediencia hizo posible que Dios le usase como vaso de honor.

En el tiempo en que Josías empezó a reinar, y durante muchos años antes, los de corazón fiel que quedaban en Judá se preguntaban si las promesas que Dios había hecho al antiguo Israel se iban a cumplir alguna vez. Desde un punto de vista humano, parecía casi imposible que se alcanzara el propósito divino para la nación escogida. La apostasía de los siglos anteriores había adquirido fuerza con el transcurso de los años; diez de las tribus habían quedado esparcidas entre los paganos; quedaban tan sólo las tribus de Judá y Benjamín, y aun éstas parecían estar al borde de la ruina moral y nacional. Los profetas habían comenzado a predecir la destrucción completa de su hermosa ciudad, donde se hallaba el templo edificado por Salomón y donde se concentraban todas sus esperanzas terrenales de grandeza nacional. ¿Sería posible que Dios estuviese por renunciar a su propósito de impartir liberación a quienes pusiesen su confianza en él? Frente a la larga persecución que venían sufriendo los justos, y a la aparente prosperidad de los impíos, ¿podían esperar mejores días los que habían permanecido fieles a Dios?

Estas preguntas llenas de ansiedad fueron expresadas por el profeta Habacuc. Considerando la situación de los fieles en su tiempo, expresó la preocupación de su corazón en esta pregunta: "¿Hasta cuándo, oh Jehová, clamaré, y no oirás; y daré voces a ti a causa de la violencia, y no salvarás? ¿Por qué me haces ver iniquidad, y haces que vea molestia? Destrucción y violencia están delante de mí, y pleito y contienda se levantan. Por lo cual la ley es debilitada, y el juicio no sale según la verdad; por cuanto el impío asedia al justo, por eso sale torcida la justicia" (Habacuc 1: 2-4).

Dios respondió al clamor de sus hijos leales. Mediante su portavoz escogido reveló su resolución de castigar a la nación que se había apartado de él para servir a los dioses de los paganos. Estando aún con vida algunos de los que averiguaban acerca del futuro, ordenaría milagrosamente los asuntos de las naciones dominantes en la tierra, y daría supremacía a los babilonios. Esa potencia caldea "formidable ... y terrible" (vers. 7) caería de pronto sobre la tierra de Judá como azote enviado por Dios. Los príncipes de Judá y los más hermosos del pueblo serían llevados a Babilonia; las ciudades y los pueblos de Judea, así como los campos cultivados, serían asolados; nada escaparía.

Confiando en que aun en ese terrible castigo se cumpliría de alguna manera el propósito de Dios para su pueblo, Habacuc se postró sumiso a la voluntad revelada de Jehová.

Exclamó: "¿No eres tú desde el principio, oh Jehová, Dios mío, Santo mío?" Y luego, como su fe se extendía hasta más allá de las perspectivas penosas del futuro inmediato y confiaba en las preciosas promesas que revelan el amor de Dios hacia sus hijos que manifiestan confianza, el profeta añadió: "No moriremos" (vers. 12). Con esta declaración de fe, entregó su caso y el de todo israelita creyente en las manos de un Dios compasivo.

Y ésta no fue la única vez cuando Habacuc ejerció una fe intensa. En una ocasión, mientras meditaba acerca del futuro, dijo: "Sobre mi guarda estaré, y sobre la fortaleza afirmaré el pie, y velaré para ver lo que se me dirá, y qué he de responder tocante a mi queja". El Señor le contestó misericordiosamente: "Escribe la visión, y declárala en tablas, para que corra el que leyere en ella. Aunque la visión tardará aún por un tiempo, mas se apresura hacia el fin, y no mentirá; aunque tardare, espéralo, porque sin duda vendrá, no tardará. He aquí que aquel cuya alma no es recta, se enorgullece; mas *el justo por su fe vivirá*"* (Habacuc 2: 1-4).

La fe que fortaleció a Habacuc y a todos los santos y justos de aquellos tiempos de prueba intensa, es la misma fe que sostiene al pueblo de Dios hoy. En las horas más sombrías, en las circunstancias más amedrentadoras, el creyente puede afirmar su alma en la fuente de toda luz y poder. Día tras día, por la fe en Dios, puede renovar su esperanza y valor. "El justo por su fe vivirá". Al servir a Dios no hay por qué experimentar abatimiento, vacilación o temor. El Señor hará más que cumplir las más altas expectativas de aquellos que ponen su confianza en él. Les dará la sabiduría que exigen sus variadas necesidades.

*La cursiva es nuestra. *Los editores.*

Acerca de la abundante provisión hecha para toda alma tentada, el apóstol Pablo da un testimonio elocuente. Le fue asegurado divinamente: "Bástate mi gracia; porque mi poder se perfecciona en la debilidad". Con gratitud y confianza, el probado siervo de Dios contestó: "Por tanto, de buena gana me gloriaré más bien en mis debilidades, para que repose sobre mí el poder de Cristo. Por lo cual, por amor a Cristo me gozo en las debilidades, en afrentas, en necesidades, en persecuciones, en angustias; porque cuando soy débil, entonces soy fuerte" (2 Corintios 12: 9, 10).

Debemos apreciar y cultivar la fe acerca de la cual testificaron los profetas y los apóstoles, la fe que echa mano de las promesas de Dios y aguarda la liberación que ha de venir en el tiempo y de la manera que él señaló. La segura palabra profética tendrá su cumplimiento final en el glorioso advenimiento de nuestro Señor de señores. El tiempo de espera puede parecer largo; el alma puede estar oprimida por circunstancias desalentadoras; pueden caer al lado del camino muchos de aquellos en quienes se puso confianza; pero con el profeta que procuró alentar a Judá en un tiempo de apostasía sin parangón, declaremos con confianza: "Jehová está en su santo templo; calle delante de él toda la tierra" (Habacuc 2: 20). Recordemos siempre el mensaje animador: "Aunque la visión tardara aún por un tiempo, mas se apresura hacia el fin, y no mentirá; aunque tarde, espéralo, porque sin duda vendrá, no tardará... Mas el justo por su fe vivirá" (vers. 3, 4).

"Oh Jehová, aviva tu obra en medio de los tiempos,
en medio de los tiempos hazla conocer;
en la ira acuérdate de la misericordia.

Dios vendrá de Temán,
y el Santo desde el monte de Parán.
Su gloria cubrió los cielos,
y la tierra se llenó de su alabanza.
Y el resplandor fue como la luz;
rayos brillantes salían de su mano,
y allí estaba escondido su poder.
Delante de su rostro iba mortandad,
Y a sus pies salían carbones encendidos.
Se levantó, y midió la tierra;
miró, e hizo temblar las gentes;
los montes antiguos fueron desmenuzados,
los collados antiguos se humillaron.
Sus caminos son eternos...

Saliste para socorrer a tu pueblo...

Aunque la higuera no florezca,
ni en las vides haya frutos,
aunque falte el producto del olivo,
y los labrados no den mantenimiento,
y las ovejas sean quitadas de la majada,
y no haya vacas en los corrales;
con todo, yo me alegraré en Jehová,
y me gozaré en el Dios de mi salvación..."
(Habacuc 3: 2-6, 13, 17-19).

Habacuc no fue el único por medio de quien se dio un mensaje de brillante esperanza y de triunfo futuro, así como de castigo presente. Durante el reinado de Josías, la palabra del Señor fue comunicada a Sofonías, para especificar claramente los resultados de la continua apostasía y llamar la atención de la verdadera iglesia a las gloriosas perspectivas que la esperaban. Sus profecías de los juicios a punto de caer sobre Judá se aplican con igual fuerza a los juicios que sobrevendrán a un mundo impenitente en ocasión del segundo advenimiento de Cristo:

"Cercano está el día grande de Jehová,
cercano y muy próximo;
es amarga la voz del día de Jehová;
gritará allí el valiente.

Día de ira aquel día,
día de angustia y de aprieto,
día de alboroto y de asolamiento,
día de tiniebla y de oscuridad,
día de nublado y de entenebrecimiento,
día de trompeta y de algazara
sobre las ciudades fortificadas, y sobre las altas
torres" (Sofonías 1: 14-16).

"Atribularé a los hombres, y andarán como ciegos, porque pecaron contra Jehová; y la sangre de ellos será derramada como polvo... Ni su plata ni su oro podrá librarlos en el día de la ira de Jehová, pues toda la tierra será consumida con el fuego de su celo; ... destrucción apresurada hará de todos los habitantes de la tierra" (vers. 17, 18).

"Congregaos y meditad,
oh nación sin pudor,
antes que tenga efecto el decreto,
y el día se pase como el tamo;
antes que venga sobre vosotros el furor de la ira de
Jehová,

antes que el día de la ira de Jehová venga sobre
vosotros.

Buscad a Jehová todos los humildes de la tierra,
los que pusisteis por obra su juicio;
buscad justicia, buscad mansedumbre;
quizás seréis guardados en el día
del enojo de Jehová" (Sofonías 2: 1-3).

"He aquí, en aquel tiempo yo apremiaré a todos tus opresores; y salvaré a la que cojea, y recogeré la descarriada; y os pondré por alabanza y por renombre en toda la tierra. En aquel tiempo yo os traeré, en aquel tiempo os reuniré yo; pues os pondré para renombre y para alabanza entre todos los pueblos de la tierra, cuando levante vuestro cautiverio delante de vuestros ojos, dice Jehová" (Sofonías 3: 19, 20).

"Canta, oh hija de Sión;
da voces de júbilo, oh Israel;
gózate y regocíjate de todo corazón,
hija de Jerusalén.
Jehová ha apartado tus juicios,
ha echado fuera tus enemigos;
Jehová es Rey de Israel en medio de ti;
nunca más verás el mal.

En aquel tiempo se dirá a Jerusalén: No temas;
Sión, no se debiliten tus manos.
Jehová está en medio de ti, poderoso,
él salvará; se gozará sobre ti con alegría,
callará de amor, se regocijará sobre ti con cánticos"
(vers. 14-17).

Sofonías denunció la profunda apostasía de su época, y llamó al arrepentimiento, advirtiendo: "Cercano está el gran día de Jehová".